Englische Lie

Das Buch

Die Töchter des schrulligen Lord Radlett führen auf Alconleigh das unbeschwerte Leben des englischen Landadels. Zusammen mit ihrer Cousine Fanny sehnen sie ihr Debüt in der Londoner Gesellschaft herbei und beobachten aufgeregt die Hochzeitsvorbereitungen von Linda, der Ältesten, die einen Bankier aus guter Familie heiratet. Doch dann kommt es zum Skandal: Linda brennt mit einem jungen Kommunisten nach Frankreich durch ...

»Es gibt Bücher, um derentwillen man Termine absagt; man verachtet alle anderen Arten von Zerstreuung, und man liest häppchenweise, nur ja nicht zuviel auf einmal. So ein Buch ist *Englische Liebschaften*.« *Nürnberger Zeitung*

Die Autorin

Nancy Mitford, die spitzzüngige Chronistin der englischen Adelsgesellschaft, wurde 1904 als älteste Tochter des Barons von Redford geboren. Während ihre fünf Schwestern vor allem durch ihren Lebenswandel für Skandale sorgten (so sagt man Unity Mitford eine Affäre mit Hitler nach, während Jessica als Kommunistin im Spanischen Bürgerkrieg kämpfte), versetzte Nancy die Upperclass durch ihre boshaften literarischen Porträts in Aufregung. Sie schrieb ihren ersten Roman 1931, während ihrer Verlobungszeit mit dem homosexuellen St. Clair Erskine. Als dieser nicht zu einer Heirat zu bewegen war, trat sie zwei Jahre später mit dem Diplomatensohn Peter Rodd vor den Traualtar. Während des Zweiten Weltkrieges leitete sie eine Buchhandlung in London und lernte so Colonel Gaston Palewski kennen, der sich als Vertrauter Charles de Gaulles im englischen Exil befand. Sie folgte ihm 1946 nach Paris und verbrachte den Rest ihres Lebens in Frankreich. Nancy Mitford starb 1973 in Versailles.

Nancy Mitford

Englische Liebschaften

Roman

Aus dem Englischen
von Reinhard Kaiser

List Taschenbuch

Besuchen Sie uns im Internet:
www.list-taschenbuch.de

Umwelthinweis:
Dieses Buch wurde auf chlor- und säurefreiem Papier gedruckt.

List Verlag
List ist ein Verlag des Verlagshauses Ullstein Heyne List GmbH &
Co. KG.
1. Auflage Januar 2003
© für die deutsche Ausgabe by Eichborn GmbH & Co. Verlag KG,
Frankfurt am Main, 1989
Zuerst erschienen in der Greno Verlagsgesellschaft m.b.H.,
Nördlingen, 1988
© Hamish Hamilton, London, 1945
Titel der englischen Originalausgabe: *The Pursuit of Love*
Übersetzung: Reinhard Kaiser
Umschlagkonzept: HildenDesign, München – Stefan Hilden
Umschlaggestaltung: Hauptmann und Kampa Werbeagentur,
München – Zürich
Titelabbildung: © Edward Steichen: *Summer Sportswear*, mit
freundlicher Genehmigung von Joanna T. Steichen
Druck und Bindearbeiten: Elsnerdruck, Berlin
Printed in Germany
ISBN 3-548-60317-3

Für Gaston Palewski

1

Es gibt eine Photographie von Tante Sadie und ihren sechs Kindern, wie sie alle zusammen um den Teetisch in Alconleigh sitzen. Der Tisch steht da, wo er immer gestanden hat, wo er heute steht und immer stehen wird, in der Halle, vor einem gewaltigen Kamin, in dem ein Feuer prasselt. Über dem Kaminsims hängt, auf der Photographie deutlich sichtbar, ein Schanzspaten, mit dem Onkel Matthew 1915 acht Deutsche totgeschlagen hat, einen nach dem anderen, so wie sie aus irgendeinem Unterstand hervorgekrochen waren. Noch immer kleben Blut und Haare an diesem Werkzeug, das wir Kinder stets nur mit fasziniertem Schauder betrachteten. Auf der Photographie wirkt Tante Sadies Gesicht, das immer sehr schön war, merkwürdig rund, ihr Haar merkwürdig flaumig und ihre Kleidung merkwürdig nachlässig, aber sie ist es, ganz unverkennbar, und auf ihrem Schoß hat sich in einem Meer von Spitzen der kleine Robin breitgemacht. Sie scheint nicht recht zu wissen, wie sie seinen Kopf halten soll, und daß Nanny in der Nähe ist, um ihr den Kleinen gleich wieder abzunehmen, spürt man, obwohl man sie nicht sieht. Die anderen Kinder, von der elfjährigen Louisa bis hinunter zu dem zweijährigen Matt, sitzen im Sonntagsstaat oder mit umgebundenem Lätzchen am Tisch. Je nach Alter halten sie Tassen oder Becher in den Händen, starren mit großen, vom Blitzlicht geweiteten Augen in den Photoapparat und sehen allesamt so aus, als könnten sie nicht bis drei zählen. Da sind sie, wie kleine Fliegen eingeschlossen in den Bernstein dieses Augenblicks – klick macht die Kamera, und weiter geht das Leben; die Minuten, die Tage, die Jahre, die Jahrzehnte, die sie vom Glück und von den Verheißungen der Jugend fortreißen, von den Hoffnungen, die Tante Sadie für sie gehegt haben muß, und von den Träumen, die sie selbst träumten. Oft denke ich, es gibt nichts Traurigeres als alte Familienphotos.

Als Kind brachte ich meine Weihnachtsferien regelmäßig in Alconleigh zu, sie waren ein fester Bestandteil meines Lebens, und während manche ohne irgendwelche besonderen Vorfälle einfach vorübergingen, zeichneten sich andere durch dramatische Verwicklungen aus und hatten ihren ganz eigenen Charakter. Einmal zum Beispiel brach im Dienstbotenflügel Feuer aus, ein andermal fiel ich von meinem Pony in den Bach, das Pony stürzte auf mich, und fast wäre ich ertrunken (aber nur fast, denn es wurde gleich weggezerrt, doch wollen einige vorher immerhin schon Luftblasen beobachtet haben). Dann das Drama, als die zehnjährige Linda einen Selbstmordversuch unternahm, um ihren alten, muffigen Border Terrier wiederzusehen, den Onkel Matthew hatte einschläfern lassen. Sie sammelte einen Korb Eibensamen und aß sie, aber Nanny entdeckt sie und flößte ihr Senf und Wasser ein, bis sie sich erbrach. Nachher sprach Tante Sadie »ein ernstes Wort« mit ihr, Onkel Matthew gab ihr eins hinter die Ohren, sie mußte ein paar Tage das Bett hüten und bekam dann einen jungen Labrador geschenkt, der bald den Platz des alten Border in ihrem Herzen einnahm. Noch viel schlimmer war das Drama, als Linda mit zwölf Jahren den Nachbarstöchtern, die zum Tee herübergekommen waren, die Tatsachen des Lebens auseinandersetzte, so wie sie sie verstand. Lindas Darstellung dieser »Tatsachen« fiel derart grausig aus, daß die Kinder mit nachhaltig zerrütteten Nerven und erheblich eingeschränkten Aussichten auf ein gesundes und glückliches Geschlechtsleben Alconleigh unter schrecklichem Geheul verließen. Der Vorfall zog eine Reihe furchtbarer Bestrafungen nach sich, zunächst eine wirkliche Tracht Prügel, verabreicht von Onkel Matthew, und dann mußte Linda eine Woche lang allein oben essen. Schließlich die unvergeßlichen Ferien, als Onkel Matthew und Tante Sadie nach Kanada reisten. Jeden Morgen machten sich die Radlett-Kinder über die Zeitungen her, in der Hoffnung, dort die Nachricht zu finden, das Schiff ihrer Eltern sei mit Mann und Maus untergegangen; sie sehnten sich danach, Vollwaisen zu werden – vor allem Linda, die sich schon vorkam wie Katy in *What Katy Did* und die Zügel des Haushalts fest in ihre kleinen aber tüchtigen Hände nehmen wollte. Das Schiff stieß nicht mit einem Eisberg zusammen und trotzte auch allen atlantischen Stürmen, aber wir verlebten unterdessen wunderbare Ferien, in denen wir tun und lassen konnten, was wir wollten.

Doch am deutlichsten ist mir das Weihnachten in Erinnerung geblieben, als ich vierzehn war und Tante Emily sich verlobte. Tante Emily war die Schwester von Tante Sadie, und sie hat mich großgezogen, denn meine Mutter, ihre jüngste Schwester, hatte gemeint, sie sei zu schön und zu lebenslustig, um sich schon im Alter von neunzehn Jahren mit einem Kind zu belasten. Sie verließ meinen Vater, als ich einen Monat alt war, und lief danach so oft und mit so vielen verschiedenen Leuten davon, daß die Familie und die Freunde sie nur noch die »Hopse« nannten; andererseits hatte auch die zweite Frau meines Vaters verständlicherweise keine große Lust, sich um mich zu kümmern, ebensowenig wie später die dritte, die vierte und die fünfte. Gelegentlich erschien einer dieser stürmischen Elternteile wie eine Rakete an meinem Horizont und tauchte ihn in eine unnatürliche Glut. Sie verbreiteten großen Glanz, und ich sehnte mich danach, in ihrem Feuerschweif mit fortgerissen zu werden, obgleich ich tief im Inneren wußte, daß ich froh sein konnte, Tante Emily zu haben. Als ich älter wurde, verloren sie nach und nach jeden Reiz für mich; die ausgeglühten, grauen Raketengehäuse verrotteten, wo sie zufällig niedergegangen waren, meine Mutter bei einem Major in Südfrankreich und mein Vater, der seine Güter verkauft hatte, um seine Schulden zu bezahlen, bei einer alten rumänischen Gräfin auf den Bahamas. Noch bevor ich erwachsen war, hatte der Glanz, der sie früher umgab, erheblich nachgelassen, und schließlich war nichts mehr da, woran sich kindliche Erinnerungen hätten heften können; in nichts unterschieden sie sich von anderen Leuten mittleren Alters. Tante Emily verbreitete nie Glanz um sich, aber sie war immer meine Mutter, und ich liebte sie.

Zu der Zeit aber, über die ich hier schreibe, war ich in einem Alter, in dem sich auch das phantasieloseste Kind für ein untergeschobenes oder vertauschtes Kind hält, für eine Prinzessin mit indianischem Blut in den Adern, für Johanna von Orléans oder die künftige Kaiserin von Rußland. Ich sehnte mich nach meinen Eltern, machte ein idiotisches Gesicht, das eine Mischung aus Wehmut und Stolz zum Ausdruck bringen sollte, wenn im Gespräch ihre Namen fielen, und malte mir aus, wie sie, tief in romantische, tödliche Sünde verstrickt, lebten.

Linda und ich, wir beschäftigten uns sehr intensiv mit der Sünde, und unser großer Held war Oscar Wilde.

»Aber was hat er denn nun wirklich *getan*?«

»Einmal habe ich Pa danach gefragt, aber er hat mich nur angebrüllt – lieber Himmel, es war furchtbar! ›Wenn du den Namen von diesem Gulli noch einmal in diesem Hause erwähnst‹, schrie er, ›dann gibt es Dresche, verstanden, du verflixtes Gör?‹ Also fragte ich Tante Sadie, aber sie sah bloß schrecklich geistesabwesend vor sich hin und sagte: ›Ach, Schatz, ich habe es nie ganz verstanden, aber was es auch war, es war schlimmer als Mord, furchtbar schlimm. Und bitte, Liebes, sprich nicht bei den Mahlzeiten über ihn, ja?‹«

»Wir müssen es herausbekommen.«

»Bob sagt, er schafft es, wenn er nach Eton geht.«

»Oh, toll! Glaubst du, er war schlimmer als Mammi und Daddy?«

»Das geht doch gar nicht! Ach, du hast ein Glück mit deinen verruchten Eltern!«

An diesem Weihnachtsfest, als ich vierzehn war, taumelte ich in die Halle von Alconleigh. Das Licht blendete mich nach den sechs Meilen im Wagen von der Bahnstation Merlinford bis hierher. Es war jedes Jahr das gleiche, immer kam ich mit dem gleichen Zug, traf zur Teezeit ein, und immer fand ich Tante Sadie und die Kinder um den Tisch unter dem Schanzspaten versammelt, genau wie auf der Photographie. Es war immer derselbe Tisch und dasselbe Teegeschirr; das Porzellan mit den großen Rosen, der Teekessel und der

Silberteller für das Gebäck, die von kleinen Lichtern warmgehalten wurden – die Menschen wurden natürlich unmerklich älter, aus Babys wurden Kinder, die Kinder wuchsen heran, und es war in Gestalt der inzwischen zwei Jahre alten Victoria ein Zuwachs zu verzeichnen. Mit einem Schokoladenplätzchen in der geschlossenen Faust watschelte sie herum, das Gesicht über und über mit Schokolade bekleckert, ein schrecklicher Anblick, aber unter der klebrigen Maske strahlte das unverkennbare Blau zweier unverwandt dreinblickender Radlett-Augen.

Es gab ein gewaltiges Stühlerücken, als ich eintrat, und ein Rudel Radletts fiel so unbändig und fast so unerbittlich über mich her, wie sich ein Rudel Hunde über einen Fuchs hermacht. Alle außer Linda. Sie freute sich am meisten, mich zu sehen, aber sie wollte es auf keinen Fall zeigen. Als sich der Lärm gelegt hatte und ich mit Gebäck und einer Tasse Tee versorgt war, fragte sie: »Wo ist Brenda?« Brenda war meine weiße Maus.

»Sie hat einen Ausschlag am Rücken bekommen und ist gestorben«, sagte ich. Tante Sadie sah besorgt zu Linda hinüber.

»Bist du auf ihr geritten?« meinte Louisa spitz. Matt, der kürzlich in die Obhut einer französischen Gouvernante gekommen war, erklärte, indem er deren affektierte, fistelnde Sprechweise imitierte: »C'était, comme d'habitude, les voies urinaires.«

»Aber, Liebes«, meinte Tante Sadie leise im Flüsterton.

Gewaltige Tränen kullerten auf Lindas Teller. Niemand weinte so viel und so oft wie sie; alles, aber besonders alles Traurige, das mit Tieren zusammenhing, konnte sie zum Weinen bringen, und wenn sie einmal angefangen hatte, war es ziemlich schwierig, sie wieder zu beruhigen. Sie war ein feinfühliges, aber auch ein äußerst nervöses Kind, und selbst Tante Sadie, die sich wegen der Gesundheit ihrer Kinder sonst überhaupt keine Gedanken machte, war sich darüber im klaren, daß das viele Weinen Linda nachts den Schlaf raubte, ihr den Appetit nahm und ihr durchaus nicht zuträglich war. Die übrigen Kinder, vor allem Louisa und Bob, die gerne andere hänselten, gingen bei ihr so weit, wie sie sich getrauten, und wurden von Zeit zu Zeit bestraft, weil sie sie zum Weinen gebracht hatten. Bücher wie *Black Beauty, Owd Bob, The Story of a Red Deer* und alle Werke von Seton Thompson standen im Kinderzimmer auf dem Index – wegen Linda, die von ihnen irgendwann einmal zutiefst erschüttert worden war. Man mußte sie verstecken, denn wenn sie herumlagen, war Linda nicht zu trauen, und es konnte geschehen, daß sie sich einer Orgie von Selbstquälerei überließ.

Die freche Louisa hatte sich ein Gedicht ausgedacht, das jedesmal unweigerlich Tränenfluten auslöste:

»Ein Streichholz, obdachlos und schwach,
hat weder Haus noch Fach,
Es liegt allein, ganz still und klein,
das Streichholz obdachlos und schwach.«

Wenn Tante Sadie nicht in der Nähe war, stimmten die Kinder dieses Liedchen zuweilen in einem düsteren Chorgesang an. Je nachdem, in welcher Stimmung Linda war, brauchte man eine Streichholzschachtel nur anzusehen, und schon begann die Arme sich zu verflüssigen; fühlte sie sich aber kräftiger und dem Leben eher gewachsen, dann lösten solche Scherze bei ihr ein unwillkürliches Lachen aus, das sich seinen Weg direkt aus ihrem Bauch nach außen bahnte. Linda war nicht nur meine Lieblingscousine, sondern damals und noch viele Jahre lang der Mensch, den ich überhaupt am liebsten hatte. Ich bewunderte alle meine Cousinen, aber in Linda waren geistig wie körperlich alle Vorzüge und das ganze Wesen der Familie Radlett vereinigt. Ihre klaren Züge, ihr glattes, braunes Haar und die großen, blauen Augen bildeten ein Thema, zu dem die Gesichter der anderen eine Variation lieferten; hübsch waren sie alle, aber keines so ganz und gar unverwechselbar wie das ihre. Dabei hatte sie etwas Wütendes an sich, auch wenn sie lachte, und sie lachte viel, allerdings immer so, als werde sie gegen ihren Willen dazu gezwungen. Irgend etwas an ihr erinnerte an Bilder des jugendlichen Napoleon, eine Art von grollendem Ungestüm.

Ich spürte, daß ihr die Sache mit Brenda viel näher ging als mir. In Wirklichkeit waren meine Flitterwochen mit der Maus längst vorüber; unsere Beziehung hatte ihren Reiz verloren und kümmerte dahin wie eine alte Ehe, und als sie den ekelhaften Ausschlag auf dem Rücken bekommen hatte, gelang es mir eben noch, den Anstand zu wahren und sie mit der gebotenen Menschenfreundlichkeit zu behandeln. Abgesehen von dem Schock, der einen immer trifft, wenn man morgens jemanden steif und kalt im Käfig findet, war ich im Grunde sehr erleichtert, als Brendas Leiden endlich ein Ende hatten.

»Wo ist sie beerdigt?« knurrte Linda wütend und blickte dabei auf ihren Teller.

»Neben dem Rotkehlchen. Sie hat ein hübsches kleines Kreuz bekommen, und ihren Sarg habe ich mit rosa Atlas ausgelegt.«

»Hör mal, Linda, Liebes«, sagte Tante Sadie, »wenn Fanny mit ihrem Tee fertig ist, könntest du ihr doch deine Kröte zeigen.«

»Die ist oben und schläft«, meinte Linda, aber sie hörte auf zu weinen.

»Wie wäre es mit einer Scheibe von dem leckeren, warmen Toast?«

»Bekomme ich *Gentleman's Relish* darauf?« Sie beeilte sich, aus Tante Sadies Stimmung Kapital zu schlagen, denn eigentlich war *Gentleman's Relish* ausschließlich Onkel Matthew vorbehalten. Angeblich war es für Kinder nicht gut. Die anderen tauschten mit gespieltem Ernst vielsagende Blicke aus. Linda bemerkte es, was auch beabsichtigt war, brach in ein heftiges, bellendes Schluchzen aus und rannte nach oben.

»Ihr sollt Linda nicht immer so aufziehen!« sagte Tante Sadie ärgerlich und ging ihr nach.

Die Treppe führte aus der Halle hinaus. Als Tante Sadie außer Hörweite war, sagte Louisa: »Wenn Wünsche Pferde wären, würden Bettler reiten. Morgen ist Kinderjagd, Fanny.«

»Josh hat es mir schon erzählt. Er fuhr im Wagen mit – kam vom Tierarzt.«

Mein Onkel Matthew hatte vier prächtige Bluthunde, mit denen er von Zeit zu Zeit auf seine Kinder Jagd zu machen pflegte. Zwei von uns zogen mit einem ordentlichen Vorsprung los, um die Fährte zu legen, während Onkel Matthew und die übrigen zu Pferd mit den Hunden folgten. Es war immer ein Riesenspaß. Einmal hatte er auch mich besucht und hatte

mich und Linda durch den Park mitten in Shenley ge-
hetzt. Im Ort kam es deshalb zu einem gewaltigen
Aufruhr. Die Wochenendgäste aus Kent, die auf dem
Weg zur Kirche waren, versetzte der Anblick von vier
großen Hunden, die mit wildem Gebell hinter zwei
kleinen Mädchen herjagten, in helles Entsetzen. Mein
Onkel erschien ihnen wie ein böser Lord aus einem
Roman, und mehr denn je verdichtete sich um mich
eine Aura von Verrücktheit, Verworfenheit, Gefähr-
lichkeit, ich war kein Umgang für ihre Kinder.

Die Kinderjagd am ersten Tag dieses Weihnachtsbe-
suchs war ein großer Erfolg. Linda und ich wurden als
Hasen gewählt. Wir liefen querfeldein durch das herrliche, kahle Hochland der Cotswolds. Gleich nach dem
Frühstück ging es los, die Sonne hing noch als rote
Kugel knapp über dem Horizont. Dunkelblau und
gestochen scharf zeichneten sich die Bäume vor dem
blaßblauen, malvenfarbenen, rötlichen Himmel ab. Die
Sonne stieg höher, während wir vorwärtshetzten und
auf neue Kräfte hofften; ihre Strahlen wurden wärmer,
und es brach ein herrlicher Tag an, der uns eher an den
Spätherbst als an Weihnachten denken ließ.

Einmal gelang es uns, die Bluthunde zu verwirren,
indem wir uns zwischen einer Schafherde hindurch-
schlängelten, aber Onkel Matthew brachte sie bald auf
die Fährte zurück, und nachdem wir ungefähr zwei
Stunden durch die Landschaft gestürmt waren und
nur noch eine halbe Meile bis zum Haus hatten, holten uns die bellenden, geifernden Geschöpfe ein, um
sich anschließend mit Fleischbrocken und vielen Lieb-
kosungen belohnen zu lassen. Onkel Matthew war
strahlend guter Laune, er stieg vom Pferd und stapfte
unter gutmütigem Geplauder mit uns nach Hause.

Und was das sonderbarste war – sogar mit mir sprach er freundlich:

»Ich höre, Brenda ist tot. Kein großer Verlust, würde ich sagen. Diese Maus stank wie die Pest. Ich nehme an, du hast ihren Käfig zu nahe an die Heizung gestellt, ich habe dir immer gesagt, das ist ungesund, oder ist sie an Altersschwäche eingegangen?«

Falls er sich dazu entschloß, konnte Onkel Matthew einen außerordentlichen Charme entfalten, aber zu jener Zeit hatte ich immer schreckliche Angst vor ihm und machte den Fehler, ihn das merken zu lassen.

»Du solltest dir eine Haselmaus anschaffen, Fanny, oder eine Ratte. Die sind viel interessanter als weiße Mäuse – obwohl, offen gesagt, von allen Mäusen, die ich je gekannt habe, war Brenda mit Abstand die scheußlichste.«

»Sie war eben träge«, sagte ich in schmeichlerischem Ton.

»Wenn ich nach Weihnachten in London bin, werde ich dir eine Haselmaus besorgen. Sah neulich eine bei *Army & Navy*.«

»Oh, Pa, das ist unfair«, meinte Linda, die auf ihrem Pony im Schritt neben uns ritt. »Du weißt genau, wie sehr ich mir immer eine Haselmaus gewünscht habe.« Der Ausruf »Das ist unfair« war bei den Radletts, solange sie jung waren, eine stehende Wendung. Der gewaltige Vorteil, in einer großen Familie aufzuwachsen, besteht darin, daß einem schon früh die Lektion erteilt wird, wie unfair das Leben im Grunde ist. Ich muß allerdings sagen, daß es bei den Radletts fast immer zugunsten von Linda ausging, denn sie war der Liebling von Onkel Matthew.

Heute jedoch war mein Onkel böse auf sie, und

schlagartig wurde mir klar, daß die Freundlichkeit, mit der er mir begegnete, dieses herzliche Geplauder über Mäuse, nur dazu bestimmt war, Linda zu ärgern.

»Du hast genug Tiere, Fräulein«, fuhr er sie an. »Kannst ja nicht mal auf die aufpassen, die du hast. Und vergiß nicht, was ich dir gesagt habe – der Hund von dir wandert schnurstracks in den Zwinger, wenn wir zurück sind, und da bleibt er!«

Lindas Gesicht knitterte, Tränen quollen hervor, sie versetzte ihr Pony in leichten Galopp und ritt dem Haus zu. Anscheinend hatte sich Labby, ihr Hund, nach dem Frühstück in Onkel Matthews Geschäftszimmer vergessen. Onkel Matthew konnte Schmutz bei Hunden nicht ausstehen, er hatte getobt, und in seiner Wut hatte er das Gebot erlassen, daß Labby nie wieder einen Fuß ins Haus setzen dürfe. Dergleichen trug sich mit den verschiedenen Tieren aus diesem oder jenem Grund immer wieder zu, aber da Onkel Matthews Gebell kräftiger war als sein Biß, währte die Verbannung selten länger als ein oder zwei Tage, danach begann dann »das dünne Ende des Keils«, wie er es nannte.

»Kann ich ihn kurz hereinlassen – will mir nur die Handschuhe holen?«

»Ich bin so müde – ich kann jetzt nicht zu den Ställen – laß ihn doch bis nach dem Tee hierbleiben, ja?«

»Aha, ich verstehe – das dünne Ende des Keils. Also gut, diesmal kann er bleiben, aber wenn er noch einmal Dreck macht – oder wenn ich ihn noch einmal auf deinem Bett erwische – oder wenn er noch einmal die guten Möbel anknabbert (je nachdem, welches Verbrechen der Grund für die Verbannung gewesen war), dann wird er eingeschläfert, und sage nachher nicht, ich hätte dich nicht gewarnt.«

Trotzdem, jedesmal wenn ein solches Verbannungsurteil gefällt worden war, malte sich die Besitzerin des Verurteilten aus, wie ihr geliebtes Wesen in der Einzelhaft, im kalten, finsteren Zwinger, fortan ein Leben der Trübsal fristen müsse.

»Auch wenn ich ihn jeden Tag drei Stunden ausführe und außerdem eine Stunde hingehe und mich mit ihm unterhalte, bleiben immer noch zwanzig Stunden, in denen er ganz allein ist und nichts zu tun hat. Wenn Hunde wenigstens lesen könnten!«

Wie man sieht, hegten die Radlett-Kinder sehr anthropomorphe Ansichten über ihre Lieblingstiere.

Heute jedoch war Onkel Matthew in ganz wunderbar guter Laune, und als wir aus dem Stall kamen, sagte er zu Linda, die bei Labby im Zwinger saß und weinte:

»Willst du dieses arme Biest denn den ganzen Tag dort lassen?«

Im Nu hatte Linda ihre Tränen vergessen, als hätte sie nie geweint, und stürmte ins Haus, Labby hinterdrein. Immer waren die Radletts entweder auf dem Gipfel der Glückseligkeit, oder sie versanken in den schwarzen Fluten der Verzweiflung; nie bewegten sich ihre Gefühle auf einer mittleren Ebene, sie liebten oder sie haßten, sie lachten oder sie weinten, sie lebten in einer Welt der Superlative. Ihr Leben mit Onkel Matthew war wie ein immerwährendes Tom-Tiddler-Spiel, jenes Fangspiel, bei dem der Fänger sein abgegrenztes Gebiet scharf bewacht und die anderen versuchen müssen, einzudringen. Die Radlett-Kinder gingen so weit, wie sie sich getrauten, und manchmal kamen sie wirklich sehr weit, aber manchmal, ohne ersichtlichen Grund, fiel Onkel Matthew schon über sie her, wenn sie die Grenze kaum überschritten hatten. Wären sie Kinder armer Leute gewesen, dann hätte man sie wahrscheinlich von ihrem wütenden, brüllenden, prügelnden Papa weggebracht und in ein Heim geholt, oder man hätte ihn selbst weggebracht und ins Gefängnis gesteckt, weil er sich weigerte, seine Kinder zu erziehen. Aber die Natur selbst sorgt in solchen Fällen für Abhilfe, und in den Radletts steckte ohne Zweifel so viel von Onkel Matthew, daß sie Stürme zu überstehen vermochten, in denen gewöhnliche Kinder, wie ich eines war, völlig die Nerven verloren hätten.

2

Es war in Alconleigh allgemein bekannt, daß Onkel Matthew mich nicht ausstehen konnte. Dieser gewalttätige, unbeherrschte Mann kannte keinen mittleren Kurs, genausowenig wie seine Kinder, entweder er liebte oder er haßte, und das muß man sagen: meistens haßte er. Mich haßte er, weil er meinen Vater haßte; seit ihrer gemeinsamen Zeit in Eton waren sie alte Feinde. Als offenkundig wurde – und offenkundig war es seit der Stunde meiner Zeugung –, daß meine Eltern die Absicht hatten, mich vor die Tür zu setzen, kam Tante Sadie auf den Gedanken, mich gemeinsam mit Linda aufzuziehen. Wir waren gleich alt, und der Plan schien vernünftig. Aber Onkel Matthew weigerte sich kategorisch. Er verabscheue meinen Vater, so hieß es, er verabscheue mich, aber vor allem verabscheue er Kinder überhaupt, und daß er selbst zwei habe, sei schlimm genug. (Offenbar hatte er nicht damit gerechnet, daß er schon bald ihrer sieben haben würde, und tatsächlich lebten er und Tante Sadie in einem Zustand fortwährenden Staunens angesichts der zahlreichen Wiegen, die sie gefüllt hatten – übrigens, wie es schien, ohne eine klare Vorstellung davon zu besitzen, wie sie deren Bewohner ihrer Zukunft entgegenführen sollten.) So nahm sich denn die gute Tante Emily, der irgendwann einmal ein verruchtes, schäkerndes Monstrum das Herz gebrochen hatte und die deshalb niemals heiraten wollte, meiner an und widmete mir ihr Leben, und dafür bin ich ihr sehr dankbar. Denn sie glaubte fest an die Bildung der Frau, sie gab sich ungeheure Mühe, mir eine ordentliche Erziehung zu verschaffen, und zog nur deshalb nach Shenley, weil es dort eine gute Tagesschule gab. Die Radlett-Töchter hatten so gut wie keinen Unterricht. Lucille, ihre französische Gouvernante, brachte ihnen Lesen und Schreiben bei; jede von ihnen, obgleich sie allesamt völlig unmusikalisch waren, mußte täglich eine Stunde in dem eiskalten Ballsaal »üben« – wo sie dann, die Augen auf die Uhr geheftet, den »Fröhlichen Landmann« und ein paar Tonleitern herunterhaspelten; und außerdem sollten sie an allen Tagen, außer wenn Jagd war, mit Lucille einen Französisch-Spaziergang machen –, darin bestand ihre ganze Schulerziehung. Onkel Matthew haßte kluge Frauen, hielt es aber für richtig, daß Frauen von Stand nicht nur reiten, sondern auch Französisch sprechen und Klavier spielen konnten. Obwohl ich sie als Kind natürlich um diese Freiheit von Zwang und Unterdrückung, von Rechnen und Wissenschaft beneidete, schöpfte ich doch eine pharisäische Befriedigung aus dem Gedanken, daß ich nicht ungebildet aufwuchs wie sie.

Tante Emily kam nicht oft mit mir nach Alconleigh. Vielleicht glaubte sie, es mache mir mehr Vergnügen, allein dort zu sein, und zweifellos tat auch ihr die Veränderung gut, einmal zu verreisen, das Weihnachtsfest bei ihren Jugendfreundinnen zu verbringen und sich ein wenig von der Verantwortung zu erholen, die sie im Alter noch auf sich genommen hatte. Tante Emily war damals vierzig, und für uns Kinder war sie ein Wesen, das der Welt, dem Fleisch und dem Teufel längst entsagt hatte. In diesem Jahr jedoch war sie schon vor Beginn der Ferien von Shenley abgereist und hatte gesagt, sie wolle mich im Januar in Alconleigh treffen.

Am Nachmittag nach der Kinderjagd berief Linda eine Versammlung der Hons ein. Die Hons waren die Geheimgesellschaft der »honorigen« Radletts. Wer den Hons unfreundlich gesonnen war, war ein Anti-Hon, und der Schlachtruf der Hons lautete »Tod den furchtbaren Anti-Hons«. Ich war ein Hon, denn mein Vater war, wie der ihre, ein Lord.

Es gab aber auch zahlreiche Ehren-Hons; um ein Hon zu werden, mußte man nicht unbedingt als solcher geboren sein. So meinte Linda einmal: »Ein gutes Herz ist mehr wert als ein Adelskrönchen und schlichte Treue mehr als normannisches Blut.« Ich weiß nicht genau, wie ernst mir das meinten, denn wir waren damals eingefleischte Snobs, aber die Grundidee leuchtete uns ein. Anführer der Ehren-Hons war Josh, der Pferdepfleger, der bei uns ungeheuer beliebt war und ganze Kübel von normannischem Blut aufwog; Oberhaupt der furchtbaren Anti-Hons war Craven, der Wildhüter, der in einem immerwährenden Krieg bis aufs Messer bekämpft wurde. Die Hons schlichen in den Wald und versteckten Cravens Stahlfallen, sie ließen die Buchfinken frei, die er ohne Nahrung und Wasser als Köder für Falken in Drahtkäfige gesperrt hatte, sie verschafften den Todesopfern in seinen Fallen ein anständiges Begräbnis, und vor einem Jagdtreffen öffneten sie die Eingänge der Fuchsbauten, die Craven so sorgfältig verstopft hatte.

Schon die Radlett-Kinder litten unter den Grausamkeiten des Landlebens, aber erst recht für mich offenbarte sich während der Ferien in Alconleigh die Welt von ihrer abscheulichsten Seite. Tante Emilys kleines Haus lag in einem Dorf, eine Schachtel im Queen-Anne-Stil mit roten Ziegeln und weißer Holzverkleidung, daneben eine Magnolie, und die Luft erfüllt von einem köstlich frischen Duft. Zwischen dem Haus und dem freien Land lagen ein hübsches Gärtchen, ein eiserner Zaun, eine Dorfwiese und ein Dorf. Und die Landschaft, in die man dann gelangte, war ganz anders als in Gloucestershire, sie war zahm, gehegt und gepflegt, fast wie ein Vorstadtgarten. In Alconleigh hingegen drängten sich die grausigen Wälder bis ans Haus; es war nicht ungewöhnlich, daß man von den Schreien eines Kaninchens geweckt wurde, das in panischer Angst ein Wiesel umkreiste, oder von dem seltsam unheimlichen Ruf des Fuchsrüden, oder daß man vom Schlafzimmerfenster aus zusehen konnte, wie die Füchsin in ihrem Maul ein lebendes Huhn davonschleppte, während der schlafende Fasan und die wachende Eule die Nächte mit wilden Urweltlauten erfüllten. Im Winter, wenn der Erdboden mit Schnee bedeckt war, konnten wir die Fußspuren vieler Tiere verfolgen. Und oft endeten sie in einer Blutlache, einem Gewirr von Fellfetzen oder Federn, die von den erfolgreichen Streifzügen der Raubtiere zeugten.

Auf der anderen Seite des Hauses lag, kaum einen Steinwurf entfernt, der Gutshof. Hier wurden in aller Selbstverständlichkeit und für jeden Vorüberkommenden von weitem sichtbar Hühner und Schweine geschlachtet, Lämmer kastriert und Rinder gebrannt. Selbst der gute alte Josh machte sich nichts daraus, einem Lieblingspferd nach der Jagdzeit mit rotglühenden Eisen ein Zeichen einzubrennen.

»Man kann nur zwei Beine auf einmal machen«,

sagte er und pfiff dabei durch die Zähne, als wäre man selbst das Pferd, das er gerade versorgte, »sonst würden sie den Schmerz nicht aushalten.«

Linda und ich, wir waren selbst sehr empfindlich gegen Schmerz und fanden es unerträglich, daß Tiere im Leben so gemartert wurden und so qualvolle Tode sterben mußten. (Auch heute geht mir das noch nahe, sogar sehr, aber damals in Alconleigh waren wir alle von diesen grausamen Vorstellungen geradezu besessen.)

Die humanitären Aktivitäten der Hons hatte Onkel Matthew bei Androhung von Strafe verboten. Immer stand er auf der Seite von Craven, den er von all seinen Leuten am meisten schätzte. Fasane und Rebhühner mußten gehegt, Schädlinge rigoros ausgemerzt werden, den Fuchs ausgenommen, dem ein aufregenderer Tod vorbehalten war. So manche Tracht Prügel mußten die armen Hons einstecken, Woche für Woche wurde ihnen das Taschengeld gesperrt, sie mußten vorzeitig ins Bett oder zur Strafe mehr üben; und doch ließen sie sich nicht von ihren Aktionen abbringen. Große Kisten voll neuer Stahlfallen trafen von Zeit zu Zeit aus den *Army & Navy Stores* ein und lagen, bis sie gebraucht wurden, aufgestapelt bei Cravens Hütte mitten im Wald (sein Hauptquartier war ein alter Eisenbahnwaggon, der höchst unpassend zwischen Primeln und Brombeersträuchern auf einer zauberhaften, kleinen Lichtung stand); Hunderte von Fallen, die uns spüren ließen, wie vergeblich es war, wenn wir unter beträchtlichen Gefahren für Leben und Eigentum jämmerliche drei oder vier von ihnen vergruben. Manchmal fanden wir ein wimmerndes Tier, das sich in einer von ihnen gefangen hatte, und mußten zu seiner Befreiung unseren ganzen Mut zusammennehmen, um dann mitanzusehen, wie es auf drei Beinen davonhumpelte, ein zermalmtes Greuel hinter sich herschleifend. Wir wußten, daß es wahrscheinlich in seinem Bau an Blutvergiftung sterben würde; immer wieder rieb uns Onkel Matthew diese Tatsache unter die Nase, ersparte uns keine einzige der qualvollen Einzelheiten des verlängerten Martyriums, aber obwohl wir wußten, daß es gnädiger gewesen wäre, brachten wir es nie übers Herz, es zu töten; das war einfach zuviel verlangt. Oft kam es nach solchen Zwischenfällen vor, daß wir uns erbrechen mußten.

Versammlungsort der Hons war ein unbenutzter Wäscheschrank ganz oben im Haus, eng, dunkel und überaus stickig. Wie in vielen Landhäusern hatte man auch in Alconleigh unter immensem Kostenaufwand schon bald nach ihrer Erfindung eine Zentralheizung eingebaut, die inzwischen gründlich veraltet war. Trotz eines Heizkessels, der groß genug für einen Atlantikdampfer war, und trotz der Tonnen von Koks, die er Tag für Tag verzehrte, hatte die Anlage so gut wie keine Auswirkungen auf die Temperatur in den Wohnzimmern, und alle verfügbare Wärme schien sich im Wäscheschrank der Hons zu sammeln, der immer überhitzt war. Hier saßen wir auf den Lattenregalen eng zusammengedrängt und unterhielten uns stundenlang über Leben und Tod.

Unsere große Obsession während der letzten Ferien war die Geburt gewesen, ein hinreißendes Thema, über das wir erstaunlich spät etwas erfahren hatten, nachdem wir lange Zeit angenommen hatten, der Magen der Mutter würde neun Monate lang immer weiter anschwellen, dann wie ein reifer Kürbis aufplatzen und das Kind herausschleudern. Als uns die Wahrheit dämmerte, fanden wir sie ziemlich enttäuschend, bis Linda mit einem Roman kam, in dem sie die Schilderung einer in den Wehen liegenden Frau gefunden hatte. Mit schauriger Stimme las sie vor.

»Ihr Atem geht in heftigen Stößen – Schweiß rinnt ihr wie Wasser von der Stirn – Schreie wie die eines gequälten Tieres zerreißen die Luft – gehört dies schmerzverzerrte Gesicht meinem Liebling Rhona – ist diese Folterkammer wirklich unser Schlafzimmer, ist dieses Martergerüst wirklich unser Ehebett? ›Doktor, Doktor‹, schrie ich, ›so tun Sie doch etwas!‹ – und stürzte hinaus in die Nacht« – und so weiter.

Wir waren danach ziemlich verstört, denn uns war klar, auch wir würden mit einiger Wahrscheinlichkeit diese grauenhaften Qualen erdulden müssen. Tante Sadie, die eben ihr siebtes und letztes Kind bekommen hatte und die wir befragten, wirkte nicht sehr beruhigend.

»Nun ja«, meinte sie ausweichend. »Es sind die schlimmsten Schmerzen auf der Welt. Aber das komische dabei ist, daß man zwischendurch immer vergißt, wie sie sind. Jedesmal, wenn es anfing, hätte ich am liebsten gerufen: ›Ah, jetzt fällt es mir wieder ein, Schluß damit, Schluß!‹ Aber da war es dann natürlich neun Monate zu spät.«

In diesem Augenblick fing Linda an zu weinen und meinte, wie furchtbar das alles für Kühe sein müsse, womit das Gespräch ein Ende nahm.

Es war schwierig, mit Tante Sadie über Sexualität zu sprechen; irgend etwas war immer im Wege; Babys waren das äußerste, weiter kamen wir nie. Allerdings gelangten sie und Tante Emily irgendwann zu der Ansicht, wir sollten mehr erfahren. Da es ihnen aber wohl zu peinlich war, uns selbst aufzuklären, schenkten sie uns ein modernes Lehrbuch über dieses Thema.

Auf diese Weise gelangten wir zu einigen seltsamen Vorstellungen.

»Jassy, das arme Ding«, sagte Linda eines Tages spöttisch, »ist von der Sexualität besessen.«

»Von der Sexualität besessen!« meinte Jassy. »Niemand ist so besessen wie du, Linda. Ich brauche bloß ein Bild anzusehen, und schon behauptest du, ich sei ein zweiter Pygmalion.«

Am Ende holten wir uns sehr viel mehr Informationen aus einem Buch mit dem Titel *Enten und Entenzucht.*

»Kopulieren können Enten«, meinte Linda, nachdem sie ein Weilchen darin studiert hatte, »nur in fließendem Wasser. Na dann, viel Glück!«

Auch diesmal hockten wir am Tag vor Weihnachten im Versammlungsraum der Hons dicht beieinander, um zu hören, was Linda zu sagen hatte – Louisa, Jassy, Bob, Matt und ich.

»Reden wir über die Rückkehr in den Mutterleib«, meinte Jassy.

»Die arme Tante Sadie«, warf ich ein. »Ich glaube nicht, daß sie euch noch mal alle in ihrem haben möchte.«

»Kann man nie wissen. Kaninchen zum Beispiel fressen ihre eigenen Kinder – jemand müßte ihnen mal erklären, daß es nur ein Komplex ist.«

»Was soll man *Kaninchen* denn *erklären*? Das ist doch das Traurige bei Tieren, sie verstehen einfach nicht, wenn man ihnen etwas sagt, die armen Engel. Aber über Sadie will ich euch was sagen: Sie würde selbst gern in einen zurückkehren, sie hat einen Kistentick, daran sieht man es immer. Und sonst – Fanny, wie ist es bei dir?«

»Ich glaube nicht, daß ich gern wieder dort wäre, aber ich nehme an, der, in dem ich früher gewesen bin, war auch nicht besonders bequem, und sonst hat sich dort ja auch niemand für längere Zeit aufhalten dürfen.«

»Fehlgeburten?« fragte Linda interessiert.

»Na, jedenfalls gewaltige Sprünge und heiße Bäder.«

»Woher weißt du?«

»Als ich noch ganz klein, habe ich mal gehört, wie Tante Emily und Tante Sadie darüber sprachen, und später fiel es mir wieder ein. Tante Sadie sagte: ›Wie macht sie das eigentlich?‹ – und Tante Emily antwortete: ›Skifahren oder auf die Jagd gehen oder einfach vom Küchentisch springen.‹«

»Du hast ein Glück mit deinen verruchten Eltern.«

Diesen Refrain führten die Radletts ständig im Munde, und tatsächlich waren in ihren Augen meine verruchten Eltern das interessanteste an mir – ansonsten war ich ein sehr langweiliges kleines Mädchen.

»Die Neuigkeiten, die ich heute für die Hons habe«, sagte Linda und räusperte sich wie ein Erwachsener, »sind zwar für alle Hons von Interesse, sie betreffen aber vor allem Fanny. Ich will euch nicht raten lassen, denn es ist fast Teezeit, und ihr kämt doch nicht darauf, deshalb sage ich es sofort. Tante Emily hat sich verlobt.«

Im Chor schnappten die Hons nach Luft.

»Linda«, sagte ich wütend, »das hast du erfunden.« Aber ich wußte, sie konnte es nicht erfunden haben.

Linda zog ein Stück Papier aus der Tasche. Es war

ein halber Bogen Schreibpapier, bedeckt mit Tante Emilys großer, kindlicher Handschrift, offenbar das Ende eines Briefes – ich sah Linda über die Schulter, während sie vorlas:

»... meinst Du, Liebling, sollten wir den Kindern nicht sagen, daß wir verlobt sind? Aber was wäre, wenn Fanny eine Abneigung gegen ihn faßt, obwohl ich mir das nicht vorstellen kann, aber Kinder sind so komisch, wäre der Schock dann nicht noch größer? Ach, Liebe, ich kann mich nicht entscheiden. Also tu, was du für das beste hältst, wir treffen am Donnerstag ein, am Mittwochabend werde ich anrufen, um zu hören, wie es gegangen ist. Alles Liebe, Deine Emily.«

Die Sensation im Wäscheschrank war perfekt.

3

A ber warum?« fragte ich zum hundertsten Mal.
Linda, Louisa und ich, wir lagen dicht aneinandergedrängt in Louisas Bett, Bob saß am Fußende, und wir plauderten im Flüsterton. Solche Mitternachtsgespräche waren zwar streng verboten, aber in Alconleigh konnte man während der frühen Nachtstunden gefahrloser als zu jeder anderen Tages- oder Nachtzeit gegen bestehende Gebote verstoßen. Onkel Matthew schlief praktisch bei Tisch ein. Dann döste er noch ungefähr eine Stunde in seinem Geschäftszimmer, bevor er sich in schlafwandlerischer Trance endgültig in sein Bett schleppte, wo er den tiefen Schlaf eines Mannes schlief, der den ganzen Tag im Freien zugebracht hat. Aber schon mit dem ersten Hahnenschrei am nächsten Morgen war er wieder auf den Beinen. Um diese Zeit führte er mit den Hausmädchen seinen nie endenden Krieg um die Holzasche. Beheizt wurden die Räume in Alconleigh nämlich mit Holzfeuern, und Onkel Matthew vertrat zu Recht die Auffassung, damit diese Feuer richtig brennten, müsse man die ganze Asche in einem großen, schwelenden Haufen in den Kaminen lassen. Aus irgendeinem Grund jedoch (wahrscheinlich ihre frühere Ausbildung an Kohlefeuern) neigten alle Hausmädchen dazu, die Asche einfach fortzuschaffen. Als die Knüffe, Verwünschungen und plötzlichen Überfälle von Onkel Matthew im Paisley-Morgenrock um sechs Uhr früh sie endlich davon überzeugt hatten, daß es nicht ratsam sei, so zu verfahren, versteiften sie sich

darauf, jeden Morgen, koste es, was es wolle, wenigstens ein wenig Asche, vielleicht eine Schaufel, abzutragen. Ich kann es mir nur so erklären, daß sie dabei im wesentlichen das eigene Selbstwertgefühl im Auge hatten.

Das Resultat war jedenfalls ein höchst aufregender Guerillakrieg. Hausmädchen sind notorische Frühaufsteher, und im allgemeinen können sie morgens mit drei ungestörten Stunden rechnen, in denen das Haus ganz allein ihnen gehört. Nicht so in Alconleigh. Onkel Matthew stand immer, winters wie sommers, um fünf Uhr morgens auf und hatte die Angewohnheit, sodann im Morgenrock – ein Anblick wie Agrippa – umherzuwandeln und dabei unzählige Tassen Tee aus einer Thermoskanne zu schlürfen, bis er gegen sieben sein Bad nahm. Das Frühstück für meinen Onkel, meine Tante, den Rest der Familie und alle Gäste stand um Punkt acht auf dem Tisch, und Unpünktlichkeit wurde nicht geduldet. Auf anderer Leute Morgenschlaf nahm Onkel Matthew keinerlei Rücksicht, und nach fünf Uhr war auf einen solchen nicht mehr zu hoffen, denn dann polterte er unter dem Geklirr seiner Teetasse durchs Haus, schrie die Hunde an, beschimpfte die Hausmädchen, ließ draußen auf dem Rasen die Viehpeitsche, die er aus Kanada mitgebracht hatte, knallen, ein Lärm, der jeden Gewehrschuß überdröhnt hätte – und zu alledem kam noch die musikalische Untermalung aus seinem Grammophon, einem abnorm lauten, aus dessen gewaltigem Schalltrichter die Stimme der Galli-Curci mit Stücken wie »Una voce poco fà« – »Die Arie der Wahnsinnigen« aus *Lucia* – »Sieh dort die hei-tre Le-her-che« und dergleichen mehr hervorschrillte, mit Höchstgeschwindigkeit abgespielt, wodurch sie noch höher und noch kreischender ausfiel, als sie eigentlich klingen sollte.

Nichts erinnert mich so sehr an die Tage meiner Kindheit in Alconleigh wie diese Arien. Onkel Matthew spielte sie unablässig viele Jahre lang, bis der Zauber zerbrach – als er nämlich den ganzen Weg bis Liverpool reiste, um die Galli-Curci in Person zu hören. Die Enttäuschung, die ihr Auftritt hervorrief, war so groß, daß ihre Schallplatten danach für immer schwiegen. Ersetzt wurden sie durch die tiefsten Baßstimmen, die man für Geld kaufen konnte.

»Furchtbar muß der Tod des Tauchers sein,
der in der Meerestie-hie-hie-fe wandelt so allein«

oder »Drake zieht nach Westen, Jungs«.

Im großen und ganzen begrüßte die Familie diese Stücke, weil sie im Morgengrauen weniger durchdringend waren.

»Warum sie wohl jetzt heiraten will?«

»Verliebt haben kann sie sich nicht. Sie ist vierzig.«

Wie alle sehr jungen Leute hielten wir es für ausgemacht, daß die Liebe zu den Kinderspielen zählt.

»Was glaubst du, wie alt er ist?«

»Fünfzig oder sechzig, nehme ich an. Vielleicht findet sie es schön, Witwe zu werden. Mit Trauerflor und so, weißt du?«

»Vielleicht glaubt sie, der Einfluß eines Mannes werde Fanny guttun.«

»Der Einfluß eines Mannes!« meinte Louisa. »Mir schwant Schlimmes. Angenommen, er verliebt sich in Fanny, das gäbe ein nettes Drunter und Drüber, wie Somerset und Prinzessin Elisabeth – er wird wilde Spiele mit dir spielen und dich kneifen, wenn du im Bett liegst – du wirst sehen!«

»Bestimmt nicht, in seinem Alter!«

»Alte Männer mögen kleine Mädchen.«

»Und kleine Jungs«, meldete sich Bob.

»Es sieht so aus, als wolle Tante Sadie nichts sagen, solange sie nicht da sind«, erklärte ich.

»Es bleibt ja noch fast eine Woche bis dahin – vielleicht überlegt sie es sich noch mal. Wahrscheinlich bespricht sie sich mit Pa. Es könnte sich lohnen, zuzuhören, wenn sie das nächste Mal badet. Mach du das, Bob.«

Der, Weihnachtstag verging, wie üblich in Alconleigh, zwischen plötzlichen Ausbrüchen von Sonnenschein und Regenschauern. Die verwirrenden Neuigkeiten über Tante Emily schlug ich mir einfach für ein Weilchen aus dem Kopf, wie Kinder das können, und konzentrierte mich ganz auf das Vergnügen. Linda und ich, wir rieben uns um sechs Uhr morgens den Schlaf aus den Augen und machten uns über die Strümpfe her. Die eigentlichen Geschenke kamen später, beim Frühstück und am Baum, aber die Strümpfe waren ein wunderbares *hors d'œuvre* und voller Schätze. Schon kam Jassy herein und fing an, uns Dinge aus ihren Strümpfen zum Verkauf anzubieten. Jassy war immer nur auf Geld aus – sie sparte, um später ausreißen zu können. Ihr Postsparbuch trug sie stets bei sich, und sie wußte jederzeit auf den Penny genau, wieviel sie hatte. Mit einer ans Wunderbare grenzenden Tatkraft – denn Jassy war im Rechnen sehr schlecht – rechnete sie diesen Betrag dann in soundso viele Tage in einem möblierten Zimmer um.

»Wie kommst du voran, Jassy?«

»Die Fahrt nach London und ein Monat und zwei Tage und anderthalb Stunden in einem möblierten Zimmer mit Waschgelegenheit und Frühstück.«

Woher die übrigen Mahlzeiten kommen sollten, blieb der Phantasie überlassen. Jeden Morgen studierte Jassy die Annoncen für möblierte Zimmer in der *Times*. Das billigste, das sie bisher gefunden hatte, lag in Claphath. Sie war so sehr hinter dem Bargeld her, mit dem sie ihren Traum verwirklichen wollte, daß man zu Weihnachten und um die Zeit ihres Geburtstags mit einiger Sicherheit ein paar günstige Geschäfte mit ihr machen konnte. Jassy war damals acht Jahre alt.

Ich muß zugeben, daß sich meine verruchten Eltern zu Weihnachten stets von ihrer allerbesten Seite zeigten, und um die Geschenke, die ich von ihnen bekam, beneidete mich immer das ganze Haus. In diesem Jahr schickte mir meine Mutter aus Paris einen vergoldeten Käfig voller ausgestopfter Kolibris, die, wenn man sie aufzog, zwitscherten, herumhüpften und an einem Brünnchen tranken. Außerdem schickte sie mir eine Pelzmütze und ein goldenes Armband mit einem Topas, die um so mehr Glanz ausstrahlten, als Tante Sadie der Ansicht war, sie seien nichts für ein Kind, und dies auch kundtat. Mein Vater schickte mir ein Pony und einen Wagen, ein hübsches, elegantes Gefährt, das ein paar Tage früher eingetroffen und von Josh in den Ställen versteckt worden war.

»Mal wieder typisch für diesen verdammten Edward, daß er es hierherschickt«, sagte Onkel Matthew, »jetzt haben wir den Ärger und können zusehen, wie wir es nach Shenley schaffen. Und ich wette, die alte

Emily wird auch nicht gerade froh darüber sein. Wer, zum Henker, soll sich denn darum kümmern?«

Linda weinte vor Neid. »Es ist wirklich unfair«, sagte sie immer wieder, »daß nur du verruchte Eltern hast und ich nicht.«

Wir überredeten Josh, nach dem Mittagessen einen Ausflug mit uns zu machen. Das Pony war sehr brav, und das Gespann ließ sich auch von einem Kind leicht handhaben, sogar das Anschirren machte keine Schwierigkeiten. Linda trug meine Mütze und lenkte das Pony. Zum Baum kamen wir fast zu spät – das Haus war schon voller Pächter mit ihren Kindern; Onkel Matthew, der sich gerade mühsam in sein Weihnachtsmannkostüm hineinzwängte, brüllte uns so wütend an, daß Linda in Tränen ausbrach, auf ihr Zimmer gehen mußte und nachher auch nicht herunterkam, um ihr Geschenk von ihm entgegenzunehmen. Darüber ärgerte sich nun wieder Onkel Matthew, der mit vieler Mühe die lang ersehnte Haselmaus für sie aufgetrieben hatte; jeden brüllte er an und knirschte mit seinen künstlichen Zähnen. In der Familie kursierte die Legende, er habe im Zorn schon vier Gebisse zerknirscht.

Seinen gewalttätigen Höhepunkt erreichte der Abend, als Matt eine Schachtel mit Feuerwerksknallern hervorholte, die ihm meine Mutter aus Paris geschickt hatte. Auf dem Deckel hießen sie *pétards*. Jemand fragte Matt: »Was machen sie denn?« worauf er zur Antwort gab: »*Bien, ça pète, quoi?*« Diese Bemerkung, die Onkel Matthew zufällig mitbekommen hatte, wurde mit einer erstklassigen Tracht Prügel belohnt, was eigentlich höchst unfair war, denn der arme Matt hatte nur wiederholt, was Lucille ihm irgendwann früher an diesem Tag gesagt hatte. Matt jedoch hielt Prügel für eine Art von

Naturerscheinung, die in keinerlei Verbindung zu seinem eigenen Tun oder Lassen stand, und nahm sie einigermaßen gefaßt hin. Ich habe mich seither oft gefragt, warum sich Tante Sadie ausgerechnet Lucille, die wirklich ein Ausbund an Vulgarität war, als Betreuerin für ihre Kinder ausgesucht hatte. Wir mochten sie alle sehr gern, sie war fröhlich und witzig und las uns andauernd vor, aber ihre Sprache war wirklich extraordinär und für unvorsichtige Leute durchsetzt mit verhängnisvollen Fallgruben.

»*Qu'est-ce que c'est ce custard qu'on fout partout?*«

Ich werde nie vergessen, wie Matt diesen Satz in aller Unschuld bei *Fuller's* in Oxford fallen ließ, wohin Onkel Matthew uns ausgeführt hatte, um uns etwas Leckeres zu spendieren. Die Folgen waren schrecklich.

Anscheinend kam es Onkel Matthew nie in den Sinn, daß Matt diese Wörter nicht von Natur aus kennen konnte und daß es wirklich fairer gewesen wäre, ihnen an der Quelle selbst Einhalt zu tun.

4

Ich erwartete die Ankunft Tante Emilys und ihres Zukünftigen natürlich voller Unruhe. Schließlich war sie meine wirkliche Mutter, und so sehr ich mich nach der glitzernden, bösen Person verzehrte, die mich zur Welt gebracht hatte, hielt ich mich doch an Tante Emily, soweit es um jene stabile, kräftigende, wenn auch auf den ersten Blick wenig faszinierende Sicherheit ging, die wahre Mutterschaft zu geben vermag. In unserem kleinen Haushalt in Shenley ging es ruhig und beschaulich zu, ganz anders als in Alconleigh mit seinen Aufregungen und Gefühlsstürmen. Aber mag es auch eintönig gewesen sein, dieses Haus war für mich ein schützender Hafen, und ich war jedesmal froh, wenn ich dorthin zurückkehrte. Damals begriff ich langsam, wie sehr sich in Shenley alles um mich drehte; der gesamte Tagesablauf, das frühe Mittag- und das frühe Abendessen, richteten sich danach, wann ich zur Schule mußte und wann ich zu Bett ging. Nur während der Ferien, wenn ich nach Alconleigh fuhr, konnte Tante Emily ihr eigenes Leben leben, und auch diese Unterbrechungen waren nicht häufig, denn sie war der Ansicht, Onkel Matthew und das ganze stürmische Drumherum seien meinen Nerven nicht eben zuträglich. Vielleicht war mir nicht ganz bewußt, wie sehr Tante Emily ihr Leben nach mir und meinen Bedürfnissen eingeteilt hatte, aber mir war völlig klar, daß sich alles ändern würde, wenn ein Mann hinzukäme. Außer denen, die zur Familie gehörten, kannte ich keine Männer und stellte sie mir alle so vor wie Onkel Matthew oder wie meinen eigenen, selten gesehenen Papa mit seinen überschwenglichen Gefühlen – in dem hübschen kleinen Haus meiner Tante wären sie jedenfalls beide völlig fehl am Platze gewesen. Deshalb sah ich sorgenvoll und beinahe furchtsam in die Zukunft und war mit meinen Nerven fast am Ende, wozu Louisa und Linda mit ihrer lebhaften Phantasie das Ihre beitrugen. Eben lag mir Louisa mit der *Standhaften Nymphe* in den Ohren. Sie las die letzten Kapitel daraus vor, und bald starb ich in einer Brüsseler Pension in den Armen von Tante Emilys Mann.

Am Mittwoch telephonierte Tante Emily mit Tante Sadie, und sie sprachen eine halbe Ewigkeit miteinander. Das Telephon von Alconleigh stand damals in einem Glasschrank etwa in der Mitte des strahlend hell erleuchteten hinteren Korridors; einen Nebenanschluß gab es nicht, Lauschen war also ausgeschlossen. (In späteren Jahren gab es einen Nebenanschluß, aber das Telephon wurde in Onkel Matthews Geschäftszimmer aufgestellt, und nun hatte es mit aller Vertraulichkeit ein Ende.) Als Tante Sadie in den Salon zurückkehrte, sagte sie nur: »Emily kommt morgen mit dem Zug um drei Uhr fünf. Ich soll dir alles Liebe von ihr ausrichten, Fanny.«

Am nächsten Tag gingen wir alle auf die Jagd. Die Radletts liebten Tiere, sie liebten Füchse, sie riskierten furchtbare Prügel, wenn sie die verstopften Zugänge zu ihren Bauten wieder öffneten, unter Tränen und Gelächter lasen sie die Geschichten von Reineke Fuchs, im Sommer standen sie um vier Uhr morgens auf, um die Fuchsjungen im fahlgrünen Licht des

Waldes beim Spielen zu beobachten; und doch gab es für sie nichts Schöneres auf der Welt als die Jagd. Sie lag ihnen im Blut, genau wie mir auch, und nichts kam dagegen an, obwohl wir es für eine Art Erbsünde hielten. An diesem Tag vergaß ich für drei Stunden alles, außer meinen Körper und den meines Ponys; das Hetzen, das Kriechen, das Geplatsche, das mühevolle Bergauf und das glitschige Bergab, das Zerren und Ziehen, Erde und Himmel. Ich vergaß alles – kaum, daß ich meinen Namen hätte sagen können. Darin muß die Faszination bestehen, die die Jagd für die Menschen besitzt, und vor allem für einfältige Menschen; sie zwingt zu absoluter Konzentration, sowohl seelisch wie körperlich.

Nach drei Stunden brachte mich Josh nach Hause. Ich durfte nie allzu lange mit draußen bleiben, das hätte mich zu sehr erschöpft, und mir wäre die ganze Nacht übel gewesen. Josh war zunächst auf Onkel Matthews zweitem Pferd unterwegs gewesen; gegen zwei Uhr hatten sie getauscht, nun machte er sich mit dem schäumenden, schweißnassen ersten Pferd auf den Heimweg und nahm mich mit. Ich tauchte aus meiner Trance auf und erkannte, daß der Tag, der mit strahlendem Sonnenschein begonnen hatte, jetzt kühl und düster geworden war. Es sah nach Regen aus.

»Und wo jagt Ihre Ladyschaft dieses Jahr?« fragte Josh, als wir aufbrachen und in gemächlichem Trab die Straße nach Merlinford entlangritten. Zehn Meilen führte unser Weg über diese Straße, die wie ein Gebirgskamm dem Wind und den Unbilden der Witterung ausgesetzt war, ungeschützter als jede andere, die ich je gesehen habe. Onkel Matthew hätte es nie erlaubt, wenn wir uns im Auto zum Sammelplatz bringen oder von dort hätten abholen lassen; er sah darin eine Unsitte, ein Zeichen von Verweichlichung.

Ich wußte, daß Josh meine Mutter meinte. Er war schon bei meinem Großvater in Stellung gewesen, als meine Mutter und ihre Schwestern noch Mädchen waren, und er betete sie an.

»Sie ist in Paris, Josh.«

»In Paris – wozu?«

»Ich nehme an, es gefällt ihr dort.«

»Na was!« brummte Josh zornig, und wir ritten schweigend eine halbe Meile. Der Regen hatte eingesetzt, ein feiner, kalter Regen, der die weite Aussicht auf beiden Seiten der Straße verhängte; wir trabten weiter, den Wind im Gesicht. Mein Rücken hielt nicht viel aus, und über eine längere Strecke in einem Damensattel zu traben, war für mich eine Qual. Ich lenkte mein Pony an die Grasnarbe heran und fiel in leichten Galopp, aber ich wußte, wie sehr Josh das mißbilligte, angeblich kamen die Pferde dann zu heiß nach Hause; wenn sie hingegen im Schritt gingen, begannen sie zu frieren. Es mußte Trab sein, gemächlicher, zermürbender Trab, den ganzen langen Weg.

»Meine Meinung ist«, nahm Josh das Gespräch wieder auf, »daß Ihre Ladyschaft jede Minute von ihrem Leben vertut, richtiggehend vertut, wo sie nicht auf'm Pferd sitzt.«

»Sie ist eine großartige Reiterin, stimmt's?«

Ich hatte das alles schon viele Male von Josh gehört, aber ich konnte es nicht oft genug hören.

»Hab nie mehr so jemanden gesehen, wie sie«, sagte Josh und stieß die Luft zwischen den Zähnen aus. »Hände wie Samt, aber stark wie Eisen, und ihr Sitz …! Schau dich nur an, wie du herumrutschst, hierhin und dorthin – das gibt anständige Rückenschmerzen heute abend, das steht mal fest.«

»O Josh, dieser Trab! Und dabei bin ich so müde.«

»Hab sie nie müde gesehen. Habe gesehen, wie sie nach einer Geländejagd über zehn Meilen die Pferde wechselte, einen frischen Fünfjährigen nahm, der die ganze Woche nicht draußen gewesen war – rauf wie ein Vogel –, man spürte ihren Fuß gar nicht, wenn man ihr aufs Pferd half, sie schnappte sich die Zügel, und dann ab durch die Mitte, und saß da wie eine Eins. Seine Lordschaft (er meinte Onkel Matthew) kann auch reiten, ich sage nicht das Gegenteil, aber sieh mal, wie der seine Pferde nach Hause schickt, so verdammt müde, daß sie nicht mal ihren Haferschleim schlucken können. Reiten kann er sehr gut, aber er achtet nicht auf sein Pferd. Wüßte nicht, daß deine Mutter sie in dem Zustand heimgebracht hat, die wußte, wann sie genug haben, und dann ab nach Hause, und kein Blick zurück. Sieh mal, Seine Lordschaft ist ein großer, schwerer Mann, ich sage nicht das Gegenteil, der nimmt seine ganzen fünfundneunzig Kilo mit in den Sattel, hat ja auch große, schwere Pferde, aber er bringt sie fast um, und wer muß dann die ganze Nacht bei ihnen wachen? Ich!«

Der Regen war jetzt stärker geworden. Ein eisiges Rinnsal kroch über meine Schulter hinab, mein rechter Stiefel füllte sich langsam mit Wasser, und der Schmerz schnitt mir wie ein Messer in den Rücken. Es kam mir vor, als könnte ich diese Qual keinen Augenblick länger ertragen, doch ich wußte, daß ich noch fünf Meilen vor mir hatte, noch einmal vierzig Minuten. Josh warf mir spöttische Blicke zu, als mein Rücken immer mehr einknickte; ihm war anzusehen, daß er sich fragte, wie ich das Kind einer solchen Mutter sein konnte.

»Miss Linda«, erklärte er, »macht es schon fast so gut wie Ihre Ladyschaft.«

Endlich, endlich hatten wir die Landstraße nach Merlinford hinter uns, kamen in das Dorf Alconleigh unten im Tal, dann ging es noch einmal bergan zum Haus Alconleigh, durch das Tor am Pförtnerhaus, die Auffahrt entlang, in den Hof vor den Ställen. Mit steifen Gliedern stieg ich ab, gab das Pony einem von Joshs Stalljungen und stapfte davon wie ein alter Mann. Ich war schon fast am Vordereingang, als mein Herz plötzlich wie wild zu klopfen begann. Mir war eingefallen, daß Tante Emily inzwischen angekommen sein mußte, zusammen mit IHM. Es dauerte ein Weilchen, bis ich genügend Mut gesammelt hatte, um die Vordertür zu öffnen.

Tatsächlich, da standen sie, mit dem Rücken zum Kamin in der Halle, Tante Sadie, Tante Emily und ein kleiner, blonder, anscheinend junger Mann. Mein erster Eindruck war, daß er überhaupt nicht wie ein Ehemann aussah. Er wirkte nett und freundlich.

»Da ist ja Fanny«, riefen meine Tanten im Chor.

»Liebling«, sagte Tante Sadie, »darf ich dir Captain Warbeck vorstellen?«

Auf die schroffe, gar nicht anmutige Art kleiner vierzehnjähriger Mädchen schüttelte ich seine Hand und überlegte, daß er auch nicht wie ein Captain aussah.

»Oh, Liebling, wie durchnäßt du bist! Ich nehme an, die anderen werden noch eine Ewigkeit ausbleiben – woher bist du gekommen?«

»Ich habe mich von ihnen getrennt, als sie das Dickicht bei Old Rose durchstöberten.«

Dann fiel mir ein – schließlich war ich eine Frau und stand vor einem Mann –, wie furchtbar ich immer aussah, wenn ich von der Jagd kam, von Kopf bis Fuß mit Schlamm bespritzt, den Bowler schief auf dem Kopf, die Haare völlig zerzaust, das Haarnetz ein schlaffes Fähnchen. Ich murmelte irgend etwas und sah zu, daß ich die hintere Treppe hinaufkam, um ein Bad zu nehmen und mich auszuruhen. Nach einer Jagd sollten wir immer wenigstens zwei Stunden ruhen. Bald kehrte auch Linda zurück, noch durchnäßter als ich, und kroch zu mir ins Bett. Auch sie hatte den Captain gesehen und fand ebenfalls, daß er weder wie ein Ehemann noch wie ein Offizier aussah.

»Kann mir nicht vorstellen, wie der irgendwelche Deutschen mit dem Schanzspaten niedermacht«, meinte sie spöttisch.

So sehr wir ihn fürchteten, so sehr wir ihn verurteilten und so leidenschaftlich wir ihn zuweilen haßten – Onkel Matthew blieb für uns eine Art Maßstab englischer Männlichkeit; und bei den Männern, die völlig anders waren als er, schien irgend etwas nicht zu stimmen.

»Ich wette, Onkel Matthew wird ihm hier die Hölle heiß machen«, sagte ich voller Besorgnis wegen Tante Emily.

»Arme Tante Emily, vielleicht bringt er ihn im Stall unter«, meinte Linda kichernd.

»Trotzdem, er sieht doch ganz nett aus, und wenn man bedenkt, wie alt sie ist, kann sie doch eigentlich froh sein, überhaupt jemanden zu bekommen.«

»Ich kann es gar nicht erwarten, ihn zusammen mit Pa zu erleben.«

Blitz und Donner hatten wir erwartet, aber daraus

wurde nichts, denn von Anfang an war offenkundig, daß Onkel Matthew den Captain in sein Herz geschlossen hatte. Da er die Meinung, die er sich einmal von einem Menschen gebildet hatte, niemals änderte und da die wenigen, die sich seiner Gunst erfreuten, unerhörte Verbrechen begehen konnten, ohne in seinen Augen etwas Böses zu tun, stand sich Captain Warbeck von Stund an außerordentlich gut mit Onkel Matthew.

»Er ist wirklich ein unheimlich schlauer Bursche, literarisch, verstehst du? Du würdest es nicht glauben, was der tut, schreibt Bücher und kritisiert Bilder, und spielt mordsmäßig Klavier, obwohl die Stücke nichts Besonderes sind. Aber man kann sich vorstellen, wie es klingt, wenn er ein paar Melodien aus dem *Country Girl* üben würde. Dem ist nichts zu schwierig, das sieht man.«

Beim Dinner waren Captain Warbeck, der neben Tante Sadie saß, und Tante Emily, die neben Onkel Matthew saß, nicht nur durch uns vier Kinder voneinander getrennt (auch Bob durfte mit unten essen, denn nach den Ferien ging er nach Eton), sondern außerdem auch durch große Ansammlungen tiefster Finsternis. Der Eßtisch wurde von drei Glühbirnen beleuchtet, die in einem Bündel von der Decke herabhingen und von einem Schirm aus dunkelroter japanischer Seide mit goldenen Fransen umhangen waren. Ein einziger Fleck mitten auf dem Tisch war hell erleuchtet, während die Esser selbst samt ihren Tellern außerhalb des Lichtkreises in totaler Dunkelheit saßen. Selbstverständlich hatten wir alle unsere Blicke auf die schattenhafte Gestalt des Verlobten geheftet und fanden an seinem Benehmen so manches, was uns interessierte. Zuerst unterhielt er sich mit Tante Sadie über Gärten, Pflanzen und

Blütensträucher, ein bis dahin in Alconleigh völlig unbekanntes Gesprächsthema. Um den Garten kümmerte sich der Gärtner, und damit hatte es sich. Er lag eine gute halbe Meile vom Haus entfernt, und niemand begab sich in seine Nähe, außer bei einem gelegentlichen Spaziergang im Sommer. Es kam uns merkwürdig vor, daß sich ein Mann, der in London lebte, mit den Namen, Lebensgewohnheiten und medizinischen Eigenschaften so vieler Pflanzen auskannte. Tante Sadie, die höflich mitzuhalten versuchte, konnte ihre Unwissenheit doch nicht ganz verbergen, und bemühte sich deshalb, sie durch eine gewisse Zerstreutheit zu vernebeln.

»Und was für einen Boden haben Sie hier?« fragte Captain Warbeck.

Mit glücklichem Lächeln stieg Tante Sadie von ihrer Wolke herab und erklärte triumphierend, denn hier wußte sie nun wirklich Bescheid: »Tonerde.«

»Ach ja?« meinte der Captain.

Er zog eine kleine juwelenbesetzte Dose hervor, nahm eine Pille von enormer Größe heraus, schluckte sie zu unserer Überraschung ohne das kleinste bißchen Flüssigkeit und sagte dann wie zu sich selbst, aber doch deutlich hörbar: »Dann dürfte das Wasser hier irrsinnig stopfend sein.«

Als Logan, der Butler, ihm Shepherds Pie anbot (das Essen in Alconleigh war immer gut und reichlich, aber es war einfache Hausmannskost) sagte er – wiederum so, daß man nicht recht wußte, ob man es nun mitbekommen sollte oder nicht: »Nein, danke, kein ausgekochtes Fleisch. Ich bin ein hinfälliger Invalide und muß mich vorsehen, sonst muß ich zahlen.«

Tante Sadie, die Gespräche über Gesundheitsprobleme so sehr verabscheute, daß viele Leute sie für eine Anhängerin von Christian Science hielten, was sie auch durchaus hätte sein können, wenn sie Gespräche über religiöse Probleme nicht noch mehr verabscheut hätte, nahm absolut keine Notiz von dieser Bemerkung, aber Bob fragte interessiert, was denn an ausgekochtem Fleisch so schlimm sei.

»Oh, es ist eine ungeheure Belastung für die Magensäfte, genausogut könntest du Leder essen«, entgegnete Captain Warbeck leise, während er sich den ganzen Salat auf seinen Teller häufte. Dann sagte er, wiederum mit dieser zurückhaltenden Stimme:

»Roher Kopfsalat, gut gegen Skorbut«, und murmelte, während er eine andere Dose öffnete und daraus zwei noch größere Pillen nahm: »Protein.«

»Ihr Brot schmeckt wirklich köstlich«, richtete er sich wieder an Tante Sadie, so als wollte er die unhöfliche Zurückweisung des ausgekochten Fleisches wiedergutmachen. »Ich bin sicher, es enthält noch den Keimling.«

»Wie bitte?« fragte Tante Sadie und wendete sich von einem kurzen Geflüster mit Logan (»Fragen Sie Mrs. Crabbe, ob sie uns rasch noch ein wenig Salat machen kann«) wieder dem Tisch zu.

»Ich sagte, daß Ihr köstliches Brot gewiß aus steinvermahlenem Mehl gebacken ist und einen hohen Anteil an Keimling enthält. In meinem Schlafzimmer daheim habe ich ein Bild von einem Weizenkorn (vergrößert, natürlich), auf dem man den Keimling erkennen kann. Wie Sie wissen, wird bei Weißbrot der Keimling mit seinen wunderbaren, gesundheitsspendenden Eigenschaften eliminiert – genauer gesagt, ausgezogen – und zu Hühnerfutter verarbeitet. Infolgedessen verweichlicht die menschliche Rasse immer mehr, während die Hühner von Generation zu Generation größer und stärker werden.«

»Am Ende werden dann«, meinte Linda, die mit offenem Mund zugehört hatte, während Tante Sadie in einer Wolke von Gelangweiltsein entschwebt war, »die Hühner zu Hons und die Hons zu Hühnern. Oh, ich würde so gern in einem netten kleinen Hon-Haus wohnen.«

»Die Arbeit dort würde dir keinen Spaß machen«, meinte Bob. »Ich habe mal eine Henne beim Eierlegen beobachtet, ihr Gesichtsausdruck war ganz furchtbar.«

»Das ist einfach so, wie wenn man aufs Klo geht«, erklärte Linda.

»Also Linda«, fuhr Tante Sadie auf, »das ist völlig überflüssig. Kümmere dich um dein Essen und rede nicht so viel.«

Bei aller Geistesabwesenheit durfte man doch nicht davon ausgehen, daß Tante Sadie von dem, was um sie herum vorging, überhaupt nichts mitbekam.

»Was haben Sie mir da eben erzählt, Captain Warbeck, etwas über Keime?«

»Oh, nicht Keime – über den Keimling ...«

In diesem Augenblick bemerkte ich, daß Onkel Matthew und Tante Emily im Dunkel am anderen Ende des Tisches eines ihrer üblichen Wortgefechte austrugen und daß es dabei um mich ging. Immer wenn Tante Emily in Alconleigh war, kam es zu diesen Streitereien mit Onkel Matthew, aber es war trotzdem zu spüren, daß er sie sehr gern hatte. Er mochte Menschen, die ihm die Stirn boten, und wahrscheinlich sah er in ihr auch ein Spiegelbild von Tante Sadie, die er anbetete. Tante Emily war selbstbewußter als Tante Sadie, sie besaß mehr Charakter und weniger Schönheit, sie hatte nicht zahlreiche Schwangerschaften hinter sich, doch die beiden waren ganz unverkennbar Schwestern. Meine Mutter hingegen war in jeder Hinsicht völlig anders als sie, aber die Arme war ja auch, wie Linda gesagt hätte, von Sexualität besessen.

Zwischen Onkel Matthew und Tante Emily war jetzt eine Debatte entbrannt, die wir alle schon viele Male mitangehört hatten. Es ging um Frauenbildung.

Onkel Matthew: »Ich hoffe, die Schule (er sprach das Wort Schule mit vernichtendem Hohn aus) gibt der armen Fanny all das Gute, das du dir erhoffst. Bestimmt schnappt sie dort ein paar garstige Ausdrücke auf.«

Tante Emily, gelassen, aber in der Defensive: »Ja, sehr wahrscheinlich. Aber sie schnappt auch eine ordentliche Menge Bildung auf.«

Onkel Matthew: »Bildung! Ich war immer der Ansicht, daß ein gebildeter Mensch niemals von Schreibpapier spricht, und doch habe ich gehört, wie die arme Fanny bei Sadie um Schreibpapier bat. Was ist das für eine Bildung? Fanny redet von Spiegeln und Kaminsimsen, von Handtaschen und Parfüm, sie nimmt Zucker in den Kaffee, hat eine Quaste an ihrem Schirm, und wenn sie je das Glück haben sollte, sich einen Ehemann zu angeln, wird sie dessen Vater und dessen Mutter ohne Zweifel mit ›Vater‹ und ›Mutter‹ anreden. Ob die wunderschöne Bildung, die sie bekommt, diesem Unglücksraben als Ausgleich für die zahllosen Nadelstiche genügt? Stell dir vor, mitanzuhören, wie die eigene Frau von Schreibpapier spricht – entsetzlich!«

Tante Emily: »Viele Männer fänden es viel entsetzlicher, eine Frau zu haben, die noch nie etwas von George III. gehört hat. (Trotzdem, Fanny, Liebling, es heißt Briefpapier, nicht wahr – von Schreibpapier wollen wir nichts mehr hören, bitte.) Und an dieser Stelle sind wir gefragt, Matthew, der häusliche Einfluß ist bekanntlich ein äußerst wichtiger Teil der Erziehung.«

Onkel Matthew: »Na also!«

Tante Emily: »Ein äußerst wichtiger, aber keineswegs der wichtigste.«

Onkel Matthew: »Man braucht nicht so ein abscheuliches Mittelstandsinstitut zu besuchen, um zu erfahren, wer George III. gewesen ist. Aber nun gut, wer war er denn, Fanny?«

Oje, es gelang mir nie, in solchen Augenblicken zu glänzen. Meine Geistesgegenwart zerstob aus lauter Angst vor Onkel Matthew in alle vier Winde, und mit rotem Kopf antwortete ich:

»Er war ein König. Er wurde wahnsinnig.«

»Äußerst originell, das nenne ich gut unterrichtet«, meinte Onkel Matthew sarkastisch. »Es lohnt sich wirklich, allen weiblichen Charme abzulegen, um das herauszubekommen, das muß ich sagen. Beine wie Torpfosten vom ewigen Hockeyspielen und im Sattel die schlechteste Haltung, die ich je bei einer Frau gesehen habe. Da bekommt ein Pferd vom bloßen Zusehen schon Rückenschmerzen. Linda, du bist ungebildet, Gott sei Dank, was hast du uns über George III. zu berichten?«

»Na ja«, sagte Linda mit vollem Mund, »er war der Sohn des armen Fred und der Vater von Beau Brummels dickem Freund, und er war ein Zauderer, nicht wahr. ›Ich bin Ihrer Hoheit Hund in Kew, und wessen Hund, mein Freund, bist du?‹« setzte sie ohne erkennbaren Zusammenhang noch hinzu. »Oh, ist das nicht süß?«

Onkel Matthew warf Tante Emily einen grausamen, triumphierenden Blick zu. Ich erkannte, daß ich sie im Stich gelassen hatte, und fing an zu weinen, was Onkel Matthew nur zu neuen Gemeinheiten ermunterte.

»Ein Glück, daß Fanny 15 000 Pfund im Jahr haben wird«, sagte er, »von den Zuwendungen, die die Hopse im Laufe ihrer Karriere vielleicht noch aufgabelt, gar nicht zu sprechen. Einen Mann wird sie bestimmt bekommen, auch wenn sie immer *Lunch* sagt statt *Luncheon*, und Umschlag statt Kuvert, und sich als erstes die Milch eingießt. Da mache ich mir keine Sorgen, ich sage nur, daß sie den armen Teufel in den Alkohol treibt, wenn sie ihn erst mal am Haken hat.«

Tante Emily funkelte Onkel Matthew wütend an. Sie hatte immer versucht, die Tatsache, daß ich eine Erbin war, vor mir zu verheimlichen, und ich war wirklich auch nur so lange eine, wie mein Vater, der gesund und munter im besten Mannesalter stand, keine Frau heiratete, die jung genug war, noch Kinder zu bekommen. So kam es, daß er sich, wie in der Familie der Hannoveraner, für Frauen nur interessierte, wenn sie über vierzig waren; nachdem meine Mutter ihn verlassen hatte, hatte er sich mit einer ganzen Riege von Frauen mittleren Alters eingelassen, denen auch die Wunder der modernen Wissenschaft nicht mehr zu einem Kind hätten verhelfen können. Im übrigen waren die Erwachsenen der irrigen Ansicht, wir Kinder wüßten nicht, daß sie meine Mama »Hopse« nannten.

»Das alles«, sagte Tante Emily, »tut gar nichts zur Sache. Möglicherweise könnte Fanny in ferner Zukunft ein wenig eigenes Geld besitzen (wenn es auch absurd ist, von 15 000 Pfund zu sprechen). Aber so oder so –

der Mann, den sie einmal heiratet, wird sie ja doch wohl ernähren können – andererseits, so, wie es heute in der Welt zugeht, muß sie sich ihren Lebensunterhalt vielleicht auch selbst verdienen. In jedem Fall wird sie eine gereiftere, glücklichere, interessiertere und interessantere Person sein, wenn ...«

»Wenn sie weiß, daß George III. ein König war und wahnsinnig wurde.«

Dennoch, meine Tante hatte recht, das wußte ich, und sie wußte es ebenfalls. Manchmal verschlangen die Radlett-Kinder in einer Art von Anfall ungeheuere Massen an Lesestoff in der Bibliothek von Alconleigh, einer guten Bibliothek, typisch für das 19. Jahrhundert, die ihr Großvater, ein äußerst kultivierter Mann, zusammengetragen hatte. Aber während sie auf diese Weise zwar eine große Menge zusammenhanglosen Wissens anhäuften und es mit ihrer eigenen Originalität ausschmückten, während sie die Abgründe der Unwissenheit mit ihrem Charme und ihrer Begeisterung überbrückten, erlangten sie doch nie die Fähigkeit, sich zu konzentrieren, und waren gänzlich unfähig zu gründlicher, harter Arbeit. Im späteren Leben führte das dazu, daß sie Eintönigkeit nicht ertragen konnten. Stürme und Schwierigkeiten meisterten sie unerschüttert, aber das gewöhnliche, alltägliche Leben war für sie nichts als quälende, unerträgliche Langeweile, weil ihnen jede Form von geistiger Disziplin gänzlich abging.

Als wir uns nach dem Dinner aus dem Eßzimmer trollten, hörten wir noch, wie Captain Warbeck sagte:

»Nein, keinen Port, danke. Ein köstliches Getränk, aber ich muß ablehnen. Die Säure des Portweins bekommt mir nicht.«

»Aha, Sie waren früher ein großer Porttrinker, stimmt's?« meinte Onkel Matthew.

»Oh, nicht doch, ich habe ihn nie angerührt. Meine Vorfahren ...«

Als sie dann wenig später zu uns in den Salon kamen, erklärte Tante Sadie: »Die Kinder wissen jetzt Bescheid.«

»Ich vermute, sie halten es für einen großen Witz«, meinte Davey Warbeck, »daß alte Leute wie wir heiraten.«

»O nein, bestimmt nicht«, beteuerten wir höflich und wurden ganz rot dabei.

»Er ist ein toller Bursche«, sagte Onkel Matthew, »weiß alles. Er sagt, die Zuckerstreuer aus der Zeit Karls II. seien nur eine georgianische Imitation, reiner Nippes, nichts wert. Morgen machen wir einen Rundgang durchs Haus, dann zeige ich Ihnen alle unsere Sachen, und Sie können uns sagen, was damit los ist. Wirklich nützlich, einen Kerl wie Sie in der Familie zu haben, das muß ich sagen.«

»Das wird bestimmt sehr nett«, sagte Davey mit schwacher Stimme, »aber jetzt sollte ich, glaube ich, wenn es Ihnen nichts ausmacht, zu Bett gehen. Ja bitte, am frühen Morgen Tee – äußerst notwendig, um die Verdunstung während der Nacht zu ersetzen.«

Er gab uns allen die Hand und eilte aus dem Zimmer, wobei er vor sich hinsprach: »Auf Freiersfüßen wandeln, äußerst ermüdend.«

»Davey Warbeck ist ein Hon«, erklärte Bob, als wir am nächsten Tag zum Frühstück herunterkamen.

»Ja, ein phantastischer Hon«, meinte Linda schläfrig.

»Nein, ich meine, er ist ein echter. Sieh mal, da ist ein

Brief für ihn: *The Hon. David Warbeck.* Ich habe ihn nachgeschlagen, es stimmt.«

Bobs Lieblingsbuch war zu jener Zeit Debretts Adelskalender, immerzu stöberte er darin herum. Eines Tages soll er seine Nachforschungen Lucille gegenüber dahingehend zusammengefaßt haben, daß »*les origines de la famille Radlett sont perdues dans les brumes de l'antiquité*«.

»Er ist nur ein nachgeborener Sohn, und der älteste hat einen Erben, also wird Tante Emily leider keine Lady werden. Und sein Vater ist erst der zweite Baron, im Jahre 1860 kreiert, und sie beginnen erst 1720, davor ist die Linie weiblich.« Bobs Stimme versickerte. »Pst«, sagte er.

Wir hörten, wie Davey Warbeck, der mit Onkel Matthew die Treppe herunterkam, zum Onkel sagte:

»Aber nein, ein Reynolds kann das nicht sein. Ein Prince Hoare vielleicht, einer von den ganz schlechten, wenn du Glück hast.«

»Schweinedenkerchen, Davey?« Onkel Matthew nahm den Deckel von einer warmen Platte.

»O ja, bitte, Matthew, wenn du Hirn meinst. Äußerst bekömmlich.«

»Und nach dem Frühstück zeige ich dir unsere Mineraliensammlung im Nordkorridor. Ich wette, auch du wirst finden, daß wir da etwas ganz Besonderes haben, angeblich die schönste Sammlung in England – ein alter Onkel hat sie mir hinterlassen, ein Lebenswerk. Übrigens, was hältst du von meinem Adler?«

»Tja, wäre er chinesisch, dann wäre es ein Schatz. Aber leider japanisch, ist die Bronze nicht wert, aus der er gegossen wurde. Linda, *Coopers' Oxford* bitte.«

Nach dem Frühstück strebten wir alle in den Nordkorridor, wo in Vitrinenschränken Hunderte von Steinen aufbewahrt wurden. Dies versteinert und das fossiliert, der blaue Flußspat und der Lapislazuli waren am aufregendsten, die großen Feuersteine, die aussahen, als hätte man sie am Straßenrand aufgelesen, waren am langweiligsten. Wertvoll, einzigartig – sie waren eine Legende in der Familie. »Die Mineralien im Nordkorridor sind gut genug für ein Museum.« Wir Kinder verehrten sie. Davey sah sie sich genau an, nahm einige mit hinüber zum Fenster und hielt sie ans Licht. Endlich stieß er einen tiefen Seufzer aus und sagte:

»Was für eine schöne Sammlung. Ich nehme an, du weißt, daß sie alle krank sind?«

»Krank?«

»Schwerkrank, unheilbar. In ein oder zwei Jahren sind sie alle tot – du kannst sie ebensogut schon jetzt wegwerfen.«

Onkel Matthew war entzückt.

»Verflixter Bursche«, sagte er, »nichts ist ihm recht, so ein Kerl ist mir noch nie begegnet. Sogar die Mineralien haben die Maul- und Klauenseuche, wenn es nach ihm geht.«

5

Das Jahr nach Tante Emilys Hochzeit verwandelte Linda und mich – aus Kindern wurden wir, ziemlich früh für unser Alter, zu jungen Mädchen, die voller Sehnsucht auf die Liebe warteten. Eine Folge der Heirat bestand darin, daß ich meine Ferien nun fast immer in Alconleigh verbrachte. Wie alle, die sich der Gunst Onkel Matthews erfreuten, konnte Davey nämlich nichts, aber auch gar nichts Erschreckendes an ihm finden und lachte nur über Tante Emilys Theorie, es schade meinen Nerven, wenn ich zuviel dort sei.

»Ihr seid mir ein paar Tränenklöße«, spottete er, »laßt euch von diesem Pappmonstrum Angst einjagen!«

Davey hatte seine Londoner Wohnung aufgegeben und lebte nun bei uns in Shenley, wodurch sich an unserem Leben während der Monate, in denen ich zur Schule ging, jedoch kaum etwas änderte, außer insofern, als die Anwesenheit eines Mannes im Haushalt einer Frau stets etwas Wohltuendes hat (die Vorhänge, die Tischdecken und Tante Emilys Kleider veränderten sich zu ihrem Vorteil ganz erheblich), aber in den Ferien verreiste er gern mit ihr, zu seinen Verwandten oder ins Ausland, und mich brachten sie währenddessen in Alconleigh unter. Tante Emily war anscheinend der Auffassung, wenn sie sich zwischen den Wünschen ihres Gatten und meinem Nervensystem entscheiden müsse, dann gebühre den ersteren der Vorrang. Trotz ihrer vierzig Jahre waren sie, glaube ich, sehr ineinander verliebt, und daß ich immer um sie war, muß außerordentlich lästig gewesen sein, aber es sagt mehr als alles andere über ihren Charakter, daß sie mich das nie, nicht einen Augenblick, spüren ließen. Von Anfang an war Davey wie ein perfekter Stiefvater zu mir, liebevoll, voller Verständnis, nie irgendwie abweisend. Er akzeptierte, daß ich zu Tante Emily gehörte, und stellte meine unvermeidliche Anwesenheit in seinem Hause nie in Frage.

Während der Weihnachtsferien wurde Louisa offiziell »eingeführt« und nahm nun an Jagdbällen teil, für uns ein Anlaß zu heftigen Neidgefühlen, auch wenn Linda spöttisch meinte, Louisa scheine nicht eben viele Verehrer zu haben. Wir sollten erst in zwei Jahren in die Gesellschaft eingeführt werden – es kam uns wie eine Ewigkeit vor, besonders Linda, die aus lauter Sehnsucht nach Liebe wie erstarrt war und weder Arbeit noch Unterricht hatte, um sich abzulenken. Sie interessierte sich tatsächlich für nichts anderes mehr, außer für die Jagd – selbst die Tiere schienen jeden Reiz für sie verloren zu haben. An Tagen, wenn keine Jagd war, saßen wir in unseren zu klein gewordenen Tweedkostümen, bei denen die Haken und Ösen an der Taille immerfort aufsprangen, untätig herum und legten endlose Patiencen; oder wir vertrieben uns im Wäscheschrank der Hons die Zeit mit »Messen«. Wir hatten ein Bandmaß und wetteiferten um die Größe unserer Augen, um die Schlankheit von Handgelenken, Fußknöcheln, Taille und Hals, um die Länge der Beine und Finger und so weiter. Linda gewann immer. Wenn wir mit dem »Messen« fertig waren, sprachen wir über die Romantik der Liebe. Es waren ganz unschuldige Unterhaltungen, denn für uns bedeuteten die Wörter Liebe und Ehe damals das gleiche, wir wußten, daß beides ewig währte, bis ins Grab und weit darüber hinaus. Unser leidenschaftliches Interesse an der Sünde war versiegt; aus Eton zurückgekehrt, hatte uns Bob alles über Oscar Wilde sagen können, und jetzt, da sein Verbrechen kein Geheimnis mehr war, erschien es uns farblos, unromantisch und unbegreiflich.

Selbstverständlich waren wir beide verliebt, allerdings in Personen, denen wir nie begegnet waren; Linda in den Prinzen von Wales und ich in einen dicken Farmer mittleren Alters mit rotem Gesicht, den ich manchmal durch Shenley reiten sah. Diese Lieben waren stark und verursachten uns eine köstliche Pein; sie nahmen all unsere Gedanken in Anspruch, aber ich glaube, uns war doch halbwegs bewußt, daß mit der Zeit wirkliche Menschen an die Stelle dieser Geliebten treten würden. Sie hielten sozusagen das Haus warm für den, der am Ende dort einziehen würde. Nimmermehr hätten wir es für möglich gehalten, daß man sich nach dem Heiraten noch einmal verlieben könnte. Wir trachteten nach wirklicher Liebe, und die konnte es nur einmal im Leben geben; diese Liebe hatte nichts Eiligeres zu tun, als sich den Segen der Kirche zu holen, und geriet nachher nie mehr ins Wanken. Ehemänner, das wußten wir, waren nicht immer treu, darauf mußten wir uns gefaßt machen, wir mußten verstehen und verzeihen. Der Satz »Ich war dir treu, Cynara, auf meine Weise« schien dies sehr schön zu erklären. Aber Frauen – das war etwas anderes; nur die Verworfensten unseres Geschlechts konnten mehr als einmal lieben oder sich hingeben. Ich weiß nicht recht, wie ich diese Anschauungen mit der Verehrung in Einklang brachte, die ich noch immer für meine ehebrecherische Mutter, dieses Flittchen, empfand. Vermutlich ordnete ich sie einer ganz anderen Kategorie zu, zu der auch jene Frau gehörte, deren Schönheit einst eine ganze Flotte in Bewegung gesetzt hatte. Einigen großen historischen Gestalten mußte man ein solches Ausnahmedasein zugestehen, aber Linda und ich, wir waren in Fragen der Liebe äußerst prinzipienfest, und auf diese Art von Berühmtheit hatten wir es gewiß nicht abgesehen.

In diesem Winter hatte Onkel Matthew ein neues Stück auf seinem Grammophon, es hieß »Thora«. »Ich lebe im Land der Rosen«, dröhnte eine tiefe Männerstimme, »doch ich träume vom Land des Schnees. Sprich, sprich, SPRICH, Thora, zu mir.« Er spielte es morgens, mittags und abends; es paßte genau zu unserer Stimmung, und der Name Thora war für uns von ergreifender, alles übertreffender Schönheit.

Bald nach Weihnachten wollte Tante Sadie einen Ball für Louisa geben, und darauf setzten wir große Hoffnungen. Zwar waren weder der Prinz von Wales noch mein Farmer eingeladen, aber, wie Linda sagte: Auf dem Land konnte man nie wissen. Vielleicht würde jemand sie mitbringen. Oder der Prinz hatte eine Autopanne, vielleicht auf dem Weg nach Badminton; was wäre in einem solchen Fall naheliegender, als daß er sich die Zeit auf unserem Fest vertriebe?

»Ach bitte, wer ist die bezaubernde junge Dame dort?«

»Meine Tochter Louisa, Sir.«

»Ach ja, sehr charmant, aber ich meinte eigentlich die in dem weißen Taftkleid.«

»Das ist meine jüngste Tochter Linda, Königliche Hoheit.«

»Bitte, stellen Sie mich vor.«

Und schon würden sie in vollendetem Walzerschritt

davonwirbeln, während die übrigen Tänzer bewundernd zur Seite träten. Wenn sie vom Tanzen ermüdet wären, würden sie, in geistreiche Gespräche vertieft, für den Rest des Abends beieinandersitzen.

Am nächsten Tag erschiene ein Adjudant und hielte um ihre Hand an ...

»Aber sie ist noch so jung!«

»Seine Königliche Hoheit ist bereit, ein Jahr zu warten. Er möchte daran erinnern, daß Ihre Majestät, die Kaiserin Elisabeth von Österreich, mit sechzehn heiratete. Inzwischen sendet er Ihnen dieses Juwel.«

Eine goldene Schatulle, darin auf einem rosa und weißen Polster eine Diamantenrose.

Meine Tagträume waren weniger extravagant, aber ebenso unwahrscheinlich und für mich ebenso wirklich. Ich stellte mir vor, mein Farmer würde mich, im Damensattel hinter sich, wie der junge Lochinvar von Alconleigh entführen und zum nächsten Schmied bringen, der uns für Mann und Frau erklärte. Gnädig versprach mir Linda eines der königlichen Güter, aber ich fand das langweilig, es würde viel lustiger sein, einen eigenen Hof zu besitzen.

Unterdessen gingen die Vorbereitungen für den Ball weiter, und jeder im Haus war davon betroffen. Lindas Kleid und meines, aus weißem Taft mit flatternden Einsätzen und perlenbestickten Gürteln, wurden von Mrs. Josh angefertigt, deren Haus wir immerfort belagerten, um zu sehen, wie sie mit der Arbeit vorankam. Louisas Kleid kam von Reville, es war aus Silberlamé mit zarten, blau abgesetzten Rüschen. An der linken Schulter baumelte, seltsam unverbunden mit dem Kleid, eine große Rosenblüte aus rosa Seide. Tante Sadie hatte ihren gewohnten Gleichmut verloren und befand sich in einem Zustand aufgeregter Geschäftigkeit und Besorgnis; so hatten wir sie noch nie gesehen. Und zum erstenmal, soweit sich einer von uns erinnern konnte, war es dabei zu einer Meinungsverschiedenheit zwischen ihr und Onkel Matthew gekommen. Es ging um die folgende Frage: Der nächste Nachbar von Alconleigh war Lord Merlin; sein Besitz grenzte an den von Onkel Matthew, und sein Haus bei Merlinford war ungefähr fünf Meilen entfernt. Onkel Matthew verabscheute ihn, und was Lord Merlin betraf, so war es kein Zufall, daß er als Telegrammadresse »Nachbarschreck« gewählt hatte. Es war jedoch nie zu einem offenen Zerwürfnis zwischen den beiden gekommen; daß sie einander nie begegneten, hatte nichts zu besagen, denn Lord Merlin jagte und fischte nicht, während Onkel Matthew, soweit man wußte, noch nie im Leben eine Mahlzeit außerhalb seines Hauses eingenommen hatte. »Ganz ausgezeichnet, das Essen zu Hause«, pflegte er zu sagen, und die Leute hatten es längst aufgegeben, ihn einzuladen. Die beiden Männer ebenso wie ihre beiden Häuser und Güter bildeten einen absoluten Gegensatz. Alconleigh war ein großes, häßliches, nach Norden gerichtetes Haus im georgianischen Stil, zu einem einzigen Zweck erbaut, nämlich, ganzen Generationen bukolischer Gutsherren, ihren Frauen, ihren riesigen Familien, ihren Hunden, ihren Pferden, der Witwe des Vaters und den unverheirateten Schwestern ein Dach über dem Kopf zu bieten, falls das Wetter so schlecht war, daß man sich nicht im Freien aufhalten konnte. Keinerlei Bestreben, zu verschönern, die harten Linien zu brechen, kein Versuch, die schroffe Fassade gefälliger zu machen – kahl und unwirtlich wie eine Kaserne kauerte der Bau auf dem hohen Berg. Die Tonart und das Thema im Inneren gab der Tod an. Nicht der Tod junger Mädchen, nicht der mit Urnen und Trauerweiden, Zypressen und Abschiedsoden romantisch ausstaffierte Tod, sondern der unverbrämte, wirkliche Tod von Kriegern und Tieren. An den Wänden waren Hellebarden und Spieße und altertümliche Musketen mit den in vielen Ländern erbeuteten Jagdtrophäen und mit den Fahnen und Uniformen verblichener Radletts zu primitiven Mustern angeordnet. In den Glasvitrinen wurden nicht Miniaturen schöner Damen aufbewahrt, sondern die Orden und Rangabzeichen ihrer Herren, ein Federhalter aus Tigerzähnen, der Huf eines Lieblingspferdes, Telegramme, die vom Tod in der Schlacht kündeten, Offizierspatente auf Pergamentrollen, alles in zeitlosem Wirrwarr durcheinandergeworfen.

Merlinford schmiegte sich in ein nach Südwesten geöffnetes Tal, inmitten von Obstgärten und alten, gemütlichen Bauernhäusern. Es war eine Villa, etwa um die gleiche Zeit errichtet wie Alconleigh, aber von einem ganz anderen Architekten und mit einem ganz anderen Ziel vor Augen. Es war ein Haus zum Wohnen, kein Unterschlupf, aus dem man tagein, tagaus Feinden oder Tieren auflauerte. Für einen Junggesellen oder ein Ehepaar mit einem oder allenfalls zwei schönen, klugen, zarten Kindern war es gerade richtig. Es besaß Decken, die von Angelica Kauffmann ausgemalt waren, eine Chippendale-Treppe, Mobiliar von Sheraton und Hepplewhite; in der Halle hingen zwei Watteaus; von einem Schanzspaten oder von Jagdtrophäen war weit und breit nichts zu sehen.

Lord Merlin beschäftigte sich ständig mit der Verschönerung seines Hauses. Er war ein bedeutender

Sammler, und nicht nur Merlinford, sondern auch seine Häuser in London und Rom waren voller Schätze. Ein bekannter Antiquitätenhändler aus der St. James's Street hatte es sogar für lohnend erachtet, in dem Städtchen Merlinford eine Filiale zu eröffnen, um Seine Lordschaft beim Morgenspaziergang mit allerlei erlesenen Dingen in Versuchung zu führen, und schon bald hatte es ihm ein Juwelier aus der Bond Street nachgetan. Lord Merlin liebte Juwelen; seine beiden schwarzen Whippets trugen Diamantenketten, die für weißere, aber keinesweg schlankere oder graziösere Hälse entworfen waren. Hiermit narrte er seine Nachbarn schon seit langem; bei den Landadeligen der Umgebung war die Ansicht verbreitet, er stifte die rechtschaffenen Bürger von Merlinford zur Unredlichkeit an. Aber die Nachbarn waren doppelt genarrt, als die Jahre ins Land gingen und die Brillanten noch immer unversehrt an den beiden haarigen Hälsen funkelten.

Antiquitäten waren aber keineswegs seine einzige Vorliebe; er selbst betätigte sich als Maler und Musiker und war der Schirmherr aller jungen Künstler. Fortwährend erklang moderne Musik in Merlinford, und im Garten hatte er ein kleines, aber sehr elegantes Theater errichten lassen, wohin er die erstaunten Nachbarn zu so rätselhaften Veranstaltungen einlud wie Stücken von Cocteau, einer Oper namens »Mahagonny« oder den neuesten Dada-Extravaganzen aus Paris. Da Lord Merlin als Witzbold bekannt war, ließ sich mitunter schwer klären, wo der Witz aufhörte und die Kultur anfing. Ich nehme an, er wußte es manchmal selbst nicht so genau.

Eine phantastische Marmorskulptur auf einem benachbarten Berg wurde von einem Goldengel gekrönt, der jeden Abend um die Zeit von Lord Merlins Geburt auf einer Trompete blies (daß dies gegen zwanzig nach neun geschah, etwas zu spät, um an die Nachrichten von BBC zu erinnern, sollte den Bewohnern der Gegend in späteren Jahren noch manchen Kummer machen). Am Tage glitzerten die Halbedelsteine an der Figur, und abends wurde sie von einem starken Scheinwerfer in blaues Licht getaucht.

Ein solcher Mann mußte bei den eher biederen Landadeligen in den Cotswolds zur Legende werden. Aber obgleich sie einen Lebensstil nicht billigen konnten, der dem Töten von schmackhaftem Wild keinen Platz einräumte (wohl aber dem Verzehr), und obgleich Lord Merlins Ästhetentum und sein Schabernack sie über die Maßen verwirrten, akzeptierten sie ihn umstandslos als einen der ihren. Ihre Familien hatten seit jeher Umgang mit der seinen gepflogen, und vor vielen Jahren war sein Vater ein höchst populärer *Master of the Foxhounds* gewesen; er war kein Emporkömmling, kein Neureicher, sondern bloß einer, der mit allem, was am englischen Landleben ganz normal war, sein Spiel trieb. Selbst die verrückte Skulptur, die man allgemein für abgrundtief häßlich hielt, wurde von denen, die sich auf dem Heimweg von der Jagd verirrt hatten, als Orientierungspunkt begrüßt.

Die Meinungsverschiedenheit zwischen Tante Sadie und Onkel Matthew betraf nun nicht etwa die Frage, ob Lord Merlin zu dem Ball eingeladen werden solle oder nicht (diese Frage stellte sich nicht, da alle Nachbarn automatisch eingeladen waren), es handelte sich vielmehr darum, ob man ihn auffordern solle, auch seine eigenen Gäste mitzubringen. Tante Sadie war dafür. Zwar lebte sie seit ihrer Heirat in tiefer Weltabgeschiedenheit, aber als junges Mädchen hatte sie sich in der Welt umgesehen und wußte, daß Lord Merlins Gäste, wenn er bereit war, sie mitzubringen, den Ball außerordentlich zieren und bereichern würden. Sie wußte auch, daß ihr Ball, abgesehen von dieser Beimischung, im Zeichen einer durch nichts gemilderten Schwerfälligkeit und eines eklatanten Mangels an jeglicher Eleganz stehen würde, während sich bei ihr noch einmal der Wunsch regte, junge Frauen mit schönen Frisuren, mit Londoner Physiognomien und Pariser Kleidern zu sehen. Onkel Matthew sagte: »Wenn wir diesen grauenhaften Merlin bitten, seine Freunde mitzubringen, dann holen wir uns einen Haufen Ästheten ins Haus, Gullis aus Oxford, und ich würde ihm sogar zutrauen, daß er ein paar Ausländer anschleppt. Wie ich höre, hat er manchmal Frogs und sogar Wops bei sich zu Gast. Ich will nicht, daß in meinem Haus Wops herumwimmeln.«

Am Ende aber blieb Tante Sadie, wie gewöhnlich, die Siegerin, setzte sich hin und schrieb:

»Lieber Lord Merlin,
wir geben einen kleinen Ball für Louisa, usw. ...«

während Onkel Matthew, der sein Teil gesagt hatte, mit finsterer Miene davonging und »Thora« auflegte.

Lord Merlin nahm die Einladung an und erklärte, er werde zwölf seiner Gäste mitbringen, deren Namen er Tante Sadie in Kürze unterbreiten wolle. Ein äußerst korrektes, völlig normales Verhalten. Als Tante Sadie seinen Brief öffnete, war sie angenehm überrascht, daß er keinen Mechanismus enthielt, der ihr ins Gesicht sprang. Das Briefpapier war sogar mit einem Bild seines Hauses verziert, aber das verheimlichte sie vor

Onkel Matthew. Es gehört zu den Dingen, die er verachtete.

Einige Tage später gab es eine weitere Überraschung. Lord Merlin schrieb einen zweiten Brief, noch immer ohne Narreteien, noch immer höflich, in dem er Onkel Matthew, Tante Sadie und Louisa anläßlich des Wohltätigkeitsballes zugunsten des Krankenhauses von Merlinford zum Dinner einlud. Onkel Matthew ließ sich natürlich nicht überreden, aber Tante Sadie und Louisa gingen hin. Und als sie zurückkehrten, schwirrte ihnen der Kopf. Im ganzen Haus, so erzählten sie, sei es glühend heiß gewesen, so heiß, daß man nicht einen Augenblick lang gefroren habe, auch nicht beim Ablegen der Mäntel im Vestibül. Sie waren sehr früh da gewesen, lange bevor die anderen herunterkamen, denn in Alconleigh war es üblich, wenn man das Automobil nahm, eine Viertelstunde früher aufzubrechen, für den Fall einer Reifenpanne. Auf diese Weise hatten sie Gelegenheit, sich gründlich umzusehen. Überall im Haus standen Frühlingsblumen, und es duftete wunderbar. Auch die Gewächshäuser in Alconleigh waren voller Frühlingsblumen, aber aus irgendeinem Grund gelangten sie nie ins Haus, und hätten sie den Weg gefunden, dann wären sie wegen der dort herrschenden Kälte gewiß sogleich verwelkt. Die Whippets trugen tatsächlich Diamantenketten, viel imposanter als die von Tante Sadie, wie diese selbst sagte, und sie mußte sogar einräumen, daß sie ihnen gut standen. Zahme Paradiesvögel flogen im Haus herum, und einer der jungen Männer erzählte Louisa, wenn sie einmal tagsüber käme, könnte sie einen ganzen Schwarm bunter Tauben herumflattern sehen, wie eine Konfettiwolke am Himmel.

»Merlin färbt sie jedes Jahr, und getrocknet werden sie im Wäscheschrank.«

»Ist das denn nicht schrecklich grausam?« meinte Louisa entsetzt.

»Aber nein, sie haben das gern. Wenn sie dann herauskommen, sind die Männchen und ihre Frauen so hübsch anzusehen.«

»Und was ist mit ihren armen Augen?«

»Ach, daß man sie besser schließt, haben sie sehr bald heraus.«

Als die übrigen Gäste endlich aus ihren Zimmern kamen (manche von ihnen empörend spät), dufteten sie noch köstlicher als die Blumen und sahen noch exotischer aus als die Paradiesvögel. Alle waren sehr nett und sehr freundlich zu Louisa. Beim Dinner saß sie zwischen zwei hübschen jungen Männern und eröffnete mit dem üblichen Gambit:

»Wo jagen Sie?«

»Wir jagen gar nicht«, sagten sie.

»Ach, und warum tragen Sie dann rote Röcke?«

»Weil sie uns gefallen.«

Wir alle fanden das äußerst komisch, waren aber einhellig der Meinung, daß Onkel Matthew nichts davon erfahren dürfe, sonst würde er die Gäste von Lord Merlin womöglich noch zum jetzigen Zeitpunkt wieder ausladen.

Nach dem Dinner hatten die Mädchen Louisa mit nach oben genommen. Zunächst war sie ziemlich verwirrt, als sie in den Gästezimmern gedruckte Hinweisschilder sah:

Wegen einer bislang nicht identifizierten Leiche in der Zisterne werden die Gäste ersucht, das Badewasser nicht zu trinken.

Die Gäste werden ersucht, in der Zeit zwischen Mitternacht und sechs Uhr früh weder Feuerwaffen noch Waldhörner zu betätigen und jegliches Schreien sowie Hupen zu unterlassen.

Und an einer Schlafzimmertür:

Hier wird gemangelt.

Aber bald klärte man sie auf, es handele sich nur um einen Scherz.

Die Mädchen hatten ihr Puder und Lippenstift angeboten, aber Louisa hatte sich nicht getraut, aus Angst, Tante Sadie könnte etwas bemerken. Sie erzählte, die anderen hätten damit einfach hinreißend ausgesehen.

Als der große Tag des Balls von Alconleigh näherrückte, zeigte sich, daß Tante Sadie aus irgendeinem Grund sehr bekümmert war. Alles schien glatt zu gehen, der Champagner war eingetroffen, die Kapelle, Clifford Essex' Streichertrio, war bestellt, und die wenigen Ruhestunden, die den Musikern bleiben würden, sollten sie im Haus von Mrs. Craven verbringen. In Verbindung mit dem Hofgut, mit Craven und drei Frauen aus dem Dorf, die aushalfen, plante Mrs. Crabbe das beste Abendessen aller Zeiten. Onkel Matthew hatte sich überreden lassen, zwanzig Ölöfen zu besorgen, so daß man es mit der anheimelnden Wärme von Merlinford wohl würde aufnehmen können, und der Gärtner war dabei, jede Topfpflanze, die er auftreiben konnte, ins Haus zu schaffen. (»Demnächst malst du mir noch die Weißen Leghorns an«, meinte Onkel Matthew spöttisch.)

Aber obwohl die Vorbereitungen allem Anschein nach reibungslos vonstatten gingen, machte Tante Sadie ein besorgtes Gesicht, denn sie hatte zwar viele junge Mädchen mit ihren Mamas eingeladen, aber keinen einzigen jungen Mann. Es war nämlich so, daß diejenigen ihrer Altersgenossinnen, die Töchter hatten, froh waren, mit ihnen zu kommen, aber bei den Söhnen verhielt es sich anders. Tanzpartner, die zu dieser Jahreszeit mit Einladungen überhäuft wurden, hatten Besseres zu tun, als den langen Weg nach Gloucestershire zurückzulegen und dort ein unerprobtes Haus aufzusuchen, wo man durchaus nicht sicher sein konnte, die Wärme, den Luxus und die guten Weine vorzufinden, auf die man Anspruch zu haben glaubte, wo, soweit bekannt, keine bezaubernde Dame lockte, wo kein Ausritt in Aussicht gestellt und keine Jagd angesagt war, und nicht einmal ein Fasanenschießen.

Onkel Matthew hatte nämlich viel zuviel Respekt vor seinen Pferden und seinen Fasanen, als daß er irgendwelche unbekannten grünen Jungen auf sie losgelassen hätte.

Eine furchtbare Situation also. Aus verschiedenen Gegenden Englands waren zehn Angehörige des weiblichen Geschlechts, vier Mütter und sechs Mädchen, auf dem Anmarsch, und der Haushalt, dem sie zustrebten, bestand aus weiteren vier Frauen (nicht daß Linda und ich gezählt hätten, aber immerhin, wir trugen Röcke und keine Hosen und waren wirklich zu alt, als daß man uns die ganze Zeit über ins Schulzimmer hätte sperren können) und nur zwei Männern, von denen einer noch nicht einmal im frackfähigen Alter war.

Das Telephon lief heiß, und Telegramme flogen in alle Himmelsrichtungen. Tante Sadie ließ all ihren Stolz fahren, tat nicht mehr so, als sei alles in Ordnung, als würde jeder nur um seiner selbst willen eingeladen, und schickte eine Reihe verzweifelter Appelle hinaus. Mr. Wills, der Pfarrer, erklärte sich bereit, Mrs. Wills zu Hause zu lassen und *en garçon* in Alconleigh zu dinieren. Zum erstenmal seit vierzig Jahren würden die beiden Eheleute getrennt sein. Mrs. Aster, die Frau des Verwalters, brachte das gleiche Opfer, und Master Aster, der Sohn des Verwalters, noch keine siebzehn Jahre alt, wurde in aller Eile nach Oxford geschickt, wo er sich einen Frackanzug von der Stange beschaffen sollte.

Davey Warbeck erhielt den Befehl, Tante Emily allein zu lassen und herüberzukommen. Er sagte zu, aber nur widerwillig und erst, als man ihm das ganze Ausmaß der Krise enthüllt hatte. Ältere Vettern und Onkel, die jahrelang nur ein Schattendasein in der Erinnerung geführt hatten, wurden aus der Vergessenheit heraufbeschworen und bedrängt, zu erscheinen. Sie weigerten sich fast alle, einige in ziemlich barschem Ton – fast alle waren sie von Onkel Matthew irgendwann einmal derart schwer beleidigt worden, daß Vergebung unmöglich war.

Schließlich erkannte Onkel Matthew, daß er nicht länger untätig zusehen konnte. Der Ball als solcher war ihm völlig gleichgültig, er fühlte sich absolut nicht verantwortlich für das Vergnügen seiner Gäste, in denen er nur eine Horde heranstürmender Barbaren sah, die man nicht aufhalten konnte, und nicht etwa einen Kreis netter Freunde, die man zu unterhaltsamem Austausch und fröhlichem Feiern zusammengerufen hatte. Aber Tante Sadies Seelenfrieden war ihm ganz und gar nicht gleichgültig, er konnte es nicht ertragen, sie so bekümmert zu sehen, und beschloß deshalb, etwas zu unternehmen. Er fuhr hinauf nach London und nahm an der letzten Sitzung des Oberhauses vor den Parlamentsferien teil. Seine Reise war ein voller Erfolg.

»Stromboli, Paddington, Fort Williams und Curtley haben zugesagt«, berichtete er Tante Sadie mit der Miene eines Zauberkünstlers, der vier wunderbar fette Kaninchen aus einem winzigen Weinglas hervorzieht.

»Aber ich mußte ihnen einen Schuß versprechen – Bob, geh zu Craven und sag ihm, daß ich ihn morgen früh sprechen will.«

Dank solcher komplizierten Maßregeln waren die Verhältnisse an der Dinnertafel nun ausgeglichen, und Tante Sadie war unendlich erleichtert, auch wenn sie über Onkel Matthews Kaninchen insgeheim immer wieder lächeln mußte. Lord Stromboli, Lord Fort Williams und der Herzog von Paddington waren früher ihre eigenen Tanzpartner gewesen, und Sir Archibald Curtley, Bibliothekar des Oberhauses und gern gesehener Gast in eleganten intellektuellen Kreisen, war über siebzig und litt stark an Arthritis. Beim Tanz, nach dem Dinner, würde es natürlich schon wieder anders sein. Mrs. Wills würde wieder zu Mr. Wills stoßen und Mrs. Aster zu Captain Aster, auf Onkel Matthew und Bob konnte man als Tanzpartner kaum zählen, und auch die Riege aus dem Oberhaus würde sich wahrscheinlich nicht auf die Tanzfläche, sondern an den Bridgetisch verfügen.

»Ich fürchte, die Mädchen müssen selbst sehen, wie sie zurechtkommen«, meinte Tante Sadie träumerisch.

In einer Hinsicht jedoch war es so am besten. Diese alten Knaben hatte Onkel Matthew selbst ausgewählt, es waren Freunde von ihm, und er würde höflich zu ihnen sein; jedenfalls wußten sie von vornherein, mit wem sie es zu tun hatten. Tante Sadie war sich darüber im klaren, wie überaus riskant es gewesen wäre, das Haus mit fremden jungen Männern zu füllen. Onkel Matthew haßte Fremde, er haßte junge Leute, und er haßte die Vorstellung, daß darunter auch solche sein könnten, die womöglich um die Hand einer seiner Töchter anhalten würden; Tante Sadie sah weitere Klippen voraus, aber fürs erste waren sie umschifft.

Dies also ist ein Ball. Dies ist das Leben, auf das wir all die Jahre gewartet haben, da wären wir, und da wäre er, der Ball, hier und jetzt, in vollem Gange, und wir mitten darin. Wie merkwürdig man sich dabei fühlt, diese Unwirklichkeit, wie im Traum. Aber alles ist so ganz anders, als wir es uns vorgestellt hatten; kein schöner Traum, das muß man leider zugeben. Die Männer so klein und häßlich, die Frauen so angestaubt, die Kleider so knittrig und die Gesichter so rot, die Ölöfen so muffig und nicht einmal besonders warm, aber vor allem die Männer, entweder so alt oder so häßlich. Und wenn sie einen zum Tanz auffordern (gedrängt, wie man vermuten muß, von dem freundlichen Davey, der unentwegt bemüht ist, daß wir uns bei unserer ersten Party auch amüsieren), dann ist es nicht, als würde man auf einer Wolke des Glücks davonschweben, von einem männlichen Arm an einen männlichen Busen gedrückt, sondern – stapf, stapf, stolper, stolper. Wie Meister Adebar balancieren sie auf einem Bein, und wie Meister Holzfäller treten sie einem mit dem anderen auf den Zeh. Und was die geistreiche Konversation angeht, so ist es schon großartig, wenn ein Gespräch, und sei es noch so banal und sprunghaft, einen ganzen Tanz und die Pause danach fortdauert. Meistens heißt es nur: »Oh, Verzeihung – ach, mein

Fehler« – wenngleich Linda immerhin so weit kam, einen ihrer Partner hinauszulocken und ihm die kranken Steine zu zeigen.

Wir hatten nie tanzen gelernt, und aus irgendeinem Grund glaubten wir, jeder sei ohne weiteres und von Natur aus dazu imstande. Ich glaube, Linda begriff damals, wozu ich noch viele Jahre brauchte, daß das Verhalten kultivierter Menschen in Wirklichkeit mit Natur überhaupt nichts zu tun hat, daß alles künstlich ist, mehr oder minder vervollkommnete Kunstfertigkeit.

Daß der Abend eine völlige Enttäuschung wurde, verhinderte Lord Merlin mit seinen Gästen. Sie kamen ungeheuer spät, wir hatten sie schon vergessen, aber als sie Tante Sadie begrüßt und ein wenig Fuß gefaßt hatten, verbreiteten sie sofort eine ganz neue Atmosphäre. Sie glänzten und funkelten mit ihrem Schmuck, ihren herrlichen Kleidern, ihren schillernden Frisuren, ihrem blendenden Teint; und wenn sie tanzten, dann schienen sie wirklich zu schweben, außer beim Charleston mit seinen abgehackten Bewegungen, aber auch der wirkte so vollendet, daß uns vor Bewunderung die Luft wegblieb. Ihre Konversation war offenbar gewagt und geistreich zugleich, man sah geradezu, wie sie sprühend und glitzernd, gleich einem Bach im Sonnenlicht, dahinplätscherte. Linda war ganz hingerissen und beschloß auf der Stelle, eines dieser glänzenden Geschöpfe zu werden und in ihrer Welt zu leben, auch wenn sie ein Leben lang darum kämpfen müßte. Ich hegte solche Gelüste nicht. Ich sah, daß sie bewundernswert waren, aber von mir und meiner Welt waren sie weit entfernt, gehörten eher zu der meiner Eltern; ich hatte ihnen an dem Tag den Rücken gekehrt, an dem Tante Emily mich zu sich genommen hatte, es gab da kein Zurück – und ich wünschte es mir auch nicht. Dennoch, als Zuschauerin fand ich sie faszinierend, und ob ich nun zwischen den Tänzen mit Linda beisammensaß oder mit dem freundlichen Davey, der keinen der jungen Männer mehr dazu verlocken konnte, uns aufzufordern, und sich deshalb gelegentlich selbst zur Verfügung stellte, durch den Raum stakste – nie ließ ich sie aus den Augen. Davey schien mit ihnen allen bekannt zu sein, und mit Lord Merlin war er offenbar gut befreundet. Wenn er sich gerade nicht um Linda und mich kümmerte, trat er zu ihnen und beteiligte sich an ihrem feinsinnigen Geplauder. Er erbot sich sogar, uns vorzustellen, aber, ach, die flatternden Tafteinsätze an unseren Kleidern, die im Haus von Mrs. Josh so originell und hübsch ausgesehen hatten, wirkten neben ihren leichten, geschmeidigen Kleidern aus bedrucktem Chiffon sonderbar steif, und da wir uns ihnen schon während des ganzen Abends unterlegen gefühlt hatten, baten wir ihn, es nicht zu tun.

Als ich in dieser Nacht zu Bett gegangen war, dachte ich mehr denn je an die kräftigen, schützenden Arme meines Farmers aus Shenley. Am nächsten Morgen erklärte mir Linda, sie habe sich vom Prinzen von Wales losgesagt.

»Ich bin zu der Einsicht gelangt«, erklärte sie, »daß die Kreise bei Hof ziemlich langweilig wären. Lady Dorothy ist eine Hofdame, und sieh sie dir an.«

Der Ball hatte ein völlig unerwartetes Nachspiel. Die Mutter von Lord Fort William lud Tante Sadie und Louisa zu einem Jagdball in ihr Haus nach Sussex ein, und wenig später bat seine verheiratete Schwester die beiden zu einer Jagd und einem Wohltätigkeitsball. Während dieses Besuches machte Lord Fort William Louisa einen Heiratsantrag, der akzeptiert wurde. Sie kam als Verlobte nach Alconleigh zurück und stand nun zum erstenmal wieder im Mittelpunkt der Aufmerksamkeit, seit Lindas Geburt sie für immer von dort verdrängt hatte. Die Aufregung war groß, und im Wäscheschrank der Hons gab es tolle Beratungen, mit und ohne Louisa. Sie trug einen hübschen kleinen Diamantring am vierten Finger, aber in der Frage, wie Lord (für uns jetzt John, aber wie sollten wir daran immer denken?) Fort William sie denn nun liebte, war sie weniger mitteilsam, als wir es uns gewünscht hätten, und zog sich unter mancherlei Erröten hinter einen Schleier von Ausflüchten zurück, etwa von der Art, diese Dinge seien zu heilig, um darüber zu sprechen. Bald trat er wieder leibhaftig auf, und wir hatten Gelegenheit, ihn als Individuum zu beobachten, statt – zusammen mit Lord Stromboli und dem Herzog von Paddington – als Teil einer ehrwürdigen Dreifaltigkeit. Linda faßte unseren Eindruck zusammen: »Der arme alte Kerl, sie hat ihn vermutlich gern, aber ich muß doch sagen, wenn er ein Hund wäre, würde man ihn wohl einschläfern lassen.« Lord Fort William war neununddreißig, wirkte allerdings erheblich älter. Sein Haar scheine ihm vom Kopf zu rutschen, wie ein Daunenkissen nachts vom Bett, erklärte Linda, und äußerlich mache er einen etwas vernachlässigten Eindruck. Louisa dagegen liebte ihn und war zum erstenmal in ihrem Leben glücklich. Stets hatte sie vor Onkel Matthew noch mehr Angst gehabt als die anderen, und das aus gutem Grund; er hielt sie für dumm und war nie freundlich zu ihr gewesen. Die Aussicht, Alconleigh für immer zu verlassen, versetzte sie in den siebten Himmel.

Ich glaube übrigens – alter Hund hin, Daunenkissen her –, in Wirklichkeit war Linda sehr eifersüchtig. Sie machte jetzt ganz allein lange Ausritte und erging sich in immer versponneneren Tagträumen: Die Sehnsucht nach Liebe war bei ihr zur Obsession geworden. Zwei lange Jahre mußte sie noch durchstehen, bevor sie in die Welt hinaustreten konnte, aber wie sehr zogen sich schon die Tage in die Länge! Linda zappelte im Salon herum und legte endlose Patiencen (oder begann sie, ohne sie zu beenden) – manchmal für sich allein, manchmal zusammen mit Jassy, die sie mit ihrer Rastlosigkeit angesteckt hatte.

»Wie spät ist es, Liebling?«

»Rate.«

»Viertel vor sechs?«

»Viel besser!«

»Sechs!«

»So gut nun auch wieder nicht.«

»Fünf vor?«

»Ja.«

»Wenn diese aufgeht, werde ich den Mann heiraten, den ich liebe. Wenn die aufgeht, werde ich mit achtzehn heiraten.«

Wenn diese aufgeht – mischen; wenn die aufgeht – geben. Eine Königin ganz unten im Blatt, kann nicht heraus, noch mal von vorn.

Louisa heiratete im Frühling. Ihr Hochzeitskleid aus gerüschtem Tüll, besetzt mit Orangenblütenzweigen, reichte, gemäß der abscheulichen Mode der damaligen Zeit, bis zum Knie und endete hinten in einer Schleppe. Jassy regte sich schrecklich darüber auf.

»So etwas Unpraktisches!«

»Wieso denn, Jassy?«

»Ich meine, wenn man darin beerdigt wird. Frauen werden doch immer in ihren Hochzeitskleidern beerdigt, oder nicht? Denk doch, wie deine armen alten Beine da herausschauen, wenn du tot bist.«

»Ach, Jassy, laß doch das Unken. Ich werde sie in meine Schleppe einwickeln.«

»Nicht sehr angenehm für die Leichenbestatter.«

Louisa wollte keine Brautjungfern. Ich vermute, sie fand es angenehm, daß sich die Blicke der Leute einmal in ihrem Leben mehr auf sie als auf Linda richteten.

»Du kannst dir nicht vorstellen, wie blöd du von hinten aussiehst, ohne welche«, meinte Linda. »Aber mach nur, wie du willst. Wir legen bestimmt keinen Wert darauf, uns in blauem Chiffon lächerlich zu machen. Ich hatte nur daran gedacht, was für dich das beste wäre.«

An Louisas Geburtstag schenkte ihr John Fort William, der ein leidenschaftlicher Antiquitätensammler war, eine Nachbildung von König Alfreds Juwel. Linda, deren Unausstehlichkeit zu dieser Zeit grenzenlos war, meinte, es sehe aus wie Hühnerdreck. »Gleiche

Form, gleiche Größe, gleiche Farbe. Unter einem Juwel stelle ich mir etwas anderes vor.«

»Ich finde es ganz allerliebst«, sagte Tante Sadie, aber etwas von Lindas Worten blieb doch haften.

Tante Sadie hatte damals einen Kanarienvogel, der den ganzen Tag sang und es in Reinheit und Lautstärke seines Getrillers sogar mit der Galli-Curci aufnahm. Immer wenn ich einen Kanarienvogel so unmäßig singen höre, fällt mir diese fröhliche Zeit in Alconleigh ein, der nicht endende Strom der Hochzeitsgeschenke, wie wir sie unter Schreien der Bewunderung oder des Schreckens auspacken und im Ballsaal aufbauen, das Hin und Her und Onkel Matthews gute Laune, die, so unglaublich es war, Tag für Tag anhielt, wie manchmal das schöne Wetter.

Louisa sollte nun bald zwei Häuser bewohnen, eines in London, am Connaught Square, und eines in Schottland. Für Kleider würden ihr dreihundert Pfund im Jahre zur Verfügung stehen, sie würde ein Brillantendiadem, eine Perlenkette, einen eigenen Wagen und einen Pelzmantel besitzen. Sofern sie es mit John Fort William aushielt, konnte man sie durchaus beneiden. Allerdings war er furchtbar langweilig.

Der Hochzeitstag war schön und mild, und als wir am Morgen nachsahen, wie Mrs. Wills und Mrs. Josh mit dem Schmücken vorankamen, fanden wir die helle kleine Kirche prall gefüllt mit Frühjahrsblumen. Später, als die vertrauten Linien des Innenraums unter einer ganz ungewohnten Menschenmenge verschwammen, wirkte sie ganz anders. Mir kam der Gedanke, daß ich selbst viel lieber hier heiraten würde, wenn sie so leer und blumenreich war und erfüllt vom Heiligen Geist.

Keiner von uns, weder Linda noch ich, war je auf einer Hochzeit gewesen, denn Tante Emily hatte unfairerweise, wie wir damals fanden, in aller Stille in der Kapelle von Daveys Vaterhaus im Norden Englands geheiratet, so daß wir nun auf die Verwandlung kaum gefaßt waren, die aus der lieben alten Louisa und dem furchtbar langweiligen John schlagartig die Urgestalten von Braut und Bräutigam, die Heldin und den Helden einer Liebesromanze machte.

Von dem Augenblick an, als wir Louisa mit Onkel Matthew in Alconleigh zurückließen, von wo sie uns in genau elf Minuten im Daimler folgen sollten, wurde die Atmosphäre direkt dramatisch. Louisa, von Kopf bis Knie in Tüll gehüllt, hatte sich behutsam auf einer Stuhlkante niedergelassen, während Onkel Matthew mit der Uhr in der Hand in der Halle auf und ab schritt. Wir gingen wie immer zu Fuß zur Kirche und ließen uns im Familienstuhl an der rückwärtigen Seite nieder, von wo aus wir fasziniert das ungewöhnliche Erscheinungsbild unserer Nachbarn beobachten konnten, die sich alle in ihren besten Kleidern präsentierten. Der einzige in der ganzen Gemeinde, der genauso aussah wie immer, war Lord Merlin.

Plötzlich kam Unruhe auf. John und sein *best man*, Lord Stromboli, standen plötzlich, wie zwei Springteufelchen aus dem Nichts erschienen, neben den Stufen zum Altar. In ihren Cutaways, das Haar reichlich mit Brillantine versehen, wirkten sie ziemlich imposant, aber wir hatten kaum Zeit, dies zu würdigen, denn schon hatte Mrs. Wills alle Register gezogen und stimmte »Here comes the Bride« an, während Louisa mit verschleiertem Gesicht von Onkel Matthew im Eilschritt durch den Gang zwischen den Bänken gezerrt wurde. In diesem Augenblick hätte Linda wohl gern mit Louisa getauscht, sogar um den Preis – den hohen Preis –, fortan und für immer ihr Glück mit John Fort William zu teilen. Es dauerte nicht lange – und schon wurde Louisa in der entgegengesetzten Richtung, diesmal von John und mit aufgeschlagenem Schleier, durch den Gang gezerrt, während Mrs. Wills die Fenster beinahe zum Bersten brachte, so laut und triumphierend erklang ihr »Hochzeitsmarsch«.

Alles war wie am Schnürchen gegangen, und es hatte nur einen kleinen Zwischenfall gegeben. Mitten in »So wie der röhrende Hirsch« (Louisas Lieblingslied) war Davey fast unbemerkt aus dem Familienstuhl geglitten und sofort nach London gefahren. Von einem der Wagen der Hochzeitsgesellschaft hatte er sich zum Bahnhof von Merlinford bringen lassen. Abends rief er an und erklärte, er habe sich beim Singen die Mandeln gezerrt und es für das beste gehalten, auf der Stelle Sir Andrew Macpherson, den Hals-, Nasen-, Ohrenspezialisten aufzusuchen, der ihm eine Woche Bettruhe verordnet hatte. Die seltsamsten Unfälle schienen immer dem armen Davey zuzustoßen.

Als Louisa abgereist war und die Hochzeitsgäste Alconleigh verlassen hatten, legte sich, wie es bei solchen Gelegenheiten immer geschieht, eine eintönige Leere über das Haus. Linda verfiel in einen so verzweifelten Trübsinn, daß selbst Tante Sadie beunruhigt war. Später erzählte mir Linda, sie habe damals oft mit dem Gedanken gespielt, sich umzubringen, und hätte es höchst wahrscheinlich auch getan, wenn die praktischen Schwierigkeiten nicht so groß gewesen wären.

»Du weißt ja, wie es ist«, meinte sie, »wenn man

versucht, ein Kaninchen zu töten. Und dann erst bei *sich selbst*!«

Zwei Jahre erschienen ihr wie eine absolute Ewigkeit, es lohnte sich nicht, sie durchzustehen, auch nicht mit der Aussicht (und an ihr zweifelte sie nie, genausowenig wie ein gläubiger Mensch an der Existenz des Himmels zweifelt), daß am Ende die wonnevolle Liebe stehen würde. Damals hätte man gut daran getan, Linda eine Arbeit zu geben, so wie ich arbeitete, den ganzen Tag und schwer, so daß keine Zeit für dumme Träumereien blieb, außer am Abend ein paar Minuten vor dem Einschlafen. Auch Tante Sadie schien das zu spüren, sie drängte Linda, kochen zu lernen, sich um den Garten zu kümmern, sich auf die Konfirmation vorzubereiten. Aber Linda weigerte sich wütend und war auch nicht bereit, kleinere Aufträge im Dorf zu erledigen oder Tante Sadie bei den hundertundeins Hausarbeiten zur Hand zu gehen, die zu den Pflichten der Frau eines Landadeligen gehören. Sie verhielt sich vielmehr ganz und gar stur, und Onkel Matthew sagte es ihr jeden Tag unzählige Male, wobei er sie aus seinen blauen Augen zornig anfunkelte.

Lord Merlin war ihre Rettung. Er hatte bei Louisas Hochzeit Gefallen an ihr gefunden und Tante Sadie gebeten, einmal mit ihr nach Merlinford zukommen. Wenige Tage später rief er an. Onkel Matthew war am Telephon, und ohne den Mund vom Hörer zu nehmen, rief er Tante Sadie zu:

»Merlin, der Mistkerl, will dich sprechen.«

Lord Merlin, der das gehört haben mußte, blieb völlig ungerührt. Er war selbst exzentrisch genug, um Mitgefühl für die Eigenheiten anderer Sonderlinge aufbringen zu können. Der armen Tante Sadie aber war die Sache so peinlich, daß sie eine Einladung, mit Linda zum Luncheon nach Merlinford zu kommen, annahm, die sie anderenfalls höchstwahrscheinlich ausgeschlagen hätte.

Lord Merlin erkannte anscheinend sofort, was mit Linda los war; er war wirklich schockiert, als er erfuhr, daß sie überhaupt keinen Unterricht bekam, und tat, was er konnte, um ihr Interesse zu wecken. Er zeigte ihr seine Bilder und erläuterte sie ihr, unterhielt sich mit ihr ausgiebig über Kunst und Literatur und gab ihr Bücher zu lesen. Er machte auch den Vorschlag, den Tante Sadie sogleich aufgriff, sie und Linda sollten an einer Vortragsreihe in Oxford teilnehmen, und ließ die Bemerkung fallen, in Stratford-on-Avon finde soeben das Shakespeare-Festival statt.

Ausflüge dieser Art, die auch Tante Sadie viel Vergnügen machten, wurden bald zu einem festen Bestandteil des Lebens in Alconleigh. Onkel Matthew spöttelte ein wenig, widersetzte sich aber nie irgendeinem Vorhaben von Tante Sadie; außerdem galt seine Besorgnis hinsichtlich der eigenen Töchter nicht der Bildung selbst, sondern den vulgären Einflüssen, die ein Internat auf sie ausüben könnte. Versuche mit Hauslehrerinnen hatte man gemacht, aber keine war imstande gewesen, das schreckliche Knirschen von Onkel Matthews Gebiß, das wütend stechende Blitzen seiner blauen Augen, den Knall der Viehpeitsche unter ihren Fenstern im Morgengrauen länger als ein paar Tage zu ertragen. Die Nerven! so stöhnten sie, und machten sich auf den Weg zurück zum Bahnhof, oft noch bevor sie Zeit gehabt hatten, die riesigen Koffer auszupacken, von denen sie stets begleitet wurden und die so schwer wogen, als wären sie mit Steinen gefüllt.

Einmal fuhr Onkel Matthew zusammen mit Tante Sadie und Linda zur Aufführung eines Shakespeare-Stücks, *Romeo und Julia*. Aber ein Erfolg war das nicht. Er vergoß reichlich Tränen und wurde furchtbar wütend, weil es schlecht ausging. »Schuld war dieser verdammte Mönch«, schimpfte er auf dem Heimweg immerfort, während er sich noch immer die Augen wischte. »Dieser Bursche, wie hieß er doch gleich, Romeo, hätte wissen müssen, daß so ein verfluchter Papist alles versauen würde. Und dann diese blöde alte Amme, ich wette, die war auch katholisch, das gräßliche Miststück.«

So kam es, daß in Lindas eintöniges Leben allerlei äußere Interessen Einzug hielten. Sie erkannte, daß sich die Welt, der sie angehören wollte, die geistreiche, funkelnde Welt Lord Merlins und seiner Freunde, für geistige Dinge interessierte und daß sie in ihr nur zu glänzen vermochte, wenn sie etwas für ihre Bildung tat. Die nutzlosen Patiencepartien gab sie jetzt auf, hockte statt dessen den ganzen Tag in einer Ecke der Bibliothek und las, bis ihr die Augen zufielen. Oft ritt sie hinüber nach Merlinford, und zwar allein, ohne daß ihre Eltern davon wußten, die ihr niemals erlaubt hätten, dorthin oder irgendwohin zu reiten; sie ließ Josh bei den Ställen zurück, wo er gute Freunde hatte, und plauderte dann stundenlang mit Lord Merlin über alle möglichen Themen. Er wußte, daß sie sehr romantisch veranlagt war, er ahnte, daß ihr noch mancher Kummer bevorstand, und immer wieder ermahnte er sie, daß es notwendig sei, geistige Interessen zu pflegen.

7

Was hatte Linda bloß dazu gebracht, Anthony Kroesig zu heiraten? Während der neun Jahre ihres Zusammenlebens stellten sich die Leute diese Frage mit ärgerlicher Regelmäßigkeit fast jedesmal, wenn ihre Namen fielen. Was hatte sie gewollt? Sie konnte sich doch unmöglich in ihn verliebt haben. Welche Idee stand dahinter, wie hatte es geschehen können? Gewiß, er war sehr reich, aber das waren andere auch, und die bezaubernde Linda hätte nur zu wählen brauchen. Die einfache Antwort lautete natürlich, daß sie sich tatsächlich in ihn verliebt hatte. Linda war viel zu romantisch, als daß sie ohne Liebe geheiratet hätte, und ich, die ich bei der ersten Begegnung der beiden und während der Zeit ihrer ersten Liebe meist zugegen war, habe eigentlich immer verstanden, warum es so gekommen ist. Uns biederen Mädchen vom Lande erschien Tony damals wie ein Wesen aus einer anderen, glanzvollen Welt. Als wir ihn zum erstenmal sahen, bei Lindas und meinem Einführungsball, machte er gerade sein letztes Jahr in Oxford, ein famoser junger Mann mit einem Rolls Royce, ein paar prächtigen Pferden, erlesener Kleidung und einer großen luxuriösen Wohnung, wo er sich als großzügiger Gastgeber betätigte. Er war groß und blond, etwas korpulent, aber mit einer wohlproportionierten Figur; schon damals spielte er sich gern ein wenig auf, doch Linda, der so etwas noch nie begegnet war, fand es nicht unattraktiv. Kurzum, sie sah ihn so, wie er gesehen werden wollte.

Was ihm in ihren Augen sofort hohes Ansehen verlieh, war die Tatsache, daß er mit Lord Merlin zum Ball gekommen war. Das aber war eigentlich bloß ein unglücklicher Zufall gewesen, denn Lord Merlin hatte ihn erst in allerletzter Minute hinzugebeten, als Lückenfüller.

Lindas Ball war bei weitem kein solches Fiasko wie der von Louisa. Louisa, die jetzt eine Dame der Londoner Gesellschaft war, trieb eine ganze Anzahl junger Männer für das Fest auf, meist etwas schwerfällige, blonde Schottenjungen mit ordentlichen Manieren; nichts, woran Onkel Matthew hätte Anstoß nehmen können. Mit den schwerfälligen, dunkelhaarigen Mädchen, die Tante Sadie eingeladen hatte, kamen sie gut zurecht, und die Gäste schienen durchaus zueinander zu »passen«, auch wenn Linda die Nase sehr hoch trug und erklärte, allesamt seien sie unsäglich langweilig. Seit Wochen hatte Tante Sadie Onkel Matthew angefleht, nur ja freundlich zu den jungen Leuten zu sein, niemanden anzuschreien, und er war tatsächlich ganz zahm; man hätte ihn fast bemitleiden können, wie er da, voll des guten Willens und um Artigkeit bemüht, im Haus herumschlich, als läge oben ein Kranker.

Auch Davey und Tante Emily waren gekommen, sie wollten meine Einführung in die Gesellschaft miterleben (Tante Sadie hatte sich erboten, mich zusammen mit Linda einzuführen und für uns eine gemeinsame Londoner Saison auszurichten, ein Angebot, das Tante Emily dankbar annahm), und Davey schwang sich zum Leibwächter von Onkel Matthew auf, um ihn soweit wie möglich vor weniger erträglichen Belästigungen abzuschirmen.

»Ich werde ganz allerliebst zu ihnen sein, aber ich will diese Gullis nicht in meinem Geschäftszimmer sehen«, hatte Onkel Matthew nach einer der langen Mahnreden von Tante Sadie erklärt, und tatsächlich schloß er sich während des Wochenendes (der Ball fand am Freitag statt, und die Gäste blieben bis Montag) die meiste Zeit über dort ein und spielte »1812« und »Der verwunschene Ballsaal« auf dem Grammophon. Mit der menschlichen Stimme hatte er es in diesem Jahr nicht so.

»Was für ein Jammer«, meinte Linda, während wir uns in unsere Ballkleider zwängten (richtige aus London diesmal, ohne flatternde Einsätze), »daß wir uns hier schön machen und herausputzen, und alles bloß für diese fürchterlichen Kerle, die Louisa da angeschleppt hat. Verschwendung nenne ich das.«

»Auf dem Land kann man nie wissen«, erwiderte ich, »vielleicht kommt der Prinz von Wales ja doch noch.«

Linda warf mir einen wütenden Blick zu.

»Übrigens«, sagte sie, »ich setze große Hoffnungen auf die Gäste von Lord Merlin. Er bringt bestimmt ein paar wirklich interessante Leute mit.«

Lord Merlin und seine Gäste kamen, wie beim letzten Mal, sehr spät und sehr gut gelaunt. Sofort fiel Linda ein großer, blonder junger Mann in einem prächtigen roten Jagdrock auf. Er tanzte mit einem Mädchen namens Baby Fairweather, das oft in Merlinford zu Gast war und ihn nun mit Linda bekannt machte. Er bat sie um den nächsten Tanz, sie ließ einen von Louisas Schottenjungen stehen, dem sie den Tanz schon versprochen hatte, und schwang sich in einem flotten One-Step davon. Wir hatten Tanzstunden genommen, und wenn wir auch nicht gerade durch den Raum schwebten, so waren unsere Bewegungen doch bei weitem nicht mehr so peinlich ungelenk wie früher.

Auch Tony war guter Laune, angeregt durch Lord Merlins guten Brandy, und Linda stellte voller Freude fest, wie gut und leicht sie mit diesem Mitglied aus dem Kreis von Merlinford zurecht kam. Was sie auch sagte, alles schien ihn zum Lachen zu bringen; als sie sich nach dem Tanz setzten, plauderte sie munter weiter, und Tony brach immer wieder in schallendes Gelächter aus. Einen besseren Weg zu Lindas Gunst gab es nicht; Leute, die viel lachten, gefielen ihr immer, und natürlich kam es ihr nicht in den Sinn, daß Tony ein bißchen betrunken war. Auch als der nächste Tanz begann, blieben sie beieinander sitzen. Onkel Matthew bemerkte es sofort und begann, wütende Blicke um sich werfend, vor ihnen auf und ab zu gehen, bis Davey die Gefahr erkannte und ihn unter dem Vorwand, einer der Ölöfen in der Halle qualme, davonzerrte.

»Wer ist der Gulli bei Linda?«

»Kroesig, Gouverneur der Bank von England, weißt du; sein Sohn.«

»Lieber Himmel, ich hätte nicht gedacht, daß ich jemals einen Vollbluthunnen unter diesem Dach bewirten würde – wer zum Teufel hat ihn eingeladen?«

»Lieber Matthew, rege dich bitte nicht auf. Die Kroesigs sind keine Hunnen, sie leben seit Generationen hier, eine höchst angesehene englische Bankiersfamilie.«

»Einmal Hunne, immer Hunne«, stieß Onkel Matthew hervor, »und auf Bankleute bin ich sowieso nicht gut zu sprechen. Aber dieser Kerl muß hier ohne Einladung eingedrungen sein.«

»Nein, er kam mit Merlin.«

»Wußte ich doch, daß dieser verfluchte Merlin früher oder später mit Ausländern aufkreuzen würde. Hab's schon immer gesagt, aber daß er ausgerechnet einen Deutschen anschleppt, hätte ich nicht gedacht.«

»Findest du nicht, daß es an der Zeit wäre, das Orchester mit Champagner zu versorgen?« fragte Davey.

Aber Onkel Matthew stapfte hinunter in den Heizungskeller, wo er mit Timb, dem Hilfsheizer, ein langes, besänftigendes Gespräch über Koks führte.

Inzwischen fand Tony, daß Linda hinreißend hübsch und äußerst fröhlich war, was auch zutraf. Er sagte es ihr, und tanzte immer wieder mit ihr, bis Lord Merlin, über das, was da vor sich ging, ebenso verstimmt wie Onkel Matthew, seine Gäste sehr entschieden und sehr früh zum Aufbruch drängte.

»Ich sehe Sie morgen beim Jagdtreff«, sagte Tony, während er sich ein weißes Halstuch umband.

Den übrigen Abend war Linda schweigsam und geistesabwesend.

»Du willst doch nicht etwa auf die Jagd gehen, Linda«, sagte Tante Sadie am nächsten Morgen, als Linda in Reitkleidern nach unten kam, »das wäre unhöflich, du mußt dich um deine Gäste kümmern. Du kannst sie nicht einfach allein lassen.«

»Allerliebste Mama«, sagte Linda, »das Treffen ist bei Cock's Barn, und du weißt, da kann ich einfach nicht widerstehen. Außerdem war Flora die ganze Woche nicht draußen, sie würde wahnsinnig. Sei lieb und zeig ihnen die römische Villa oder irgendwas, ich schwöre, ich komme ganz früh zurück. Sie haben ja auch noch Fanny und Louisa.«

Es war diese unglückselige Jagd, die, soweit es Linda betraf, den Ausschlag gab. Der erste, den sie am Jagdtreff traf, war Tony auf einem prächtigen kastanienbraunen Pferd. Auch Linda war mit Reittieren immer gut ausgestattet, Onkel Matthew war stolz auf ihre Reitkünste und hatte ihr zwei hübsche, lebhafte Pferdchen geschenkt. Tony und Linda fanden die Spur sofort, und nun folgte ein kurzer, scharfer Galopp, bei dem jeder dem anderen zeigen wollte, was er konnte. Seite an Seite setzten sie über die Steinmauern, bis sie plötzlich auf einem Dorfanger innehielten. Ein paar Hunde hatten einen Hasen aufgestöbert, der den Kopf verlor, in einen Ententeich sprang und nun verzweifelt darin herumpaddelte. Lindas Augen füllten sich mit Tränen.

»Oh, der arme Hase!«

Tony sprang vom Pferd und stürmte in den Teich. Er rettete den Hasen, watete, die schönen weißen Breeches von grünem Unrat bedeckt, wieder heraus und setzte ihn Linda naß und keuchend in den Schoß. Es war *die* romantische Geste seines Lebens.

Als sich der Tag seinem Ende zuneigte, trennte sich Linda von der Meute, für den Heimweg wollte sie eine Abkürzung benutzen. Tony öffnete ihr ein Gatter, zog den Hut und sagte:

»Sie sind eine wunderbare Reiterin, wissen Sie. Gute Nacht, wenn ich wieder in Oxford bin, rufe ich Sie an.«

Als Linda nach Hause kam, zerrte sie mich sogleich in den Wäscheschrank der Hons und erzählte mir alles. Sie hatte sich verliebt.

Wenn man bedenkt, in welcher Gemütsverfassung Linda die beiden letzten endlos langen Jahre verbracht hatte, war es ihr geradezu vorbestimmt, sich in den erstbesten jungen Mann zu verlieben, der ihr über den Weg lief. Es hätte kaum anders kommen können; sie hätte ihn jedoch nicht zu heiraten brauchen. Das wurde nur durch das Verhalten von Onkel Matthew unumgänglich. Lord Merlin, der einzige, der Linda vielleicht die Augen darüber hätte öffnen können, daß Tony nicht ganz so war, wie sie ihn sah, reiste unglücklicherweise in der Woche nach dem Ball nach Rom und blieb für ein Jahr im Ausland.

Tony kehrte von Merlinford nach Oxford zurück, und Linda saß herum und wartete, wartete, wartete auf das Klingeln des Telephons. Noch einmal Patiencen. Wenn diese hier aufgeht, denkt er jetzt gerade an mich – wenn diese aufgeht, ruft er mich morgen an – wenn diese aufgeht, wird er am Jagdtreff sein. Aber Tony jagte bei Bicester und tauchte nie in unserer Gegend auf. Drei Wochen vergingen, und Linda war schon ganz verzweifelt. Eines Abends, nach dem Dinner, klingelte das Telephon; dank eines glücklichen Zufalls hatte sich Onkel Matthew zu den Ställen begeben, um sich mit Josh um ein Pferd zu kümmern, das an einer Kolik erkrankt war; im Geschäftszimmer war niemand, und Linda nahm selbst den Hörer ab. Es war Tony. Vor lauter Herzklopfen brachte sie kaum ein Wort hervor.

»Hallo, ist dort Linda? Hier spricht Tony Kroesig. Kommen Sie nächsten Donnerstag zum Lunch?«

»Oh, das werden meine Eltern niemals erlauben.«

»Ach, Quatsch«, meinte er sehr ungeduldig, »es kommen noch ein paar andere Mädchen von London herüber – bringen Sie Ihre Cousine mit, wenn Sie wollen.«

»Also gut, es wird bestimmt sehr nett.«

»Bis dann – so gegen eins – 7 King Edward Street, ich nehme an, Sie kennen die Räume. Altringham hat seinerzeit hier gewohnt.«

Als Linda vom Telephon zurückkehrte, zitterte sie am ganzen Leib und flüsterte mir zu, ich solle rasch in den Schrank der Hons kommen. Verabredungen mit jungen Männern, gleichgültig, zu welcher Tageszeit, waren uns ohne Begleitung strikt verboten, und andere Mädchen zählten nicht als Begleitung. Wir wußten auch, obwohl ein derart unwahrscheinlicher Fall in Alconleigh noch nie auch nur im entferntesten in Erwägung gezogen worden war, daß wir – gleichgültig, von wem begleitet – nie und nimmer die Erlaubnis bekommen würden, bei einem jungen Mann in dessen Wohnung ein Luncheon einzunehmen, es sei denn, Tante Sadie selbst käme als Anstandsdame mit. Die Vorschriften hinsichtlich der Begleitung junger Mädchen in Alconleigh waren mittelalterlich; nicht im geringsten unterschieden sie sich von denen, die für Onkel Matthews Schwester und in ihrer Jugend für Tante Sadie gegolten hatten. Die eherne Regel lautete, daß man einen jungen Mann nie, unter keinen Umständen, allein sehen durfte, solange man nicht mit ihm verlobt war. Die einzigen Menschen, die dieser Regel Geltung verschaffen konnten, waren die eigene Mutter oder die Tanten, und deshalb war es nicht erlaubt, sich aus dem Blickfeld ihrer stets wachsamen Augen zu entfernen. Der Einwand, den Linda häufig vorbrachte, es sei nicht sehr wahrscheinlich, daß ein junger Mann um die Hand eines Mädchens anhalten werde, das er kaum kenne, wurde als Unsinn vom

Tisch gewischt. Hatte denn Onkel Matthew etwa nicht an dem Tag um die Hand Tante Sadies angehalten, an dem er sie zum erstenmal gesehen hatte, vor dem Käfig mit der zweiköpfigen Nachtigall auf einer Ausstellung in London? »Um so mehr Respekt bringen sie dir entgegen.« Nie schien es den Radletts in den Sinn zu kommen, daß modernen jungen Männern am Respekt nicht sonderlich viel liegt und daß sie bei ihren Frauen nach ganz anderen Eigenschaften suchen. Dank des aufklärerischen Einflusses von Davey war Tante Emily in dieser Frage sehr viel verständiger, aber wenn ich bei den Radletts war, mußte ich mich natürlich an dieselben Vorschriften halten.

Wir saßen im Schrank der Hons und redeten und redeten. Es stand für uns außer Frage, daß wir hinfahren mußten, Linda wäre sonst gestorben, nie wäre sie darüber hinweggekommen. Aber wie sollten wir entweichen? Nur eine Möglichkeit fiel uns ein, und die war äußerst riskant. Fünf Meilen entfernt wohnte ein sehr einfältiges Mädchen namens Lavender Davis bei ihren sehr einfältigen Eltern, und alle sieben Pfingsten wurde Linda, die sich hierüber jedesmal lautstark beklagte, zum Luncheon zu ihnen geschickt. Sie fuhr dann selbst in Tante Sadies kleinem Auto hinüber. Wir mußten so tun, als wollten wir dorthin, und konnten nur hoffen, daß Tante Sadie während der nächsten Monate nicht mit Mrs. Davis, dieser Säule des Women's Institute, zusammentreffen würde und daß Perkins, der Chauffeur, nicht bemerken würde, daß wir sechzig statt zehn Meilen gefahren waren.

Als wir zu Bett gingen, sagte Linda zu Tante Sadie mit einer Stimme, die harmlos klingen sollte, in meinen Ohren aber vor Schuldbewußtsein zitterte:

»Es war Lavender Davis, die eben angerufen hat. Sie möchte, daß Fanny und ich am Donnerstag zum Essen kommen.«

»Oh, Schatz«, meinte Tante Sadie, »aber du kannst meinen Wagen nicht haben, leider.«

Linda wurde bleich und lehnte sich gegen die Wand. »Ach, bitte, Mammi, bitte, laß mich fahren, ich möchte so schrecklich gern.«

»Zu den Davis?« wunderte sich Tante Sadie. »Aber Liebling, letztes Mal hast du gesagt, nie im Leben würdest du mehr zu ihnen gehen – gewaltige Kabeljaufilets, hast du gesagt, weißt du nicht mehr? Na ja, sie laden dich bestimmt ein andermal ein.«

»Ach, Mammi, du verstehst nicht. Es geht doch darum, daß ein Mann zu ihnen kommt, der einen jungen Dachs großgezogen hat, und ich möchte ihn so gern sehen.«

Jeder wußte, daß es Lindas größter Wunsch war, einen jungen Dachs aufzuziehen.

»Ich verstehe. Aber könnt ihr denn nicht hinüberreiten?«

»Koller und Grind«, seufzte Linda. Ihre großen blauen Augen füllten sich mit Tränen.

»Was hast du gesagt, Liebling?«

»In ihren Ställen – Koller und Grind. Du willst doch nicht, daß ich Flora dem aussetze.«

»Bist du dir sicher? Ihre Pferde sehen immer so großartig aus.«

»Frag Josh.«

»Aha, ich verstehe. Vielleicht leiht mir Pa seinen Morris, und wenn nicht, kann mich Perkins vielleicht im Daimler bringen. Da ist eine Versammlung, und ich muß unbedingt hin.«

»Ach, du bist so lieb, so lieb bist du. Bitte, versuch es. Ich freue mich so auf den Dachs.«

»Wenn du zur Saison in London bist, wirst du keine Zeit mehr für Dachse haben. Gute Nacht jetzt, ihr Schätze.«

»Irgendwie müssen wir uns Puder beschaffen.«

»Und Rouge.«

Derartige Dinge hatte uns Onkel Matthew streng verboten, der das weibliche Antlitz gern im Naturzustand sah und des öfteren verkündete, Schminke sei für Huren da, aber nicht für seine Töchter.

»Ich habe mal gelesen, daß man Geraniensaft als Rouge verwenden kann.«

»Geranien gibt es in dieser Jahreszeit nicht, Dummerchen.«

»Die Lider können wir uns aus Jassys Farbkasten blau färben.«

»Und mit Lockenwicklern schlafen.«

»Ich besorge die Verbenenseife aus Mammis Badezimmer. Wenn wir sie in der Wanne auflösen und uns ein paar Stunden hineinlegen, werden wir köstlich duften.«

»Ich dachte, du kannst Lavender Davis nicht ausstehen.«

»Halt den Mund, Jassy.«

»Als du das letzte Mal hinfuhrst, hast du gesagt, sie sei ein furchtbarer Anti-Hon, und am liebsten würdest du ihr mit dem Hon-Schläger eins in ihr dummes Gesicht geben.«

»Das habe ich nie gesagt. Du lügst.«

»Warum hast du denn wegen Lavender Davis das Londoner Kleid angezogen?«

»Jetzt verschwinde aber, Matt!«

»Warum fahrt ihr denn jetzt schon los, ihr kommt viel zu früh dort an.«

»Wir werden den Dachs vor dem Luncheon sehen.«

»Wie rot du im Gesicht bist, Linda. Richtig komisch siehst du aus.«

»Wenn du nicht still bist und verschwindest, Jassy, werfe ich deinen Molch wieder in den Teich, das schwöre ich dir!«

Aber diese Nachstellungen dauerten fort, bis wir im Wagen saßen und den Garagenhof verlassen hatten.

»Bringt doch Lavender nachher mit, zu einem netten, gemütlichen Besuch!« rief Jassy uns noch nach.

»Nicht sehr honorig von ihnen«, sagte Linda. »Meinst du, sie ahnen etwas?«

Wir ließen den Wagen auf dem Clarendon Yard stehen, und da wir sehr früh dran waren – eine halbe Stunde hatten wir für zwei Reifenpannen eingeplant –, suchten wir die Damentoilette bei *Elliston & Cavell's* auf und beäugten uns mit einer gewissen Unsicherheit in den Spiegeln dort. Auf unseren Wangen prangten rote Flecken, die Lippen hatten die gleiche Farbe, allerdings nur an den Rändern, weiter innen war sie schon verschwunden, und unsere Augenlider waren blau – alles aus Jassys Farbkasten. Unsere Nasen waren weiß. Nanny hatte noch etwas von dem Puder hervorgekramt, mit dem sie vor Jahren Robins Hintern eingepudert hatte. Kurz, wir sahen aus wie zwei Holländer-Püppchen.

»Wir dürfen uns nicht unterkriegen lassen«, meinte Linda unsicher.

»Ach Liebling«, seufzte ich, »ich weiß nicht einmal, wie ich mich richtig aufrappeln soll.«

Wir äugten und äugten und hofften, durch irgendeine Magie dieses sonderbare Gefühl loszuwerden. Dann hantierten wir noch ein wenig mit angefeuchteten Taschentüchern, um die Farbe in unseren Gesichtern etwas abzuschwächen. Schließlich kehrten wir auf die Straße zurück und betrachteten uns nun in jeder Schaufensterscheibe, an der wir vorüberkamen. (Mir ist oft aufgefallen, daß Frauen, die in jeden Spiegel sehen und ständig verstohlene Blicke in ihren Taschenspiegel werfen, dies eigentlich fast nie aus Eitelkeit tun, wie man immer annimmt, sondern viel häufiger, weil sie das Gefühl haben, daß irgend etwas nicht stimmt.)

Nun, da wir unser Ziel tatsächlich erreicht hatten, überfiel uns eine schreckliche Nervosität, wir kamen uns nicht nur verrucht und schuldbeladen vor, wir waren auch ganz verängstigt vor lauter Befangenheit. Ich glaube, am liebsten wären wir wieder in den Wagen gestiegen und nach Hause gefahren.

Punkt ein Uhr betraten wir Tonys Zimmer. Er war allein, erwartete aber offensichtlich zahlreiche Gäste, der Tisch, ein quadratischer mit einem einfachen Leinentischtuch, war für sehr viele Leute gedeckt. Wir lehnten Sherry und Zigaretten ab, dann trat verlegenes Schweigen ein.

»Mal wieder auf der Jagd gewesen?« fragte er Linda.

»Ja, gestern waren wir draußen.«

»Guter Tag?«

»Ja, sehr. Wir fanden die Spur sofort, es gab eine Geländejagd über sieben Meilen, und dann ...« Plötzlich fiel Linda ein, daß ihr Lord Merlin einmal gesagt hatte: »Jagen Sie, soviel Sie wollen, aber erzählen Sie nie davon, es ist das langweiligste Gesprächsthema, das es gibt.«

»Aber das ist ja wunderbar, sieben Meilen. Ich muß unbedingt mal wieder raus zu den Heythrops, bei ihnen soll es dieses Jahr phantastisch laufen. Wir hatten gestern auch einen guten Tag.«

Er setzte zu einem genauen Bericht über jede Minute dieses Tages an, wo sie die Spur gefunden hatten, wohin sie dann geritten waren, wie sein erstes Pferd plötzlich gelahmt hatte, wie dann sein zweites Pferd glücklicherweise gleich zur Stelle gewesen sei, und so weiter. Ich verstand sofort, was Lord Merlin gemeint hatte. Linda indessen hing mit atemlosem Interesse an seinen Lippen.

Endlich hörte man auf der Straße ein Geräusch, und er trat ans Fenster.

»Gut«, sagte er, »da sind die anderen.«

Die anderen waren in einem gewaltigen Daimler aus London gekommen und strömten jetzt, angeregt plaudernd, ins Zimmer. Vier hübsche Mädchen und ein junger Mann. Bald erschienen noch einige jüngere Semester und vervollständigten die Party. Aus unserer Sicht war sie nicht besonders lustig, die anderen kannten einander zu gut. Sie schwatzten in einem fort, lachten schallend über irgendwelche beziehungsreichen Witze und spielten sich auf; dennoch, wir hatten das Gefühl, dies sei das Leben, und auch als Zuschauerinnen hätten wir unseren Spaß gehabt, wäre da nicht dieses abscheuliche Schuldgefühl gewesen, das uns jetzt fast Bauchschmerzen bereitete. Jedesmal, wenn sich die Tür öffnete, wurde Linda ganz bleich. Sie hatte wohl tatsächlich das Gefühl, jeden Augenblick könne Onkel Matthew erscheinen und seine Peitsche knallen lassen.

Sobald die Höflichkeit es zuließ – aber da war es schon ziemlich spät, denn als die Turmuhr vier schlug, saßen noch alle am Tisch –, sagten wir auf Wiedersehen und entflohen nach Hause.

Matt, dieser Schuft, und die gemeine Jassy schaukelten am Garagentor.

»Wie geht es Lavender? Hat sie über eure Lidschatten gelacht? Wascht euch besser, bevor es Pa sieht. Ihr wart ja stundenlang weg. Gab es Kabeljau? Wie war der Dachs?«

Linda brach in Tränen aus.

»Laßt mich in Ruhe, ihr schrecklichen Anti-Hons«, schrie sie und stürzte hinauf in ihr Zimmer.

Die Liebe hatte sich an diesem kurzen Tag verdreifacht.

Am Samstag platzte die Bombe.

»Linda und Fanny, Pa will euch im Geschäftszimmer sprechen. Und je früher ihr hingeht, desto besser für euch, nach seiner Miene zu urteilen«, rief uns Jassy zu, als wir ihr, von der Jagd heimkehrend, in der Auffahrt begegneten. Das Herz rutschte uns in die Hose. Voll böser Vorahnungen sahen wir uns an.

»Bringen wir es hinter uns«, meinte Linda, und schon hasteten wir zum Geschäftszimmer; wir wußten, daß das Schlimmste eingetreten war.

Eine unglücklich dreinblickende Tante Sadie und ein zähneknirschender Onkel Matthew konfrontierten uns mit unserem Verbrechen. Der ganze Raum war erfüllt von den blauen Blitzen seiner Augen, und der Donner des Jupiter konnte nicht furchtbarer sein als das Gebrüll, mit dem er uns empfing:

»Ist euch klar, daß sich eure Ehemänner dafür

von euch scheiden lassen könnten, wenn ihr verheiratet wärt?«

Linda fing an, Einwände zu machen. Sie kannte sich im Scheidungsrecht aus, denn sie hatte den ganzen Fall Russell sehr genau in den Zeitungen verfolgt, mit denen in den Gästezimmern die Kaminfeuer angelegt wurden.

»Unterbrich deinen Vater nicht«, fuhr Tante Sadie sie mit einem warnenden Blick an.

Onkel Matthew hatte gar nichts gehört. Der Orkan erreichte jetzt seinen Höhepunkt.

»Da wir jetzt wissen, daß man euch nicht trauen kann und daß ihr euch nicht zu betragen wißt, werden wir gewisse Maßregeln ergreifen müssen. Fanny wird gleich morgen nach Hause fahren, und ich will dich hier nie wieder sehen, hast du verstanden? Soll Emily dich in Zukunft bändigen, wenn sie kann, aber du gerätst auf dieselbe Bahn wie deine Mutter – das ist so sicher wie das Amen in der Kirche. Und was dich angeht, Fräulein, von der Saison in London kann natürlich keine Rede mehr sein – in Zukunft werden wir dich während jeder Minute des Tages beaufsichtigen müssen – nicht besonders angenehm, ein Kind zu haben, auf das man sich nicht verlassen kann – und in London gäbe es zu viele Möglichkeiten, um sich wegzuschleichen. Du kannst hier in deinem eigenen Saft schmoren. Und gejagt wird dieses Jahr auch nicht mehr. Sei froh, daß du keine Prügel bekommst; die meisten Väter würden dich jetzt gründlich verbimsen, hörst du? Ihr könnt jetzt zu Bett gehen, und ihr redet kein Wort mehr miteinander, bis Fanny abreist. Ich lasse sie morgen mit dem Wagen hinüberbringen.«

Es dauerte Monate, bis wir erfuhren, wie sie es herausbekommen hatten. Uns war es wie Hexerei erschienen, aber die Erklärung war ganz einfach. Jemand hatte bei Tony Kroesig seinen Schal liegen gelassen, und er hatte angerufen und gefragt, ob dieser Schal einer von uns beiden gehörte.

8

Wie immer war Onkel Matthews Bellen kräftiger als sein Biß, aber dieser Krach war, solange er dauerte, der schlimmste, an den man sich in Alconleigh erinnern konnte. Ich wurde am nächsten Tag zu Tante Emily geschickt, während Linda mir aus ihrem Schlafzimmerfenster zuwinkte und nachrief: »Du kannst froh sein, daß du nicht ich bist« (was ihr gar nicht ähnlich sah, denn meistens verkündete sie: »Bin ich froh, daß ich ich bin!«); auch durfte sie ein- oder zweimal nicht mit zur Jagd. Dann jedoch begann sich die Lage zu entspannen, das dünne Ende des Keils, und allmählich kamen die Dinge wieder ins Lot, auch wenn man in der Familie mutmaßte, daß Onkel Matthew diesmal in Rekordzeit ein weiteres Gebiß zermalmt habe.

Die Planungen für die Londoner Saison gerieten jedoch nicht ins Stocken, und nach wie vor schlossen sie auch mich ein. Später hörte ich, daß Davey und Fort Williams es auf sich genommen hatten, Tante Sadie und Onkel Matthew (vor allem Onkel Matthew) auseinanderzusetzen, daß das, was wir getan hatten, nach modernen Maßstäben völlig normal war, obgleich sie natürlich zugeben mußten, daß es sehr falsch von uns gewesen war, so viele schamlose Lügen zu erfinden.

Wir beteuerten, es tue uns sehr leid, und versprachen hoch und heilig, nie wieder so hinterlistig zu sein, sondern Tante Sadie immer zu fragen, wenn wir etwas Besonderes vorhatten.

»Nur wird es dann natürlich immer heißen: Nein«, meinte Linda und warf mir einen verzweifelten Blick zu.

Tante Sadie mietete für den Sommer ein möbliertes Haus in der Nähe des Belgrave Square. Dieses Haus hatte so wenig Charakter, daß ich mich kaum daran erinnern kann, ich weiß nur noch, daß ich von meinem Schlafzimmerfenster einen Blick auf die Schornsteine hatte und daß ich an heißen Sommerabenden oft dort saß, den Schwalben zusah, die immer in Paaren herumflogen, und mir innig wünschte, auch jemanden zu haben, mit dem ich ein Paar bilden könnte.

Wir hatten tatsächlich sehr viel Spaß, aber ich glaube, wir genossen die Tanzerei weniger als die Tatsache, daß wir nun erwachsen waren und in London sein konnten. Was dem Vergnügen auf den Bällen vor allem Abbruch tat, waren, wie Linda sich ausdrückte, die Kerle. Sie waren alle schrecklich langweilig, vom gleichen Schlag wie die, die Louisa nach Alconleigh geholt hatte; Linda, die nach wie vor von ihrer Liebe zu Tony träumte, konnte sie nicht auseinanderhalten, sie war nicht einmal imstande, sich ihre Namen zu merken. Ich dagegen sah mich hoffnungsfroh nach einem möglichen Lebensgefährten um, aber obwohl ich mich aufrichtig bemühte, sie von ihrer besten Seite zu sehen, zeigte sich nichts, was auch nur entfernt meinen Ansprüchen nahekam.

Tony absolvierte sein letztes Quartal in Oxford und kam erst gegen Ende der Saison nach London.

Wie erwartet, wurden wir mit viktorianischer Strenge beaufsichtigt. Tante Sadie oder Onkel Matthew ließen uns buchstäblich keinen Augenblick aus den Augen; da Tante Sadie nachmittags gern ruhte, führte uns

Onkel Matthew mit feierlichem Ernst ins Oberhaus, brachte uns auf der Galerie der Peers-Gattinnen unter und überließ sich dann auf einer Hinterbank gegenüber einem Nickerchen. Wenn er sich in wachem Zustand im Oberhaus aufhielt, was nicht oft vorkam, war er der Schrecken der »Einpeitscher«, die die Abstimmungen koordinierten, weil er nie zweimal hintereinander für dieselbe Partei stimmte; auch war es nicht ganz leicht, dem Gang seiner Ideen zu folgen. Er stimmte zum Beispiel für Stahlfallen, für Hetzjagden und für Steeplechase-Rennen, aber gegen die Vivisektion und gegen den Export alter Pferde nach Belgien. Ohne Zweifel hatte er dafür seine Gründe, wie Tante Sadie in energischem Ton zu sagen pflegte, wenn wir über diese Unbeständigkeit einmal eine Bemerkung machten. Mir gefielen die schläfrigen Nachmittage in der dämmrigen mittelalterlichen Kammer; das Gemurmel und das ständige zeremoniöse Hin und Her bezauberten mich, und außerdem waren die Reden, die man gelegentlich zu hören bekam, meistens recht interessant. Linda gefiel es dort ebenfalls, sie war mit ihren Gedanken weit, weit weg. Onkel Matthew erwachte meist um die Teezeit, geleitete uns dann in den Speisesaal der Peers, wo wir Tee und süße Brötchen mit Butter aßen, und von dort nach Hause, wo wir ausruhen und uns dann für den Ball umkleiden konnten.

Die Zeit von Samstag bis Montag verbrachten die Radletts in Alconleigh; sie fuhren in ihrem großen Daimler hinüber, in dem einem so leicht übel werden konnte; ich verbrachte das Wochenende in Shenley, wo Tante Emily und Davey schon begierig darauf warteten, alles über unsere Woche zu erfahren.

Kleider beschäftigten uns damals mehr als alles

andere. Linda hatte irgendwann einmal ein paar Modeschauen besucht und sich dabei einiges abgesehen; sie ließ all ihre Kleider von Mrs. Josh schneidern, und immer hatten sie einen Schick und ein gewisses Etwas, das meinen Kleidern fehlte, obwohl sie in teuren Geschäften gekauft waren und fünfmal so viel kosteten. Das zeige nur, sagte Davey, der uns immer einen Besuch machte, wenn er in London war, daß man Kleider entweder in Paris kaufen oder sich auf den Zufall verlassen müsse. Linda besaß ein besonders hinreißendes Ballkleid, das aus gewaltigen Fluten von blaßgrauem Tüll gefertigt war und ihr bis auf die Füße reichte. In diesem Sommer waren die meisten Kleider noch kurz, und überall, wo Linda in ihren gewaltigen Tüllbahnen erschien, erregte sie großes Aufsehen, übrigens sehr zum Mißfallen Onkel Matthews, der drei Frauen gekannt hatte, die in Ballkleidern aus Tüll verbrannt waren.

Dieses Kleid trug sie, als Tony an einem schönen Julimorgen im Sommerhaus am Berkeley Square gegen sechs Uhr früh um ihre Hand anhielt. Vierzehn Tage zuvor war er aus Oxford gekommen, und bald war offenkundig, daß er Augen nur für sie hatte. Er besuchte stets dieselben Bälle, und wenn er dann mit ein paar anderen Mädchen herumgewalzt war, nahm er sie zum Abendessen mit und wich den ganzen Abend nicht mehr von ihrer Seite. Tante Sadie schien nichts zu bemerken, aber für die gesamte übrige Debütantinnenwelt war klar, wie es ausgehen würde, die Frage war nur, wann und wo Tony seinen Antrag machen würde.

Der Ball, auf dem es dann schließlich geschah (er fand in einem wunderschönen alten Haus an der Ostseite des Berkeley Square statt, das inzwischen abgerissen wurde), lag in den letzten Zügen, schläfrig rasselte die Kapelle ihre Melodien in den fast menschenleeren Räumen herunter; die arme Tante Sadie, verzweifelt bemüht, die Augen offen zu halten, saß auf einem goldenen Schemel und sehnte sich nach einem Bett, ich neben ihr, todmüde und frierend, denn alle meine Tanzpartner waren längst nach Hause gegangen. Es war schon heller Tag. Linda war seit Stunden verschwunden, seit dem Abendessen hatte sie anscheinend niemand mehr gesehen, und trotz ihrer übermächtigen Müdigkeit machte sich Tante Sadie Sorgen und schien ziemlich verärgert. Sie fing schon an sich zu fragen, ob Linda gar die unverzeihliche Sünde begangen hatte und in einen Nachtclub gegangen war.

Auf einmal wurde die Kapelle wieder munter und intonierte »John Peel« als Vorspiel zu »God Save the King«, und plötzlich, wie aus dem Nichts aufgetaucht, trabte Linda in einer blaßgrauen Wolke aus Tüll mit Tony kreuz und quer durch den Raum; ein Blick genügte, und man wußte Bescheid. Wir stiegen hinter Tante Sadie in ein Taxi (nie hätte sie ihren Chauffeur nachts warten lassen), wir fuhren durch die nassen Straßen, zwischen den dicken Schläuchen hindurch, mit denen sie gereinigt wurden, wir stiegen die Treppe zu unseren Zimmern hinauf, ohne daß jemand auch nur ein Wort gesagt hätte. Spärliches Sonnenlicht fiel schräg auf die Schornsteine, als ich mein Fenster öffnete. Ich war zu müde zum Nachdenken, ich sank ins Bett.

Nach solchen Tanzereien durften wir lange schlafen, während Tante Sadie immer um neun Uhr schon wieder auf den Beinen war und ihre Anordnungen für den

Haushalt traf. Als Linda am nächsten Morgen verschlafen die Treppe herunterkam, schrie ihr Onkel Matthew aus der Halle wütend entgegen:

»Kroesig, der verdammte Hunne, hat eben angerufen, wollte mit dir sprechen. Ich habe ihm gesagt, er soll sich zum Teufel scheren. Ich will nicht, daß du dich mit irgendwelchen Deutschen einläßt, hast du verstanden?«

»Ich habe mich aber schon eingelassen«, erwiderte Linda in scheinbar beiläufigem Ton, »zufällig bin ich nämlich mit ihm verlobt.«

In diesem Augenblick stürzte Tante Sadie aus ihrem kleinen Morgenzimmer im Erdgeschoß hervor, nahm Onkel Matthew beim Arm und zerrte ihn hinaus. Linda schloß sich in ihrem Zimmer ein und weinte eine Stunde lang, während Jassy, Matt, Robin und ich im Kinderzimmer Mutmaßungen über den Fortgang der Dinge anstellten.

Es gab beträchtlichen Widerstand gegen die Verlobung, nicht nur von Onkel Matthew, der vor lauter Enttäuschung und Empörung über Lindas Wahl ganz außer sich war, sondern ebensosehr von Sir Leicester Kroesig. Er wollte überhaupt nicht, daß Tony heiratete, bevor seine Karriere in der City gesichert war, und außerdem hatte er auf eine Verbindung mit einer der anderen großen Bankiersfamilien gehofft. Den Landadel verachtete er, hielt ihn für verweichlicht, gescheitert, nicht mehr in die moderne Welt passend, und er wußte auch, daß die gewaltigen, beneidenswerten Kapitalien, die diese Familien zweifellos immer noch besaßen und mit denen sie törichterweise so wenig anzufangen wußten, stets an den ältesten Sohn übergingen und daß den Töchtern als Mitgift, wenn überhaupt, nur ein sehr kleiner Betrag zugestanden wurde. Sir Leicester und Onkel Matthew trafen sich und faßten auf Anhieb eine tiefe Abneigung gegeneinander, einig waren sie sich allerdings in dem Entschluß, diese Heirat zu vereiteln. Tony wurde nach Amerika geschickt, wo er in einem New Yorker Bankhaus arbeiten sollte, und die arme Linda kehrte, da die Saison nun zu Ende war, nach Alconleigh zurück, wo sie sich in Sehnsucht verzehrte.

»O Jassy, liebste Jassy, leih mir dein Weglauf-Geld, damit ich nach New York kann.«

»Nein, Linda. Fünf Jahre habe ich gespart, seit ich sieben war, und alles zusammengekratzt, ich kann einfach nicht noch mal von vorn anfangen. Außerdem brauche ich es, wenn ich selbst weglaufe.«

»Aber, Liebling, ich gebe es dir zurück, Tony gibt es dir, wenn wir verheiratet sind.«

»Ich kenne die Männer«, meinte Jassy mit finsterer Miene.

Sie blieb unnachgiebig.

»Wenn nur Lord Merlin da wäre«, jammerte Linda, »er würde mir helfen.« Aber Lord Merlin war noch in Rom.

Sie besaß auf dieser Erde 15 Shilling und 6 Pence und mußte sich damit zufriedengeben, jeden Tag ellenlange Episteln an Tony zu schicken. Dafür trug sie ein paar kurze, langweilige, in einer kindlichen Handschrift verfaßte und in New York abgestempelte Briefe mit sich herum.

Nach einigen Monaten kam Tony zurück und erklärte seinem Vater, er könne sich dem Geschäftsleben oder dem Bankgewerbe nicht widmen oder über seine künftige Karriere nachdenken, solange nicht das

Datum seiner Hochzeit festgesetzt sei. Genau so mußte man mit Sir Leicester reden. Alles, was dem Geldverdienen hinderlich werden konnte, mußte sofort aus dem Weg geschafft werden. Wenn Tony, der ein vernünftiger Bursche war und seinem Vater nie im Leben Kummer gemacht hatte, erklärte, er könne sich erst nach der Heirat mit dem Bankgewerbe befassen, dann mußte eben geheiratet werden, je früher desto besser. Sir Leicester legte ihm noch einmal ausführlich dar, worin er die Nachteile dieser Verbindung erblickte. Tony stimmte im Prinzip zu, wandte aber ein, Linda sei jung, intelligent, energisch, er habe großen Einfluß auf sie und zweifele nicht daran, daß man aus ihr einen gewaltigen Aktivposten machen könne. Schließlich gab Sir Leicester seine Zustimmung.

»Es hätte schlimmer kommen können«, meinte er, »immerhin ist sie eine Lady.«

Lady Kroesig nahm Verhandlungen mit Tante Sadie auf. Linda hatte sich inzwischen in einen bejammernswerten Zustand körperlicher und seelischer Zerrüttung verbissen und machte durch andauernde schlechte Laune ihrer Umgebung das Leben unerträglich. Deshalb überzeugte Tante Sadie, die über diese Wendung der Dinge insgeheim sehr erleichtert war, Onkel Matthew davon, daß die Heirat, wenn auch keineswegs ideal, doch unvermeidlich sei und daß er lieber gute Miene dazu machen solle, wenn er sich sein Lieblingskind nicht für immer entfremden wolle.

»Ich nehme an, es hätte schlimmer kommen können«, murrte Onkel Matthew, »wenigstens ist der Bursche kein Katholik.«

9

Die Verlobung wurde ordnungsgemäß in der *Times* angezeigt. Die Kroesigs luden die Radletts nun für die Zeit von Samstag bis Montag in ihr Haus in der Nähe von Guildford ein. Lady Kroesig sprach in ihrem Brief an Tante Sadie von einem *week-end* und fügte hinzu, es werde gewiß nett sein, einander näher kennenzulernen. Onkel Matthew war außer sich. Diese Einladung lief nicht nur seinem Grundsatz zuwider, sich nie bei anderen Leuten einzuquartieren (außer in seltenen Fällen bei Verwandten), daß sie überhaupt ausgesprochen wurde, hielt er schon für eine Beleidigung. Das Wort *week-end* konnte er nicht ausstehen, und der Gedanke, es könnte nett sein, die Kroesigs näher kennenzulernen, entlockte ihm nur ein sarkastisches Schnaufen. Als Tante Sadie ihn ein wenig beruhigt hatte, unterbreitete sie den Vorschlag, statt dessen die Familie Kroesig, Vater, Mutter, Tochter Marjorie und Tony, von Samstag bis Montag nach Alconleigh einzuladen. Nachdem der arme Onkel Matthew sich mit Lindas Verlobung einigermaßen abgefunden hatte, hatte er, das muß man der Gerechtigkeit halber sagen, beschlossen, gute Miene zum bösen Spiel zu machen und Linda in der Beziehung zu ihren künftigen Schwiegereltern keine Schwierigkeiten zu bereiten. Im Grunde seines Herzens hegte er großen Respekt vor Familienbeziehungen, und einmal, als Bob und Jassy über einen Vetter herzogen, den die ganze Familie, Onkel Matthew eingeschlossen, überhaupt nicht leiden

konnte, hatte er sie mit den Köpfen zusammenge-
stoßen und erklärt:

»Erstens ist er ein Verwandter und zweitens ein
geistlicher Herr, also haltet den Mund!«

Bei den Radletts war der Ausspruch zum geflügelten
Wort geworden.

So erging denn eine förmliche Einladung an die
Kroesigs. Sie nahmen an, und das Datum wurde festgesetzt. Jetzt geriet Tante Sadie in Panik und rief Tante
Emily und Davey zu Hilfe. (Ich war ohnehin für ein
paar Wochen zur Jagd in Alconleigh.) Louisa stillte gerade in Schottland ihr zweites Baby, hoffte aber, später
zur Hochzeit in den Süden kommen zu können.

Die Ankunft der vier Kroesigs in Alconleigh stand
unter keinem günstigen Stern. Als man das Brummen
des Wagens, der sie am Bahnhof abgeholt hatte, in der
Auffahrt hörte, gingen im ganzen Haus schlagartig
sämtliche Lichter aus – schuld daran war Davey, der
eine neue Höhensonne mitgebracht hatte. Die Gäste
mußten in die stockfinstere Halle geführt werden,
während Logan in der Vorratskammer nach einer
Kerze suchte und Onkel Matthew zum Sicherungska-
sten stürzte. Lady Kroesig und Tante Sadie plauderten
unterdessen über dies und das, Linda und Tony kicher-
ten in der Ecke, und Sir Leicester stieß sich seine gich-
tigen Zehen am Fuß eines Eßtisches, während man
vom oberen Treppenabsatz die Stimme eines unsicht-
baren Davey vernahm, der laut jammernd um Verzeihung bat. Es war wirklich sehr peinlich.

Schließlich gingen die Lichter wieder an, und die
Kroesigs kamen zum Vorschein. Sir Leicester war ein
großer, stattlicher Mann mit grauem Haar, dessen un-
streitig gutes Aussehen von einer gewissen Kindlich-

keit in seinen Gesichtszügen beeinträchtigt wurde; seine Frau und seine Tochter waren kleine, rundliche Geschöpfe. Tony war offenbar nach seinem Vater geraten und Marjorie nach der Mutter. Tante Sadie, die aus dem Tritt gekommen war, als die Stimmen aus dem Dunkel plötzlich zu Menschen aus Fleisch und Blut wurden, fühlte sich unfähig, weiteren Gesprächsstoff zu präsentieren, und drängte die Gäste nach oben, wo sie sich ausruhen und zum Dinner umkleiden konnten. In Alconleigh herrschte die Ansicht, die Anreise von London sei außerordentlich strapaziös, und wer sie auf sich nehme, sei nachher ruhebedürftig.

»Was ist denn das für eine Lampe?« fragte Onkel Matthew den armen Davey, der immer noch in dem knappen Bademantel herumstand, den er für sein Sonnenbad angelegt hatte, und unentwegt erklärte, wie leid es ihm tue.

»Nun, du weißt doch, daß man in den Wintermonaten überhaupt nichts verdauen kann.«

»Ich schon, du Knilch«, sagte Onkel Matthew, und an Davey gerichtet, konnte man diesen Ausdruck durchaus als Kosenamen verstehen.

»Du *glaubst*, du könntest es, aber in Wirklichkeit kannst du nicht. Diese Lampe nun verströmt ihre Strahlen im Organismus, die Drüsen fangen an zu arbeiten, und das Essen bekommt einem wieder.«

»Na schön, aber verströme deine Strahlen hier nicht mehr, solange wir die elektrische Spannung nicht erhöht haben. Wenn das Haus voller verdammter Hunnen ist, will man sehen können, was sie im Schilde führen.«

Zum Dinner trug Linda ein Kleid aus weißem Chintz mit einem ausladenden Rock und einem schwarzen

Spitzenhalstuch. Sie sah einfach hinreißend aus, und es war offensichtlich, daß ihre Erscheinung auf Sir Leicester großen Eindruck machte – Lady Kroesig und Miss Marjorie, in Crêpe Georgette und Spitzen gewandet, schienen es nicht zu bemerken. Marjorie war ein äußerst langweiliges Mädchen, ein paar Jahre älter als Tony. Eine Heirat war ihr bisher versagt geblieben, und der biologische Sinn ihres Daseins hatte sich anscheinend bereits verflüchtigt.

»Haben Sie *Brothers* gelesen?« wandte sich Lady Kroesig, um ein Gespräch zu beginnen, an Onkel Matthew, als man sich zur Suppe niederließ.

»Was ist das?«

»Der neue Ursula Langdok – *Brothers* – es geht um zwei Brüder. Den sollten Sie lesen.«

»Meine liebe Lady Kroesig, ich habe in meinem ganzen Leben nur ein einziges Buch gelesen, und zwar *Wolfsblut*. Es ist so unheimlich gut, daß ich mich nie mit einem anderen abgegeben habe. Aber Davey hier liest Bücher – ich wette, du hast *Brothers* gelesen, Davey, oder?«

»Leider nein«, entgegnete dieser verdrießlich.

»Ich werde es Ihnen leihen«, versprach Lady Kroesig, »ich habe es dabei, im Zug bin ich damit fertig geworden.«

»In der Eisenbahn«, erklärte Davey, »sollten Sie niemals lesen. Für die Sehnervenzentren ist das irrsinnig belastend, es strapaziert sie ungemein. Dürfte ich bitte einen Blick auf die Speisekarte werfen? Ich muß dazu sagen, daß ich soeben mit einer neuen Diät begonnen habe, eine Mahlzeit weiß, eine Mahlzeit rot. Mir bekommt das sehr gut. Oh, wie schade! Sadie – ach, sie hört nicht zu – Logan, dürfte ich Sie um ein Ei bitten, ganz kurz gekocht, verstehen Sie. Jetzt kommt nämlich meine weiße Mahlzeit, und es gibt Hammelrücken, wie ich sehe.«

»Also Davey, dann iß doch jetzt rot und frühstücke morgen weiß«, meinte Onkel Matthew. »Ich habe einen Mouton Rothschild geöffnet, ich weiß doch, wie gern du ihn trinkst – extra für dich habe ich ihn aufgemacht.«

»Oh, zu dumm«, sagte Davey, »ich weiß nämlich zufällig, daß es zum Frühstück Kipper gibt, und die liebe ich nun wirklich über alles. Was für eine schauderhafte Entscheidung. Nein! Jetzt muß es ein Ei sein, und dazu ein wenig trockenen Weißwein. Die Kipper darf ich mir auf keinen Fall entgehen lassen, so köstlich, so bekömmlich und vor allem so proteinreich.«

»Kipper«, meinte Bob, »sind braun.«

»Braun zählt als rot. Das wirst du doch wohl verstehen, oder?«

Aber als die Schokoladencreme vorbeikam – eine reichliche Portion, doch wenn die Jungen daheim waren, reichte sie nie ganz aus –, da zeigte sich, daß sie als weiß zählte. Wie die Radletts schon bei vielen Gelegenheiten festgestellt hatten, konnte man sich nie darauf verlassen, daß Davey eine Speise, und wäre sie noch so unbekömmlich, ablehnte, sofern sie wirklich gut schmeckte.

Tante Sadie hatte ihre liebe Not mit Sir Leicester. Er steckte voller langweiliger gärtnerischer Leidenschaften und ging wie selbstverständlich davon aus, daß es bei ihr genauso sei.

»Wieviel ihr Londoner immer von Gärten versteht!« meinte sie. »Sie sollten sich mit Davey unterhalten, er ist ein großer Gartenfreund.«

»Londoner bin ich eigentlich nicht«, sagte Sir Lei-cester vorwurfsvoll. »Ich arbeite zwar in London, aber zu Hause bin ich in Surrey.«

»Für mich«, erwiderte Tante Sadie freundlich, aber bestimmt, »ist es dasselbe.«

Der Abend schien endlos. Die Kroesigs sehnten sich ganz offenkundig nach einer Partie Bridge und schie-nen sich aus dem »Pferderennen«, das man ihnen schließlich als Ersatz anbot, nicht sonderlich viel zu machen. Sir Leicester sagte schließlich, er habe eine an-strengende Woche hinter sich und müsse unbedingt früh zu Bett gehen.

»Begreife nicht, wie ihr Burschen das aushaltet«, meinte Onkel Matthew voller Mitgefühl. »Gerade ge-stern habe ich mich mit dem Bank-Vorsteher in Merlin-ford unterhalten und ihm gesagt, es muß doch die Hölle sein, den ganzen Tag mit dem Geld von anderen Leuten herumzuhantieren, und immer drinnen.«

Linda ging hinaus, um Lord Merlin anzurufen, der eben aus dem Ausland zurückgekehrt war. Tony folgte ihr, sie blieben lange fort und kamen schließlich mit geröteten Gesichtern und ziemlich verlegen zurück.

Als wir am nächsten Morgen in der Halle herumlun-gerten und auf die Kipper warteten, die sich schon durch einen himmlischen Duft angekündigt hatten, konnten wir beobachten, wie zwei Tabletts mit Früh-stück nach oben wanderten – für Sir Leicester und Lady Kroesig.

»Nein wirklich, das ist der Gipfel, verdammt«, schimpfte Onkel Matthew. »Daß ein *Mann* im Bett frühstückt, habe ich noch nie gehört.« Und er warf einen versonnenen Blick auf den Schanzspaten.

Es besänftigte ihn dann allerdings, daß sie kurz vor

elf nach unten kamen, bereit zum Kirchgang. Onkel Matthew war nämlich ein mächtiger Pfeiler der Kirche, las die Texte aus der Bibel, wählte die Lieder und trug den Beutel herum, und er schätzte es, wenn sein Haus am Gottesdienst teilnahm. Aber ach, die Kroesigs entpuppten sich als schlimme Götzendiener und stellten es unter Beweis, als sie sich beim Glaubensbekenntnis genau nach Osten drehten. Kurzum, sie gehörten zu den Leuten, die einem nichts recht machen können, und ein Aufatmen ging durch das Haus, als sie beschlossen, mit einem Abendzug nach London zurückzukehren.

»Tony ist ein Lackl, oder?« fragte ich traurig.

Am nächsten Tag machte ich mit Davey einen Spaziergang durch Hen's Grove. Davey verstand immer, was man sagen wollte, es war eine seiner vielen netten Eigenschaften.

»Ein Lackl«, sagte er betrübt. Er betete Linda an.

»Und nichts kann ihr die Augen öffnen?«

»Nicht bevor es zu spät ist, fürchte ich. Arme Linda, sie ist sehr romantisch veranlagt, für eine Frau ist das fatal. Zum Glück für die Frauen und für uns alle sind die meisten von ihnen schrecklich *terre à terre*, sonst würde es in der Welt auch gar nicht weitergehen.«

Lord Merlin hatte mehr Mut als wir anderen und sprach aus, was er dachte. Linda machte ihm einen Besuch und fragte ihn: »Freuen Sie sich über meine Verlobung?« worauf er entgegnete:

»Nein, natürlich nicht. Warum haben Sie sich eigentlich verlobt?«

»Ich habe mich verliebt«, erklärte Linda stolz.

115

»Warum denken Sie das?«

»Man denkt es nicht, man spürt es«, versetzte Linda.

»Papperlapapp.«

»Ach, Sie verstehen offenbar nichts von der Liebe, es ist zwecklos, mit Ihnen zu reden.«

Lord Merlin wurde sehr böse und sagte, kleine, unreife Mädchen verstünden erst recht nichts von der Liebe.

»Liebe«, sagte er, »ist etwas für Erwachsene, das werden auch Sie eines Tages begreifen. Sie werden begreifen, daß Liebe mit der Ehe nichts zu tun hat. Ich bin sehr dafür, daß Sie bald heiraten, in ein oder zwei Jahren, aber dem lieben Gott und uns allen zuliebe – heiraten Sie nicht solch einen Trottel wie Tony Kroesig.«

»Wenn er ein solcher Trottel ist, warum haben Sie ihn dann eingeladen?«

»Ich habe ihn nicht eingeladen. Baby brachte ihn mit, weil Cecil Grippe hatte und nicht kommen konnte. Und außerdem, wie soll ich ahnen, daß Sie hingehen und irgendeinen x-beliebigen Lückenfüller heiraten, der zufällig bei mir zu Gast ist?«

»Sie sollten sich ein bißchen genauer überlegen, was Sie sagen. Jedenfalls begreife ich nicht, warum Sie behaupten, Tony sei ein Trottel, er weiß alles.«

»Allerdings, ja, das stimmt! Und was ist mit Sir Leicester? Sind Sie schon mal Lady Kroesig begegnet?«

Aber der Glanz der Vollkommenheit, der Tony umgab, bestrahlte in Lindas Augen auch die ganze Familie Kroesig, und sie wollte nichts hören, was gegen sie gerichtet war. Linda verabschiedete sich ziemlich kühl von Lord Merlin, kam nach Hause und schimpfte über ihn. Er seinerseits wartete ab, was für ein Hochzeitsgeschenk Sir Leicester ihr machen würde. Es war ein schweinsledernes Reisenécessaire, die Gerätschaften aus dunklem Schildpatt und mit ihrem Monogramm in Gold. Lord Merlin schickte ihr daraufhin ein doppelt so großes Nécessaire aus Saffianleder mit Utensilien aus hellem Schildpatt, und statt des Monogramms stand *Linda* in Diamanten darauf.

Er hatte sich vorgenommen, die Kroesigs mit einer ganzen Serie kunstvoller Streiche aufzuziehen, und dieser war sein erster.

Die Vorbereitungen für die Hochzeit verliefen keineswegs reibungslos. Es kam zu endlosen Auseinandersetzungen wegen der finanziellen Ausstattung des Ehepaares. Onkel Matthew, der seinem Besitz eine gewisse Summe für die nachgeborenen Kinder entnehmen und sie nach Gutdünken verteilen konnte, wollte Linda verständlicherweise nichts zukommen lassen, was den anderen am Ende fehlen würde, denn schließlich heiratete sie den Sohn eines Millionärs. Sir Leicester hingegen weigerte sich, auch nur einen Penny herauszurücken, solange Onkel Matthew nicht ebenfalls dazu bereit war – er war ohnehin nicht erpicht darauf, viel beizusteuern, und erklärte, es widerstrebe der Politik seiner Familie, große Kapitalien festzulegen. Nach hartnäckigem Kampf stellte Onkel Matthew schließlich eine armselige Summe für Linda zur Verfügung. Die ganze Sache quälte und ärgerte ihn sehr, und bestärkte ihn, falls dies noch nötig war, in seinem Haß auf die teutonische Rasse.

Tony und seine Eltern wünschten eine Hochzeit in London, während Onkel Matthew erklärte, so etwas Ordinäres habe er in seinem ganzen Leben noch nie gehört. Frauen heirateten im Haus ihres Vaters; mon-

däne Hochzeiten hielt er für den Gipfel der Abge-
schmacktheit und weigerte sich rundweg, eine seiner
Töchter in St. Margaret's durch eine Menge gaffender
Fremder zum Altar zu führen. Die Kroesigs erklärten
Linda, wenn sie auf dem Lande heiratete, würde sie
nur halb so viele Hochzeitsgeschenke bekommen, und
die wichtigen, einflußreichen Leute, die Tony später
von Nutzen sein könnten, würden im tiefen Winter
gewiß nicht nach Gloucestershire kommen. Aber alle
diese Argumente waren für Linda nicht ausschlagge-
bend. Seit ihrem Plan, den Prinzen von Wales zu heiraten, stand ihr auch ein Bild vor Augen, wie ihre Hochzeit sein sollte, nämlich so theatralisch wie möglich, in
einer großen Kirche, mit einer Menschenmenge drinnen und einer draußen, mit Photographen, weißen Li-
lien, Brautjungfern und einem riesigen Chor, der ihr
Lieblingslied »The Lost Chord« anstimmte. Deshalb
schlug sie sich gegen den armen Onkel Matthew auf
die Seite der Kroesigs, und als ihr auch das Schicksal
zu Hilfe kam und die Heizung in der Kirche von
Alconleigh kaputtgehen ließ, da mietete Tante Sadie
ein Haus in London, und die Hochzeit wurde mit
allem, was an niederträchtigem Schaugepränge dazugehört, in St. Margaret's begangen.

Ob aus diesem Grund oder aus einem anderen –
als Linda heiratete, sprachen ihre Eltern und die
Schwiegereltern jedenfalls schon nicht mehr miteinander. Onkel Matthew schluchzte hemmungslos während
der ganzen Feier; Sir Leicester schien Tränen nicht zu
kennen.

10

Lindas Ehe war wohl von Anfang an ein Fehlschlag, aber viel erfuhr ich nicht darüber. Niemand erfuhr etwas. Der Widerstand gegen ihre Heirat war groß gewesen, und schon bald erwies er sich als nur zu begründet, aber Linda wahrte, wie es ihre Art war, so lange als möglich eine perfekte Fassade.

Die beiden heirateten im Februar. Sie verbrachten die Flitterwochen mit Jagen in Melton, wo sie ein Haus gemietet hatten, und richteten sich nach Ostern endgültig am Bryanston Square ein. Tony begann jetzt, in der Bank seines Vaters zu arbeiten, und schickte sich an, einen sicheren konservativen Unterhaussitz zu übernehmen, ein Ziel, das er sehr bald erreicht hatte.

Trotz der näheren Bekanntschaft mit den neuen Verwandten änderten weder die Radletts noch die Kroesigs die Meinung, die sie voneinander hatten. Die Kroesigs hielten Linda für exzentrisch, affektiert und überspannt. Vor allem aber waren sie der Ansicht, Linda sei Tony bei seiner Karriere nicht von Nutzen. Die Radletts hielten Tony für einen Langweiler ersten Ranges. Er hatte die Angewohnheit, auf einem einmal gewählten Gesprächsthema endlos lange herumzukauen, ohne jede Pointe, wie ein Kanonier, der immerzu herumballert, aber nie trifft; gewaltige Mengen strohtrockener Fakten standen ihm zu Gebote, und er zögerte nicht, seine Zuhörer ausführlich und in allen Einzelheiten davon in Kenntnis zu setzen, gleichgültig, ob sie interessiert schienen oder nicht. Äußerst ernsthaft war er, lachte schon längst nicht mehr über Lindas Scherze, und die gute Laune, die er zur Schau getragen hatte, als sie ihn kennenlernte, war wohl seinem jugendlichen Alter, dem Alkohol und seiner guten Gesundheit zu verdanken gewesen. Nun, da er erwachsen und verheiratet war, ließ er diese drei Dinge allesamt entschlossen hinter sich, verbrachte den Tag in der Bank und den Abend in Westminster, tat nie etwas zum eigenen Vergnügen und ging nie an die frische Luft: Sein wahres Wesen kam zum Vorschein, und er entpuppte sich als ein aufgeblasener, raffgieriger Holzkopf, der seinem Vater von Tag zu Tag ähnlicher wurde.

Es gelang ihm nicht, aus Linda einen Aktivposten zu machen. Die arme Linda war unfähig, den Gesichtspunkt der Kroesigs zu begreifen; so sehr sie sich anstrengte (und anfangs gab sie sich wirklich viel Mühe, denn sie wollte um jeden Preis ihr Gefallen finden), er blieb ihr rätselhaft. Zum erstenmal in ihrem Leben hatte sie es mit der bürgerlichen Weltanschauung zu tun, und jenes Schicksal, das Onkel Matthew mir wegen meiner bürgerlichen Erziehung so oft geweissagt hatte, hatte nun sie ereilt. Die äußerlichen, sichtbaren Zeichen, die er so sehr mißbilligte, waren allesamt da – die Kroesigs sagten »Schreibpapier«, »Parfüm«, »Spiegel« und »Kaminsims« und ermunterten Linda sogar, sie mit »Vater« und »Mutter« anzusprechen, was sie im ersten Überschwang der Liebe auch tat, um sich dann während ihres weiteren Ehelebens davor zu drücken, indem sie sich nur noch der Anrede »ihr« und »du« bediente und schriftlich ausschließlich per Postkarte oder Telegramm mit ihnen verkehrte. Im Grunde ihrer Seele waren die Kroesigs Geschäftsleute und sahen alles nur unter einem einzigen Aspekt: Geld. Es war für sie Schutzwall und Verteidigung, es war ihre Hoffnung für die Zukunft und ihre Stütze für die Gegenwart, es erhob sie über ihre Mitmenschen und half ihnen, Unheil fernzuhalten. Geistige Vorzüge achteten sie nur, sofern sich mit ihrer Hilfe Geld, und zwar in beträchtlichen Mengen, heranschaffen ließ, es war ihr einziger Maßstab für Erfolg, es war die Macht und die Herrlichkeit. Ein Mann, von dem es hieß, er sei arm, war damit als Versager abgestempelt, unfähig in seinem Beruf, faul, unzuverlässig, verkommen. Handelte es sich um jemanden, der ihnen trotz dieses Krebsgeschwürs eigentlich sympathisch war, so setzten sie vielleicht hinzu, er habe im Leben viel Pech gehabt. Sie selbst jedoch hatten sich gegen solche Heimsuchungen vielfach abgesichert. Damit unkontrollierbare Katastrophen, wie Kriege oder Revolutionen, sie nicht überwältigen konnten, hatten sie in einem Dutzend verschiedener Länder große Summen angelegt; sie besaßen Ranches und Estancias und südafrikanische Farmen, ein Hotel in der Schweiz, eine Plantage in Malaya und nannten viele herrliche Diamanten ihr eigen, die aber nicht etwa Lindas hübschen Hals umfunkelten, sondern, Stein für Stein, in Schließfächern aufbewahrt wurden und leicht zu transportieren waren.

So wie Linda aufgewachsen war, blieb ihr dies alles völlig unverständlich; denn über Geld wurde in Alconleigh nie gesprochen. Onkel Matthew verfügte ohne Zweifel über ein großes Einkommen, aber es leitete sich aus seinem Grund und Boden ab, es war an diesen Boden gebunden, und ein hoher Prozentsatz davon kehrte dorthin zurück. Sein Grundbesitz war für ihn etwas Geheiligtes, und noch geheiligter war ihm England. Sollte seinem Land ein Unglück zustoßen, so würde er ausharren und an dem Unglück mittragen oder sterben, aber nie wäre es ihm in den Sinn gekommen, sich in Sicherheit zu bringen und das alte England im Stich zu lassen. Er, seine Familie und seine Besitzungen waren ein Teil Englands, und England war ein Teil von ihm, auf immer und ewig. Später, als schon der Krieg den Horizont verdunkelte, versuchte Tony ihn zu überreden, Geld nach Amerika zu schicken.

»Wozu das?« fragte Onkel Matthew.

»Eines Tages bist du vielleicht froh, wenn du selbst nach drüben gehen oder die Kinder schicken kannst. Es kann nicht schaden, wenn ...«

»Vielleicht bin ich alt, aber schießen kann ich noch immer«, entgegnete Onkel Matthew wütend, »und Kinder habe ich keine mehr – zum Kämpfen sind sie alle groß genug.«

»Victoria ...«

»Victoria ist dreizehn. Sie würde ihre Pflicht tun. Wenn jemals irgendwelche verfluchten Ausländer hier auftauchen sollten, dann will ich doch hoffen, daß jeder Mann und jede Frau und jedes Kind so lange kämpft, bis die eine Seite oder die andere ausgelöscht ist. Außerdem verabscheue ich das Ausland, nichts könnte mich dazu bringen, im Ausland zu leben, lieber würde ich in der Wildhüterhütte im Hen's Grove hausen, und was die Ausländer angeht, die sind alle gleich – mir wird speiübel, wenn ich welche sehe«, setzte er spitz hinzu und funkelte Tony böse an, der jedoch keinerlei Notiz davon nahm, sondern weiter davon schwafelte, wie klug er, Tony, getan habe, verschiedene Summen in verschiedene Länder zu transferieren. Daß Onkel Matthew ihn nicht leiden konnte, war ihm immer entgangen, und für einen dickfelligen Menschen wie Tony war es wirklich nicht ganz leicht zu erkennen, ob aus dem exzentrischen Verhalten meines Onkels gegenüber anderen Menschen nun Zuneigung sprach oder nicht.

An Lindas erstem Geburtstag nach der Hochzeit schenkte ihr Sir Leicester einen Scheck über 1000 £. Sie war entzückt und kaufte sich dafür noch am selben Tag in einem Geschäft an der Bond Street eine Kette aus großen, von Rubinen eingefaßten halben Perlen, die ihr schon seit einiger Zeit in die Augen stach. Die Kroesigs veranstalteten ein kleines Dinner im Familienkreis für sie, und Tony, der bis spät abends in seinem Büro aufgehalten worden war, sollte sie dort treffen. Linda, die ein ganz einfaches, tief ausgeschnittenes, weißes Seidenkleid und ihre Halskette trug, trat ein und ging sofort auf Sir Leicester zu: »Wie lieb von dir, mir ein so wunderschönes Geschenk zu machen, sieh mal ...«

Sir Leicester war verblüfft.

»Hat sie so viel gekostet, wie ich dir geschickt habe?« fragte er.

»Ja«, antwortete Linda. »Ich dachte, du wolltest, daß ich mir eine einzige Sache dafür kaufe und immer weiß, daß du sie mir geschenkt hast.«

»Nein, meine Liebe. Das war keineswegs die Absicht. Tausend Pfund – so etwas nennt man schon ein Kapital, da erwartet man eine Rendite. Man sollte es nicht für Kinkerlitzchen ausgeben, die man drei- oder viermal im Jahr trägt und die in ihrem Wert sehr wahrscheinlich nicht steigen. (Übrigens, wenn du schon Schmuck kaufst, dann nimm Diamanten – Rubine und Perlen lassen sich zu leicht nachahmen, außerdem verlieren sie an Wert.) Aber, wie gesagt, man hofft auf eine Rendite. Entweder hättest du also Tony bitten können, es für dich anzulegen, oder, und daran hatte ich eigentlich gedacht, du hättest es ausgeben können, um wichtige Leute zu bewirten, die Tony bei seinem Fortkommen von Nutzen sein könnten.«

Diese wichtigen Leute waren für Linda eine immerwährende Pein. In den Augen der Kroesigs war sie für Tony sowohl in der Politik als auch in der City ein großes Hindernis, weil sie trotz aller Anstrengungen nicht verbergen konnte, wie ermüdend sie diese Leute fand. Genau wie Tante Sadie pflegte sie sich dann in eine Wolke von Gelangweiltsein zurückzuziehen und wirkte geistesabwesend. Wichtige Leute mochten das nicht; sie waren so etwas nicht gewöhnt; ihnen gefiel es, daß junge Leute zuhörten und mit gesammelter Ehrerbietung bei der Sache waren, wenn sie ihnen die Ehre ihrer Gesellschaft zuteil werden ließen. Aber wenn Linda gähnte und Tony sie davon in Kenntnis setzte, wie viele Hafenmeister es auf den britischen Inseln gibt, waren wichtige Leute eher geneigt, um die jungen Kroesigs einen Bogen zu machen. Die alten Kroesigs bedauerten das sehr und gaben Linda die Schuld daran. Sie sahen, daß Linda sich überhaupt nicht für Tonys Arbeit interessierte. Sie hatte es ja versucht, aber es ging über ihre Kräfte; sie konnte einfach nicht verstehen, wie sich jemand, der schon eine Menge Geld besaß, die frische Luft und Gottes blauen Himmel versagen konnte und Frühling, Sommer, Herbst und Winter unbemerkt verstreichen und ineinanderlaufen ließ, bloß um noch mehr zu verdienen. Sie war viel zu jung, als daß sie sich für Politik interessiert hätte, die in jenen Tagen, bevor Hitler

Unruhe zu stiften begann, ohnehin ein sehr esoterisches Vergnügen war.

»Dein Vater war böse«, sagte sie zu Tony, als sie nach dem Dinner heimgingen. Sir Leicester wohnte in Hyde Park Gardens, der Abend war schön, und sie machten den Weg zu Fuß.

»Wundert mich gar nicht«, knurrte Tony.

»Aber Liebling, schau doch, wie hübsch sie ist. Begreifst du nicht, daß man da einfach nicht widerstehen kann?«

»Immer dieses Getue. Versuche doch mal, dich wie ein erwachsener Mensch zu benehmen, ja?«

Im Herbst nach Lindas Hochzeit mietete Tante Emily für sich, Davey und mich ein kleines Haus an der St. Leonard's Terrace. Sie hatte sich längere Zeit nicht wohl gefühlt, und Davey hielt es für das beste, wenn sie sich von ihren häuslichen Pflichten auf dem Lande für einige Zeit frei machte und sich erholte, wozu eine Frau in ihrem eigenen Haus nie imstande ist. Sein Roman *Verdünnung der Gefäße* war soeben erschienen und hatte in Intellektuellenkreisen großen Erfolg. Es handelte sich um eine psychologisch-physiologische Studie über einen Südpolforscher, der mit Lebensmittelvorräten für ein paar Monate in einer Hütte eingeschneit ist, aber schon weiß, daß er hier sterben wird. Am Ende stirbt er tatsächlich. Für Polarexpeditionen konnte sich Davey begeistern; er liebte es, aus sicherer Entfernung zu beobachten, wie lange der Körper mitmacht, wenn man ihm völlig unverdauliche, vitaminlose Kost verabreicht.

»Pemmikan«, erklärte er zuweilen schadenfroh, während er sich über das köstliche Essen hermachte, für das Tante Emilys Köchin bekannt war, »muß ihnen schlecht bekommen sein.«

Tante Emily, vom Alltagstrott in Shenley befreit, ließ alte Freundschaften aufleben, lud Gäste ein und genoß alles so sehr, daß sie schon mit dem Gedanken spielte, während einer Hälfte des Jahres in London zu wohnen. Was mich betrifft, so bin ich niemals, weder vorher noch nachher, glücklicher gewesen. Auch die Londoner Saison zusammen mit Linda war äußerst vergnüglich gewesen; es wäre unwahr und undankbar gegenüber Tante Sadie, das zu bestreiten; selbst die langen, dunklen Stunden in der Galerie der Peers-Gattinnen hatte ich sehr genossen; aber an alledem haftete etwas merkwürdig Irreales – mit dem Leben, so kam es mir vor, hatte es nichts zu tun. Jetzt hingegen stand ich mit beiden Beinen auf festem Boden. Ich durfte tun, was mir gefiel, konnte mich jederzeit verabreden, mit wem ich wollte, in aller Ruhe, ungezwungen, ohne gegen irgendwelche Verbote zu verstoßen, und es war wunderbar, daß ich meine Freundinnen und Freunde mit nach Hause bringen konnte, wo Davey sie freundlich, wenngleich ein wenig reserviert, begrüßte, und daß ich sie nicht über die Hintertreppe einschmuggeln mußte, aus Angst, in der Halle eine Szene zu provozieren.

Während dieser glücklichen Zeit verlobte ich mich glücklich mit Alfred Wincham, damals ein junger Dozent am St. Peter's College in Oxford, dem er heute als Rektor vorsteht. Mit diesem freundlichen, gelehrten Mann bin ich seither vollkommen glücklich gewesen und habe in unserem Haus in Oxford jene Zuflucht vor den Stürmen und Wirren des Lebens gefunden, nach der ich mich stets gesehnt hatte. Mehr will ich aber an dieser Stelle hierüber nicht sagen; dies ist Lindas Geschichte, nicht meine.

Wir sahen Linda in jener Zeit sehr häufig; oft kam sie zu uns, und wir plauderten stundenlang. Sie wirkte nicht unglücklich, aber ich spürte, daß sie aus ihrem Titania-Traum zu erwachen begann, und offensichtlich war sie vereinsamt, denn ihr Mann war den ganzen Tag über beschäftigt und ging abends ins Unterhaus. Lord Merlin war im Ausland, und andere vertraute Freunde hatte sie noch nicht; sie vermißte das Kommen und Gehen, das fröhliche Hin und Her, die stundenlangen ziellosen Plaudereien, aus denen das Familienleben in Alconleigh bestanden hatte. Ich erinnerte sie daran, wie sehr sie sich gewünscht hatte zu fliehen, als sie noch dort lebte, und sie beteuerte ein wenig zögernd, Selbständigkeit sei etwas Wunderbares. Über meine Verlobung freute sie sich sehr, Alfred gefiel ihr.

»Er sieht so ernst und klug aus«, meinte sie. »Was für nette kleine schwarze Kinder ihr haben werdet, wo ihr beide so dunkel seid!«

Er seinerseits mochte sie nicht besonders; er hielt sie für eine kesse Hummel, und zu meiner Erleichterung, wie ich gestehen muß, übte sie auf ihn nie die gleiche Faszination aus, mit der sie Davey und Lord Merlin bezaubert hatte.

Eines Tages – wir waren gerade mit Hochzeitseinladungen beschäftigt – kam sie und verkündete:

»Ich bin trächtig, was sagt ihr dazu?«

»Ein äußerst abscheulicher Ausdruck, Linda, Liebes«, meinte Tante Emily, »aber ich denke, wir müssen dir gratulieren.«

»Das denke ich auch«, sagte Linda. Mit einem tiefen

Seufzer sank sie in einen Sessel. »Mir ist schrecklich übel, das muß ich sagen.«

»Denk daran, wie gut es dir auf längere Sicht bekommen wird«, bemerkte Davey voller Neid, »so ein wunderbares inneres Aufräumen.«

»Ich verstehe, was du meinst«, entgegnete Linda. »Puh, wir haben wieder so einen widerwärtigen Abend vor uns. Wichtige Amerikaner. Es sieht so aus, als wollte Tony ein Geschäft mit ihnen machen, und diese Amerikaner werden sich darauf nur einlassen, wenn ich ihnen gefalle. Könnt ihr mir das erklären? Ich weiß jetzt schon, daß sie mich anwidern werden, und mein Schwiegervater wird böse auf mich sein. Schrecklich, diese wichtigen Leute – ihr habt es gut, ihr kennt keine.«

Lindas Kind, ein Mädchen, kam im Mai zur Welt. Schon lange vorher war es Linda nicht gut gegangen, und die Geburt wurde für sie sehr, sehr schwer. Die Ärzte erklärten ihr, sie dürfe nie wieder ein Kind bekommen, sie würde es mit einiger Sicherheit nicht überleben. Für die Kroesigs war das ein schwerer Schlag, anscheinend verlangt es Bankleute, ebenso wie Könige, nach vielen Söhnen. Linda hingegen schien sich nichts daraus zu machen. Auch zeigte sie keinerlei Interesse an dem Kind, das sie gerade bekommen hatte. Sobald es gestattet war, machte ich ihr einen Besuch. Sie lag in einem Meer von rosafarbenen Rosen und sah aus wie eine Leiche. Ich erwartete selbst ein Baby und interessierte mich deshalb natürlich ganz besonders für das von Linda.

»Wie soll sie denn heißen – wo ist sie überhaupt?«

»Im Schwesternzimmer – es schreit. Moira, soviel ich weiß.«

»Aber doch nicht Moira, Liebling, das ist ja unmöglich. So einen schrecklichen Namen habe ich noch nie gehört.«

»Tony gefällt er, er hatte eine Schwester namens Moira, sie ist gestorben, und was, glaubst du, was ich herausbekommen habe (nicht von ihm, von ihrer alten Nanny)? Sie starb, weil ihr, als sie vier Monate alt war, Marjorie mit einem Hammer auf den Kopf geschlagen hat. Ist das nicht interessant? Und dann behaupten sie immer, wir seien eine unbeherrschte Familie – dabei hat selbst Pa nie jemanden ermordet, denn dieser Prügel zählt doch nicht, oder?«

»Trotzdem, ich verstehe nicht, wie du dem armen kleinen Ding einen solchen Namen anhängen kannst, das ist wirklich herzlos.«

»Eigentlich nicht, wenn du es richtig bedenkst. Es muß sich zu einer Moira auswachsen, damit die Kroesigs es gern haben (die Menschen werden immer so, wie ihre Namen sind, habe ich festgestellt) – und sollen die Kroesigs es doch gern haben, denn, offen gestanden, ich mag es nicht.«

»Linda, wie kannst du nur so boshaft sein, und überhaupt, du kannst noch gar nicht wissen, ob du sie magst oder nicht.«

»O doch. Ich weiß immer sofort, ob ich jemanden mag, und Moira mag ich nicht, das ist alles. Sie ist ein furchtbarer Anti-Hon, du wirst sehen!«

In diesem Augenblick trat die Schwester ein, und Linda machte uns bekannt.

»Ach, Sie sind die Cousine, von der ich so viel höre«, sagte sie. »Sie wollen gewiß das Baby sehen.«

Sie ging hinaus und kam gleich darauf mit einem Moses-Körbchen voller Gewimmer zurück.

»Armes Ding«, murmelte Linda. »Man tut ihm wirklich einen Gefallen, wenn man nicht hinsieht.«

»Hören Sie nicht auf sie«, meinte die Schwester. »Sie kehrt die boshafte Frau hervor, aber sie tut bloß so.«

Ich sah also hin, und es wurde mir, tief zwischen Rüschen und Spitzen, der übliche schauderhafte Anblick einer heulenden Orange mit schütterem, dunklem Schopf zuteil.

»Ist sie nicht süß?« fragte die Schwester. »Sehen Sie nur, ihre Händchen.«

Ein leichtes Grausen überkam mich:

»Nun ja, ich weiß, es ist schrecklich von mir, aber so klein gefallen sie mir nicht besonders, in ein, zwei Jahren sieht sie bestimmt himmlisch aus.«

Das Gewimmer ging nun in ein Crescendo über, und das ganze Zimmer war von gräßlichem Geschrei erfüllt.

»Armes Seelchen«, meinte Linda, »es muß sich gerade in einem Spiegel erblickt haben. Bringen Sie es weg, Schwester.«

Jetzt trat Davey ein. Er wollte mich abholen, um mich gegen Abend nach Shenley zu fahren. Die Schwester kam zurück und bugsierte uns freundlich hinaus, indem sie erklärte, für Linda werde es zu anstrengend. Vor dem Zimmer – in der größten und teuersten Privatklinik von ganz London – hielt ich inne und sah mich nach dem Lift um.

»Hier entlang«, sagte Davey und fügte mit etwas verlegenem Lächeln hinzu: »*Nourri dans le sérail, j'en connais les détours.* Ach, Schwester Thesiger, wie geht es Ihnen? Nett, Sie zu sehen.«

»Captain Warbeck – das muß ich der Schwester Oberin sagen, daß Sie hier sind.«

Und so dauerte es fast eine Stunde, bis ich Davey aus dieser Klinik loseisen konnte. Hoffentlich erwecke ich nicht den Eindruck, als sei Daveys ganzes Leben nur um seine Gesundheit gekreist. Die Arbeit, das Schreiben und die Herausgabe einer literarischen Zeitschrift, füllte ihn ganz aus, aber die Gesundheit war sein Steckenpferd und trat deshalb in seiner Freizeit, in der ich ihn meist zu Gesicht bekam, stärker in den Vordergrund. Und wieviel Spaß es ihm bereitete! Er schien seinen Körper mit jenem teilnahmsvollen Interesse zu betrachten, mit dem ein Bauer sein Schwein ansieht – nicht das gut gedeihende Tier, sondern das zurückgebliebene, das dem Hof am Ende ebenfalls zur Ehre gereichen soll. Er wiegt es, läßt es in Luft und Sonne baden, trainiert es und verabreicht ihm besondere Diäten, Reformkost und neuartige Arzneien, doch alles vergebens. Nie nimmt es auch nur ein Gramm zu und gereicht dem Hof nicht zur Ehre, aber es lebt, es genießt gute Dinge, es genießt das Leben, wenngleich es jenen Gebrechen, die zum leiblichen Erbe seiner Gattung gehören, ebenso zum Opfer fällt wie anderen, eingebildeten Leiden, die es dank der unverbrüchlichen Pflege und konzentrierten Aufmerksamkeit des guten Bauern und seiner Frau wohlbehalten übersteht.

Als ich Tante Emily von Linda und der armen Moira erzählte, sagte sie sofort:

»Sie ist zu jung. Ich glaube, sehr junge Mütter gehen nie ganz in ihren Kindern auf. Wenn Frauen älter werden, fangen sie an, ihre Kinder anzubeten, aber vielleicht ist es für die Kinder besser, wenn sie junge Mütter haben, die sie nicht anbeten und ihnen ein ungebundeneres Leben lassen.«

»Aber Linda verabscheut ihr Kind geradezu.«

»Das sieht ihr ähnlich«, sagte Davey. »Sie muß immer alles übertreiben.«

»Aber sie wirkte so schwermütig. Du mußt zugeben, das sieht ihr überhaupt nicht ähnlich.«

»Sie hat es sehr schwer gehabt«, meinte Tante Emily. »Sadie war ganz verzweifelt. Zweimal haben sie gedacht, sie würde sterben.«

»Sprich nicht davon«, sagte Davey. »Ich kann mir die Welt ohne Linda gar nicht vorstellen.«

11

Mit meinem Mann und meiner jungen Familie, die mich sehr in Anspruch nahmen, wohnte ich damals in Oxford und sah Linda deshalb während der nächsten Jahre seltener als zu irgendeiner anderen Zeit meines Lebens. Das beeinträchtigte jedoch nicht die Vertrautheit unseres Umgangs, die ganz ungebrochen blieb, und wenn wir uns trafen, war es immer so, als sähen wir uns alle zwei Tage. Von Zeit zu Zeit war ich bei ihr in London oder sie bei mir in Oxford zu Gast, und regelmäßig wechselten wir Briefe. Aber über ein Thema sprach sie in dieser Zeit nie mit mir: über die Verkümmerung ihrer Ehe; es war auch nicht nötig, denn wie es um die Beziehung der beiden stand, hätte gar nicht offenkundiger sein können. Tony war anscheinend kein so guter Liebhaber, auch anfangs nicht, daß er dadurch seine anderen Mängel, die Langeweile, die er verbreitete, die Mittelmäßigkeit seines Charakters, wettzumachen vermocht hätte. Um die Zeit, als das Kind zur Welt kam, liebte Linda ihn nicht mehr, und nachher vermochte sie weder für ihn noch für das Kind irgendwelche Gefühle aufzubringen. Der gutaussehende, fröhliche, geistreiche, selbstbewußte junge Mann, in den sie sich verliebt hatte, war bei näherer Bekanntschaft zerschmolzen und erwies sich als ein Trugbild, das stets nur in ihrer Phantasie existiert hatte. Linda beging nicht den verbreiteten Irrtum, Tony die Schuld an dem zu geben, was ganz und gar ihr Fehler gewesen war – sie wandte sich bloß in völliger Gleichgültigkeit von ihm ab. Erleichtert wurde ihr dies dadurch, daß sie ihn so selten sah.

Jetzt ließ Lord Merlin einen kolossalen Streich gegen die Kroesigs vom Stapel. Die hatten immerfort sich beklagt, nie gehe Linda aus, nie empfange sie Gäste, außer wenn es sich gar nicht vermeiden ließ, und nehme keinen Anteil an der Gesellschaft. Ihren Freunden erzählten sie, Linda sei eben ein Mädchen vom Lande, habe nur die Jagd im Kopf, und wenn man in ihr Zimmer trete, könne man sie dabei überraschen, wie sie einen Apportierhund abrichte – die toten Kaninchen seien hinter den Sofakissen versteckt. Sie stellten sie als liebenswürdige, begriffsstutziger, hübsche Provinzpomeranze hin, die nicht imstande sei, den armen Tony zu unterstützen, der sich seinen Weg durchs Leben nun ganz allein bahnen müsse. Es steckte ein Körnchen Wahrheit in alledem. Der Bekanntenkreis der Kroesigs war nämlich so unbeschreiblich langweilig, daß die arme Linda einfach keinen Zugang zu diesen Leuten fand. Sie hatte den Kampf schließlich aufgegeben und sich in die angenehmere Gesellschaft von Apportierhunden und Haselmäusen zurückgezogen.

Als Lord Merlin nach ihrer Heirat zum erstenmal wieder in London war, führte er sie sofort in seine Welt ein, in jene Welt, nach der Linda sich immer gesehnt hatte, in die Welt der schicken Bohème; und hier bekam sie sogleich Boden unter die Füße, fühlte sich vollkommen glücklich und hatte auf der Stelle großen Erfolg. Sie wurde sehr munter und ging überallhin. Von den vielen Elementen, aus denen die Londoner Gesellschaft besteht, ist keines so beliebt wie die junge, hübsche, aber absolut ehrbare Frau, die man ohne ihren Mann zum Dinner einladen kann, und schon bald begann die neue Umgebung Linda den Kopf zu verdrehen. Photographen und Klatschkolumnisten hefteten sich an ihre Fersen, und der Eindruck, daß sie selbst schon etwas von einer Klatschbase angenommen habe, verflüchtigte sich erst, wenn man sich eine halbe Stunde mit ihr unterhielt. Von morgens bis abends wimmelte ihr Haus von schwatzenden Leuten. Linda, die gern plauderte, fand viele verwandte Geister in dem sorglosen, vergnügungssüchtigen London jener Tage, als die Arbeitslosigkeit in den oberen Klassen genauso verbreitet war wie in den unteren. Junge Männer, die von ihren Familien finanziell abgesichert wurden – auch wenn man ihnen hin und wieder ohne großen Nachdruck zu verstehen gab, es wäre gut, irgendeinen Beruf zu ergreifen (aber ohne dann bei der Suche behilflich zu sein, und was für einen Beruf hätten denn Leute ihres Schlages auch ergreifen sollen?) –, umschwärmten Linda wie die Bienen den Honig, summ, summ, summ, schwatz, schwatz, schwatz. In ihrem Schlafzimmer auf dem Bett oder draußen auf der Treppe hockend, während sie ein Bad nahm, in der Küche, während sie die Lebensmittel bestellte, beim Einkaufen, beim Spaziergang im Park, im Kino, im Theater, in der Oper, im Ballett, beim Dinner und beim Supper, in Nachtclubs, auf Partys, auf Bällen den ganzen Tag und die ganze Nacht – endloses, unendliches Geplauder.

»Aber worüber reden sie denn bloß?« fragte Tante Sadie immer wieder mißbilligend. Ja, worüber eigentlich?

Tony begab sich früh morgens in seine Bank, eilte mit gewichtiger Miene aus dem Haus, in einer Hand den Aktenkoffer, unter dem Arm einen Stoß Zeitungen. Sein Abgang war das Zeichen für den Auftritt der Plauderer, als hätten sie hinter einer Straßenecke darauf gewartet, und nun schwärmten sie ins Haus. Sehr nett waren sie, sehr gut sahen sie aus, immer waren sie fröhlich und besaßen vollkommene Manieren. Zwar konnte ich sie bei meinen kurzen Besuchen nie recht auseinanderhalten, aber ich verstand, was sie so attraktiv machte – die nie versagende Anziehungskraft der Vitalität und der guten Laune. Aber »wichtig« hätte man diese Leute beim besten Willen nicht nennen können, und die Kroesigs waren über diese neue Wendung der Dinge außer sich.

Tony schien sich nichts daraus zu machen; was seine Karriere anging, so hatte er Linda längst abgeschrieben und fühlte sich durch den öffentlichen Rummel, der sie nun als Schönheit lancierte, eher belustigt und geschmeichelt. »Die schöne Frau eines klugen jungen Parlamentsabgeordneten.« Außerdem stellte er fest, daß sie beide zu großen Partys und Bällen eingeladen wurden, die er gern noch besuchte, wenn er spät aus dem Unterhaus kam, und auf denen er oft nicht nur die unwichtigen Freunde traf, mit denen Linda sich amüsierte, sondern auch eigene, keineswegs unwichtige Kollegen, die er dann an der Bar festnageln und mit seinen Geschichten anöden konnte. Aber es wäre zwecklos gewesen, dies den alten Kroesigs zu erklären, die ein tief verwurzeltes Mißtrauen gegen die Schickeria, gegen Tanzen und überhaupt gegen jede Art von Belustigung hegten – das alles führte ihrer Ansicht nach zur Ausschweifung, der keinerlei materieller Nutzen gegenüberstand. Zum Glück für Linda stand sich Tony wegen einer Meinungsverschiedenheit in Fragen der

Geschäftspolitik der Bank gerade nicht sonderlich gut mit seinem Vater; sie waren nicht so häufig in Hyde Park Gardens zu Gast wie in der ersten Zeit ihrer Ehe, und die Besuche in Planes, in dem Haus, das die Kroesigs in Surrey besaßen, waren fürs erste abgeblasen. Wenn sie sich aber doch einmal begegneten, ließen die alten Kroesigs Linda nicht im unklaren darüber, daß sie sich als Schwiegertochter nicht bewährt habe. Sogar daran, daß Tony jetzt andere Ansichten als sein Vater vertrat, gaben sie ihr die Schuld, und mit traurigem Kopfschütteln erklärte Lady Kroesig ihren Freundinnen, Lindas Einfluß auf ihn sei nicht der beste.

Auf diese Weise vertat Linda viele Jahre ihrer Jugend, ohne daß irgend etwas dabei herauskam. Wäre ihr eine anspruchsvollere Erziehung zuteil geworden, dann hätte ein ernsthaftes Interesse an der Kunst oder an Büchern die Stelle all dieser ziellosen Plaudereien, Witzeleien und Partys einnehmen können; wenn ihre Ehe glücklich gewesen wäre, dann hätte der Teil ihres Wesens, den es nach Geselligkeit verlangte, am Kamin des Kinderzimmers Erfüllung finden können; aber so, wie die Dinge standen, blieb es bei Jux und Tollerei.

Alfred und ich gerieten sogar einmal mit Davey in Streit, als wir dies alles aussprachen. Davey warf uns vor, wir seien Spießer, aber im Grunde seines Herzens wußte er, daß wir recht hatten.

»Linda macht einem doch so viel Vergnügen«, beteuerte er immer wieder, »sie ist wie ein Blumenstrauß. Ihr wollt doch nicht, daß sich ein solcher Mensch in ernster Lektüre verkriecht; wozu denn?«

Doch auch er mußte einräumen, daß ihr Verhalten gegen die arme kleine Moira nicht so war, wie es hätte sein sollen. (Das Kind war dick, blond, gutmütig, träge und zurückgeblieben, und Linda konnte es immer noch nicht leiden; die Kroesigs indessen vergötterten es, und zusammen mit seinem Kindermädchen war es nun immer häufiger und immer länger in Planes. Die Kroesigs hatten Moira gern um sich. Das hinderte sie aber nicht daran, Lindas Verhalten unablässig zu kritisieren. Jetzt erzählten sie allen Leuten, sie sei ein albernes, flatterhaftes Geschöpf und vernachlässige kaltherzig ihr Kind.)

Beinahe zornig meinte Alfred:

»Seltsam ist, daß sie sich nicht einmal auf Liebesaffairen einläßt. Ich verstehe nicht, was sie von ihrem Leben eigentlich hat, es muß furchtbar leer sein.«

Alfred schätzte es, wenn sich die Menschen klar und eindeutig irgendeiner Kategorie zuordnen ließen, die ihm verständlich war; Karrierist, Aufsteiger, tugendhafte Gattin und Mutter oder eben Ehebrecherin.

Lindas gesellschaftliches Leben war völlig ohne Ziel und Richtung; sie sammelte einfach eine Schar netter Leute um sich, die genug Muße hatten, den ganzen Tag zu verplaudern; ob sie Millionäre waren oder arme Schlucker, Fürsten oder Exilrumänen, war ihr völlig gleichgültig. Obwohl sie, mich und ihre Schwestern ausgenommen, fast nur mit Männern befreundet war, stand sie so sehr im Ruf der Tugendhaftigkeit, daß man tatsächlich den Verdacht hegen konnte, sie liebe ihren Mann.

»Linda glaubt an die Liebe«, erläuterte Davey, »sie ist aus ganzer Seele romantisch. Im Augenblick, dessen bin ich sicher, wartet sie, ohne daß es ihr bewußt ist, auf eine unwiderstehliche Versuchung. Zufällige Affairen interessieren sie nicht im geringsten. Wenn es so weit ist, kann man nur hoffen, daß es nicht wieder ein Lackl sein wird.«

»Ich glaube, sie ähnelt wirklich meiner Mutter«, sagte ich, »und bei ihr waren es immer Lackl.«

»Arme Hopse!« seufzte Davey, »aber jetzt ist sie doch glücklich, mit ihrem weißen Jäger, oder?«

Wie zu erwarten war, entwickelte sich Tony bald zu einem wahren Ausbund an Aufgeblasenheit und wurde seinem Vater von Tag zu Tag ähnlicher. Er sprühte nur so von großen, scharfsichtigen Ideen, wie sich das Los der Kapitalistenklasse verbessern ließe, und machte keinen Hehl aus seinem Haß und seinem Mißtrauen gegen die Arbeiter.

»Ich hasse die Unterklasse«, erklärte er eines Tages, als Linda und ich zusammen mit ihm auf der Terrasse des Unterhauses beim Tee saßen. »Rasende Tiere, die versuchen, mir mein Geld wegzunehmen. Sollen sie's versuchen, wir werden ja sehen!«

»Ach, sei doch still, Tony«, sagte Linda, indem sie eine Haselmaus aus der Tasche zog und sie mit Krümeln zu füttern begann. »Trotz allem liebe ich diese Leute, ich bin zusammen mit ihnen aufgewachsen. Dein Problem besteht darin, daß du die Unterklasse überhaupt nicht kennst, und zur Oberklasse gehörst du ebensowenig, du bist bloß ein reicher Ausländer, den es zufällig hierher verschlagen hat. Eigentlich sollte niemand im Parlament sitzen, der nicht auf dem Land gelebt hat, wenigstens eine Zeitlang – mein alter Pa weiß besser als du, wovon er spricht, wenn er vor dem Haus eine Rede hält.«

»Ich habe auf dem Land gelebt«, entgegnete Tony. »Steck doch die Maus weg, die Leute gucken.«

Böse wurde er nie, dazu war er viel zu aufgeblasen.

»Surrey«, sagte Linda mit abgrundtiefer Verachtung.

»Na und? Das letzte Mal, als dein Pa eine Rede gehalten hat, über die Peeresses aus eigenem Recht, da war sein einziges Argument für ihre Nichtzulassung im Oberhaus, daß sie sonst die Toilette der Peers benutzen würden.«

»Ist er nicht süß?« meinte Linda. »Gedacht haben sie es alle, weißt du, aber er war der einzige, der es auszusprechen wagte.«

»Das ist das schlimmste am Oberhaus«, eiferte sich Tony. »Diese Hinterwäldler kommen einfach vorbei, wann es ihnen in den Kram paßt, und bringen den ganzen Laden mit ein paar dummen Bemerkungen in Verruf, die riesiges Aufsehen erregen und bei den Leuten draußen den Eindruck hinterlassen, wir würden von einem Haufen Verrückter regiert. Diese alten Peers sollten sich einmal klarmachen, daß sie es ihrer Klasse schuldig sind, zu Hause zu bleiben und Ruhe zu geben. Wieviel hervorragende, solide, notwendige Arbeit im Oberhaus tatsächlich geleistet wird, ist dem Mann auf der Straße völlig unbekannt.«

Sir Leicester erwartete, bald Peer zu werden, deshalb lag Tony dieses Thema sehr am Herzen. Seiner Ansicht nach wäre es an sich richtig gewesen, den Mann auf der Straße, wie er ihn nannte, ständig mit Maschinengewehren in Schach zu halten; da dies aber infolge der Schwäche, die die großen Whig-Familien in der Vergangenheit gezeigt hatten, unmöglich geworden war, mußte er mit der Fiktion betäubt und zur Unterwerfung gebracht werden, großartige Reformen, die die konservative Partei bewerkstelligen werde, stünden unmittelbar bevor. So könnte man ihn auf unbestimmte Zeit ruhig halten, jedenfalls solange es keinen Krieg gab. Der Krieg läßt die Menschen enger zusammenrücken und öffnet ihnen die Augen, er mußte deshalb um jeden Preis vermieden werden, vor allem ein Krieg mit Deutschland, wo die Kroesigs finanzielle Interessen und viele Verwandte hatten. (Sie stammten von einer Junker-Familie ab, sahen aber auf ihre preußische Verwandtschaft aus der gleichen Höhe herab, aus der diese auf die Kroesigs herabblickte, weil sie unter die Kaufleute gegangen waren.)

Sowohl Sir Leicester als auch sein Sohn waren große Bewunderer Hitlers: Sir Leicester war ihm bei einem Besuch in Deutschland begegnet, und einmal hatte ihn Dr. Schacht zu einer Fahrt in einem Mercedes-Benz mitgenommen.

Linda interessierte sich nicht für Politik, aber sie war auf eine instinktive, unverständige Weise englisch. Sie wußte, daß ein Engländer so viel wert war wie hundert Ausländer, während Tony meinte, ein Kapitalist sei so viel wert wie hundert Arbeiter. Die Ansichten der beiden zu diesem wie zu den meisten Themen gingen eben weit auseinander.

12

Dank einer merkwürdigen Ironie des Schicksals lernte Linda Christian Talbot ausgerechnet im Haus ihres Schwiegervaters in Surrey kennen. Die kleine sechsjährige Moira war jetzt ständig in Planes; diese Lösung war die beste, denn Linda, die Haushaltsdinge verabscheute, blieb es auf diese Weise erspart, zwei Häuser zu führen, und Moira kam die gute Luft und die ländliche Kost zugute. Eigentlich sollten Tony und Linda regelmäßig einige Abende in der Woche dort verbringen, und Tony fuhr auch meistens hin. Linda aber ließ sich vielleicht einmal im Monat, an irgendeinem Sonntag blicken.

Planes war ein schauderhaftes Domizil. Es war ein zu groß geratenes Landhaus, genauer gesagt, die Zimmer waren zwar geräumig, aber sie wiesen alle Nachteile eines Landhauses auf, niedrige Decken, kleine Fenster mit Rautenscheiben, holprige Dielen und viel nacktes, astiges Holz. Eingerichtet war das Haus weder mit gutem noch mit schlechtem Geschmack, sondern einfach ohne jeden Geschmack, und komfortabel war es auch nicht. Es lag in einem Garten, der das Paradies jeder Aquarellmalerin gewesen wäre. Rabatten, Steingärten und Teiche protzten in erlesener Vulgarität mit einer Orgie ebenso riesiger wie häßlicher Pflanzen, von denen jede einzelne zweimal so groß und dreimal so leuchtend hervortrat, wie sie hätte sein sollen, und möglichst auch in einer anderen Farbe, als die Natur ihr bestimmt hatte. Man hätte kaum sagen können,

wann er gräßlicher und mehr nach Technicolor aussah –
im Frühling, im Sommer oder im Herbst. Nur im tiefen
Winter, wenn der Schnee ihn gnädig zudeckte, fügte er
sich in die Landschaft und war erträglich.

An einem Samstagmorgen im April des Jahres 1937
nahm mich Linda, die ich in London besucht hatte, mit,
um dort bis zum andern Tag zu bleiben, wie sie es
manchmal tat. Ich glaube, sie hatte gern einen Puffer
zwischen sich und den Kroesigs und vielleicht besonders zwischen sich und Moira. Die alten Kroesigs hatten mich irgendwie liebgewonnen, und manchmal lud
mich Sir Leicester zu einem Spaziergang ein, auf dem
er mir dann zu verstehen gab, wie gern er es gesehen
hätte, wenn Tony mich geheiratet hätte, ich sei so ernst
und so gebildet, eine so gute Ehefrau und Mutter.

Wir fuhren im Wagen durch die Blütenpracht von
Surrey.

»Der große Unterschied«, erklärte Linda, »zwischen Surrey und dem echten, wirklichen Land ist der:
Wenn es in Surrey blüht, dann weiß man, daß keine
Früchte dabei herauskommen. Denk mal an das Tal
von Evesham, und dann sieh dir all dieses nutzlose
rosa Zeug an – das ist doch ein ganz anderes Gefühl.
Der Garten in Planes ist absolut steril, du wirst sehen.«

So war es. Fast nirgendwo war das zarte, helle Gelb-
grün des Frühlings zu sehen, jeder Baum schien mit
einer wogenden Masse von rosa oder malvenfarbenem
Seidenpapier umwickelt. Sogar die Blüten der Oster-
glocken machten sich so breit, daß sie alles Grün ver-
deckten, neue Varietäten von erschreckender Größe,
entweder völlig weiß oder tiefgelb, dick und fleischig;
nichts hatten sie mit den zerbrechlichen Freundinnen
unserer Kindheit gemein. Das ganze prangte wie eine

Operettenbühne, und gerade dies gefiel Sir Leicester, der, wenn er sich auf dem Land aufhielt, mit erstaunlichem Geschick in die Rolle des englischen Landadligen von altem Schrot und Korn zu schlüpfen verstand. Pittoresk. Entzückend.

Er hantierte gerade im Garten, als wir ankamen, in einer Cordhose, die so aufdringlich alt aussah, daß sie niemals neu gewesen sein konnte, in einer alten Tweedjacke von gleicher Machart, die Gartenschere in der Hand, einen melancholisch dreinblickenden Welsh Corgi an den Fersen und ein sanftes Lächeln auf dem Gesicht.

»Da seid ihr ja«, begrüßte er uns herzlich. (Man konnte fast sehen, wie die Comic-Strip-Wolke voller Gedanken über seinem Kopf schwebte – »Du bist zwar eine höchst untaugliche Schwiegertochter, aber wir lassen uns von niemandem etwas nachsagen, einen Willkommensgruß und ein freundliches Lächeln haben wir immer für dich.«) »Mit dem Wagen alles in Ordnung? Tony und Moira sind ausgeritten, ich dachte, ihr würdet ihnen vielleicht begegnen. Sieht der Garten nicht großartig aus, ich mag gar nicht daran denken, daß ich wieder nach London muß und die ganze Pracht zurückbleibt, ohne daß jemand etwas davon hat. Kommt, wir machen einen kleinen Spaziergang vor dem Lunch – Foster wird sich um euer Gepäck kümmern –, klingele doch mal an der Vordertür, Fanny, vielleicht hat er den Wagen nicht gehört.«

Dann entführte er uns in das Land der Madame Butterfly.

»Ich muß euch warnen«, sagte er, »da kommt heute ein etwas ungehobelter Bursche zum Lunch. Ich weiß nicht, ob ihr mal den alten Talbot kennengelernt habt, den alten Professor, der im Dorf wohnt. Na ja, sein Sohn, Christian. Er mausert sich gerade zum Kommunisten, ein kluger Kerl, aber völlig verbohrt, arbeitet als Journalist für irgendein Käseblatt. Tony mag ihn nicht, schon als Kind konnte er ihn nicht ausstehen und ist richtig böse auf mich, weil ich ihn heute eingeladen habe, aber ich finde, es kann nicht schaden, sich diese Linken mal anzusehen. Wenn Leute wie wir nett zu ihnen sind, fressen sie uns am Ende aus der Hand.«

Er sagte das in einem Ton, als hätte er im Krieg einem Kommunisten das Leben gerettet und ihn durch diese Tat zu einem dankbaren Tory von waschechtem Blau gemacht. Aber Sir Leicester war im Ersten Weltkrieg zu der Überzeugung gelangt, daß es die reine Verschwendung wäre, wenn man ihn mit seinem überlegenen Verstand als Kanonenfutter verheizen würde, und deshalb hatte er sich in einem Büro in Kairo installiert. Weder rettete er noch raubte er jemandem das Leben, setzte auch sein eigenes nicht aufs Spiel, sondern knüpfte statt dessen viele wertvolle Geschäftsbeziehungen an, wurde Major und bekam den Orden des British Empire verliehen – er machte eben aus allem das Beste.

Christian kam also zum Lunch und blieb zunächst äußerst verschlossen. Er war ein sehr gutaussehender junger Mann, groß und blond, aber völlig anders als Tony, mager und sehr englisch. Seine Kleidung war gräßlich – er trug eine Flanellhose, die wirklich alt war und an den peinlichsten Stellen viele kleine Mottenlöcher aufwies, keinen Mantel und ein Flanellhemd, bei dem ein Ärmel von der Manschette bis zum Ellenbogen aufgerissen war.

»Hat Ihr Vater in letzter Zeit etwas geschrieben?« fragte Lady Kroesig, als sie sich zu Tisch setzten.

»Vermutlich«, meinte Christian, »es ist ja sein Beruf. Nicht, daß ich ihn gefragt hätte, aber man kann es wohl annehmen, genauso wie man annehmen kann, daß Tony in letzter Zeit ein paar Geschäfte gemacht hat.«

Dann stützte er seinen durch den Riß im Hemd entblößten Ellbogen zwischen sich und Lady Kroesig auf den Tisch, wendete sich zu Linda hinüber, die auf der anderen Seite neben ihm saß, und erzählte ihr ausführlich und in allen Einzelheiten von einer *Hamlet*-Aufführung, die er kürzlich in Moskau gesehen hatte. Die kulturbeflissenen Kroesigs spitzten die Ohren und warfen gelegentlich eine Bemerkung ein – »Meiner Vorstellung von Ophelia entspricht das allerdings nicht ganz« oder »Aber Polonius war doch ein sehr alter Mann«; damit wollten sie zeigen, daß sie sich in *Hamlet* auskannten, aber sie stießen bei Christian auf taube Ohren, der, den einen Arm auf den Tisch gestemmt, mit der anderen Hand sein Essen verschlang und mit den Augen Linda.

Nach dem Luncheon sagte er zu ihr:

»Kommen Sie doch zum Tee mit zu meinem Vater, er wird Ihnen gefallen«, und schon machten sie sich zusammen auf den Weg, während sich die Kroesigs für den Rest des Nachmittags aufführten wie ein Schwarm Hühner, die den Fuchs gesehen haben.

Sir Leicester führte mich zu seinem Teich, der von gewaltigen rosa Vergißmeinnicht und dunkelbraunen Schwertlilien umstanden war, und sagte:

»Das ist wirklich sehr häßlich von Linda, die kleine

Moira hatte sich so darauf gefreut, ihr die Ponys zu zeigen. Dieses Kind vergöttert seine Mutter.«

Das tat es nicht im geringsten. Es liebte Tony und verhielt sich Linda gegenüber ziemlich gleichgültig und stur, und jemanden zu vergöttern, dazu neigte es schon gar nicht, aber für die Kroesigs war es ein Glaubensartikel, daß Kinder ihre Mütter vergöttern sollten.

»Kennen Sie Pixie Townsend?« fragte er mich unvermittelt.

»Nein«, antwortete ich wahrheitsgemäß, ich hatte nie von ihr gehört. »Wer ist das?«

»Eine ganz entzückende Person.« Er wechselte das Thema.

Linda kam gerade rechtzeitig zurück, um sich für das Dinner anzukleiden, und sah wunderschön aus. Sie lud mich in ihr Zimmer ein, um zu plaudern, während sie ihr Bad nahm – Tony war oben im Kinderschlafzimmer und las Moira etwas vor. Der Ausflug hatte Linda ganz verzaubert. Christians Vater, so erzählte sie, wohnte in dem kleinsten Haus, das man sich vorstellen kann, ein vollkommener Kontrast zum Kroesig-Hof, wie Christian ihn nannte, denn obwohl es wirklich winzig war, hatte es nichts von einem Landhaus an sich – es war im großen Stil eingerichtet und vollgestopft mit Büchern. Kein Fleckchen Wand war freigeblieben, sie türmten sich auf Tischen und Stühlen und lagen in großen Stapeln auf dem Fußboden. Mr. Talbot war das genaue Gegenteil von Sir Leicester, er hatte nichts Pittoreskes an sich und nichts, was ihn als Gelehrten erkennbar machte, er war munter und sachlich, und über Davey, den er gut kannte, hatte er ein paar sehr witzige Bemerkungen gemacht.

»Er ist einfach himmlisch«, sagte Linda immer wieder, und dabei leuchteten ihre Augen. Ich erkannte sofort, daß sie eigentlich sagen wollte, Christian sei himmlisch. Sie war von ihm wie geblendet. Anscheinend hatte er ohne Unterlaß geredet, und alle seine Reden waren nur Variationen über ein einziges Thema gewesen – die Verbesserung der Welt durch politische Veränderungen. Seit ihrer Hochzeit hatte Linda bei Tony und seinen Freunden endlose politische Fachsimpeleien mitanhören müssen, aber deren Politik drehte sich ausschließlich um Posten und Personen. Da ihr die Personen allesamt unendlich alt und langweilig erschienen und da es ihr völlig gleichgültig war, ob sie ihre Posten bekamen oder nicht, hatte Linda die Politik unter die nichtssagenden Themen eingereiht und entschwebte für gewöhnlich in einen Traum, wenn sie zur Sprache kam. Aber Christians Politik langweilte sie nicht. An diesem Abend, auf dem Rückweg vom Haus seines Vaters zu den Kroesigs, hatte er sie auf eine Weltreise mitgenommen. Er zeigte ihr den Faschismus in Italien, den Nazismus in Deutschland, den Bürgerkrieg in Spanien, den halbherzigen Sozialismus in Frankreich, die Tyrannei in Afrika, den Hunger in Asien, die Reaktion in Amerika, den verderblichen Einfluß der Rechten in England. Nur die Sowjetunion, Norwegen und Mexiko kamen in seinem Urteil etwas besser weg.

Linda war eine reife Pflaume, man brauchte nur zu schütteln. Der Baum wurde geschüttelt, und sie fiel herab. Intelligent und energiegeladen, aber ohne Betätigungsfeld für ihre Energien, unglücklich in ihrer Ehe, ohne Interesse für ihr Kind, und bedrückt von einem Gefühl innerer Leere, war sie in der Stimmung, sich für irgendeine gute Sache zu engagieren oder sich auf eine Liebesaffäre einzulassen. Daß nun ein attraktiver junger Mann sie mit dieser guten Sache konfrontierte, machte diese Sache und ihn gleichermaßen unwiderstehlich.

13

Die armen Radletts hatten es auf einmal fast gleichzeitig mit drei Krisen bei dreien ihrer Kinder zu
tun. Linda lief Tony weg, Jassy lief von zu Hause weg,
und Matt lief von Eton weg. Früher oder später müssen sich alle Eltern damit abfinden, daß ihre Kinder die
elterliche Gewalt abschütteln und die Verantwortung
für ihr Leben selbst übernehmen, den Radletts erging
es nicht anders. Sie waren besorgt, aufgebracht, zu
Tode erschrocken – und konnten doch nichts tun; sie
waren nur Zuschauer bei einem Schauspiel, das ihnen
nicht im mindesten behagte. In diesem Jahr trösteten
sich die Eltern unserer Altersgenossen, wenn bei ihren
eigenen Kindern etwas nicht ganz so ging, wie sie es
erhofft hatten, mit den Worten: »Macht nichts, denkt
nur an die armen Alconleigher.«

Was Linda während ihrer Jahre in der Londoner Gesellschaft an Besonnenheit und Weltweisheit erworben
haben mochte, schlug sie nun in den Wind; sie wurde
eine wackere Kommunistin, langweilte und belästigte
alle Welt mit ihrem neuen Dogma, und zwar nicht nur
an der Dinnertafel, sondern auch im Hyde Park von
einer Seifenkiste und anderen nicht minder wackligen
Rednertribünen herunter, bis sie schließlich zur un-
endlichen Erleichterung der Kroesigs davonlief und
zu Christian zog. Tony leitete die Scheidung ein. Für
meine Tante und meinen Onkel war das ein schwerer
Schlag. Gewiß, sie hatten Tony nie wirklich gemocht,
aber sie hegten doch äußerst altmodische Vorstellun-

gen; die Ehe war in ihren Augen etwas Unumstößliches, und Ehebruch war ein Unrecht. Vor allem Tante Sadie war tief schockiert darüber, wie Linda die kleine Moira leichten Herzens verlassen hatte. Ich nehme an, es erinnerte sie zu sehr an meine Mutter, und sie sah auch für Linda eine Zukunft voraus, die aus lauter unberechenbaren Hopsern bestand.

Linda besuchte mich in Oxford. Sie war auf dem Weg zurück nach London, nachdem sie ihren Eltern die Neuigkeit beigebracht hatte. Ich fand es wirklich sehr mutig von ihr, daß sie dazu selbst nach Alconleigh gefahren war, und kaum war sie bei mir eingetreten, da bat sie auch schon (wie es sonst gar nicht ihre Art war) um einen Drink. Sie war mit den Nerven ziemlich herunter.

»Du meine Güte«, sagte sie, »ich hatte vergessen, wie furchtbar Pa sein kann – auch jetzt noch, wo er keine Gewalt mehr über einen hat. Es war genau wie damals, als wir bei Tony zum Essen waren, im Geschäftszimmer, genauso, er tobte, und die arme Mama blickte ganz bekümmert drein, aber auch sie war ganz schön wütend, und du weißt ja, wie sarkastisch sie sein kann. Also – das habe ich hinter mir. Liebling, es ist himmlisch, dich wiederzusehen.«

Ich hatte sie seit jenem Sonntag in Planes, an dem sie Christian kennengelernt hatte, nicht mehr gesehen und wollte deshalb alles über ihr Leben hören.

»Na ja, ich wohne also jetzt bei Christian, in seiner Wohnung, sie ist ziemlich klein, muß ich sagen, aber vielleicht ist das gar nicht schlecht, denn ich mache den Haushalt, und darin bin ich anscheinend nicht besonders gut – er ist da zum Glück ganz anders.«

»Das muß er wohl auch sein«, sagte ich.

Lindas Ungeschicklichkeit war in ihrer Familie sprichwörtlich, nicht einmal ihre Halsbinde konnte sie sich
selbst knoten, und an Jagdtagen mußte es entweder
Onkel Matthew oder Josh für sie tun. Ich sehe sie noch
vor mir, wie sie vor dem Spiegel in der Halle stand und
Onkel Matthew ihr von hinten den Knoten machte,
beide der Inbegriff von Konzentration, und wie Linda
schließlich sagte: »Ah, jetzt habe ich begriffen. Nächstes
Mal schaffe ich es selber.« Da sie in ihrem ganzen Leben
noch nie selbst ihr Bett gemacht hatte, konnte ich mir
nicht vorstellen, daß es in Christians Wohnung jetzt
besonders aufgeräumt oder behaglich war.

»Du bist gemein. Aber wie furchtbar das alles ist,
dieses Kochen, meine ich! Und dann der Backofen –
Christian stellt irgend etwas hinein und sagt: ›Nimm es
ungefähr in einer halben Stunde heraus.‹ Ich getraue
mich nicht, ihm zu sagen, was für eine Angst ich habe.
Nach einer halben Stunde nehme ich all meinen Mut
zusammen und öffne den Herd, dann dieser Hitze-
schwall, der einem ins Gesicht schlägt. Es wundert
mich überhaupt nicht, daß manche Leute ihren Kopf
da hineinstecken und aus schierer Verzweiflung drin
lassen. Ach, Liebe, du hättest sehen sollen, wie einmal
der Staubsauger mit mir durchging, plötzlich machte
er sich selbständig und steuerte auf den Aufzugschacht
los. Wie ich geschrien habe! Christian hat mich gerade
noch rechtzeitig gerettet. Ich glaube, die Hausarbeit ist
viel anstrengender und macht einem viel mehr Angst
als das Jagen – kein Vergleich –, und doch gab es nach
der Jagd immer Eier zum Tee, und wir mußten uns
stundenlang ausruhen, aber nach der Hausarbeit erwarten die Leute, daß man einfach weitermacht, als sei
nichts gewesen.« Sie seufzte.

»Christian ist sehr stark«, sagte sie, »und sehr mutig. Er mag es nicht, wenn ich kreische.«

Mir schien, sie war erschöpft und ziemlich verängstigt, und vergeblich suchte ich nach Anzeichen des großen Glücks oder der großen Liebe.

»Und was ist mit Tony – wie hat er es aufgenommen?«

»Oh, der ist richtig froh, jetzt kann er nämlich ohne Skandal seine Geliebte heiraten, ohne sich scheiden lassen zu müssen und ohne seine Konservativen in Verlegenheit zu bringen.«

Das sah Linda ähnlich – selbst mir gegenüber hatte sie nie angedeutet, daß Tony eine Geliebte hatte.

»Wer ist es?« fragte ich.

»Pixie Townsend heißt sie. Du kennst die Sorte, kindliches Gesicht, helles Haar, blau getönt. Sie betet Moira an, wohnt in der Nähe von Planes und reitet jeden Tag mit ihr aus. Ein furchtbarer Anti-Hon ist sie, aber ich bin wirklich dankbar, daß es sie gibt, so brauche ich kein schlechtes Gewissen zu haben – ohne mich werden sie alle viel besser zurecht kommen.«

»Verheiratet?«

»O ja, sie hat sich aber schon vor Jahren scheiden lassen. Kennt sich ungeheuer gut aus in allem, was dem armen Tony am Herzen liegt, Golf, Geschäfte, Konservativismus, genau das, was ich nicht getan habe, Sir Leicester jedenfalls hält sie für vollkommen. Du liebe Zeit, sie werden glücklich miteinander sein.«

»Jetzt möchte ich aber noch mehr von Christian hören, bitte.«

»Also, er ist himmlisch. Ein ungeheuer ernsthafter Mensch, weißt du, ein Kommunist, und das bin ich jetzt auch, und den ganzen Tag haben wir Genossen bei uns, phantastische Hons, und sogar ein Anarchist ist dabei. Die Genossen mögen die Anarchisten nicht, ist das nicht komisch? Ich dachte immer, es sei das gleiche, aber diesen mag Christian, weil er eine Bombe gegen den König von Spanien geworfen hat; abenteuerlich, wie? Er heißt Ramón, und er sitzt den ganzen Tag da und macht sich Gedanken über die Bergleute von Oviedo, weil sein Bruder einer von ihnen ist.«

»Nun gut, Liebling, aber jetzt erzähl doch mal von Christian.«

»Oh, er ist wirklich himmlisch – du mußt mal ein paar Tage zu uns kommen – ach nein, das wäre vielleicht nicht so gemütlich – aber komm doch einfach mal vorbei. Du kannst dir nicht vorstellen, was für ein ungewöhnlicher Mann er ist, so objektiv und distanziert gegenüber anderen Menschen, daß er kaum wahrnimmt, ob sie da sind oder nicht. Er denkt nur an seine Ideen.«

»Und an dich, hoffentlich.«

»Doch, ich glaube ja, aber er ist sehr merkwürdig und zerstreut. Das muß ich dir erzählen: An dem Tag, bevor ich mit ihm weglief (ich bin ja bloß mit dem Taxi nach Pimlico gefahren, aber Weglaufen klingt so romantisch), aß er zusammen mit seinem Bruder zu Abend, und ich glaubte natürlich, sie würden über mich reden und die ganze Sache durchsprechen, deshalb konnte ich nicht widerstehen, rief ihn so gegen Mitternacht an und sagte: ›Hallo, Liebling, hattet ihr einen schönen Abend, und worüber habt ihr euch unterhalten?‹ und er antwortete: ›Ich weiß nicht mehr – ach, Guerillakrieg, glaube ich.‹«

»Ist sein Bruder auch Kommunist?«

»Aber nein, er ist im Außenministerium. Ein irr-

sinnig wichtiger Mann, sieht aus wie ein Tiefseeunge-
heuer – weißt du.«

»Ach, *dieser* Talbot – ja. Ich hatte die beiden nicht
miteinander in Verbindung gebracht. Und wie sehen
jetzt eure Pläne aus?«

»Er sagt, er wird mich heiraten, wenn ich geschieden
bin. Ich finde es eigentlich albern, ich denke da eher
wie Mama, einmal ist genug, was das Heiraten angeht,
aber er sagt, ich gehörte zu der Sorte Frauen, die man
heiratet, wenn man mit ihnen zusammenlebt, und es
wäre ja schon eine Wonne, nicht mehr Kroesig zu
heißen. Na, wir werden sehen.«

»Und wie sieht euer Leben aus? Ich nehme an, ihr
geht jetzt nicht auf Partys und dergleichen, oder?«

»Liebling, hinreißende Partys, du kannst es dir nicht
vorstellen – auf gewöhnliche Partys zu gehen, das
kommt für ihn natürlich nicht in Frage. Grandi gab
letzte Woche ein Dinner mit Tanz, er rief mich selbst an
und lud mich zusammen mit Christian ein, was ich
wirklich ungeheuer nett von ihm fand – er ist immer
nett zu mir gewesen –, aber Christian wurde ziemlich
wütend und sagte, wenn ich keinen Grund sähe, nicht
hinzugehen, sollte ich nur gehen, aber er würde auf gar
keinen Fall mitkommen. Am Ende ging dann natürlich
keiner von uns, und nachher habe ich gehört, es sei ungeheuer lustig gewesen. Zu den Ribs können wir auch
nicht gehen oder zu den ...« – sie nannte noch mehrere
Familien, die für ihre Gastfreundschaft ebenso bekannt
waren wie für ihre konservativen Überzeugungen.

»Das schlimmste am Kommunist-Sein ist, daß die
Partys, zu denen man gehen kann – na ja, schrecklich
komisch sind sie und rührend, aber nicht besonders lustig, und immer finden sie in solchen düsteren Räumen

statt. Nächste Woche zum Beispiel haben wir drei, ein paar Tschechen in der Sacco and Vanzetti Memorial Hall in Golders Green, dann Äthiopier in der Paddington-Badeanstalt und die Scotsboro Boys in irgendeinem anderen Saal, der genauso scheußlich ist. Verstehst du?«

»Die Scotsboro Boys«, fragte ich, »gibt es die immer noch? Sie müssen in die Jahre gekommen sein.«

»Allerdings, und gesellschaftlich geht es mit ihnen bergab«, sagte Linda kichernd. »Ich erinnere mich an eine absolut hinreißende Party, die Brian für sie veranstaltete – es war die erste, zu der Merlin mich mitnahm, deshalb habe ich alles so gut behalten, oh, Schatz, das war lustig. Aber nächsten Donnerstag wird es überhaupt nicht lustig werden. (Oh, Liebling, ich bin treulos, aber es ist so himmlisch, nach all diesen Monaten mal wieder einfach zu plaudern. Die Genossen sind süß, aber sie plaudern nie, sie halten immer nur Reden.) Ich habe Christian schon oft gesagt, wie sehr ich mir wünschen würde, daß seine Kumpel entweder ein bißchen mehr Witz in ihre Partys bringen oder keine mehr veranstalten, denn was eine traurige Party soll, verstehe ich nicht, du etwa? Aber die Linken sind immer traurig, weil ihnen ihre Anliegen so schrecklich am Herzen anliegen, und weil die Sachen, für die sie sich einsetzen, immer schiefgehen. Verstehst du? Ich wette, die Scotsboro Boys landen am Ende auf dem elektrischen Stuhl, das heißt, wenn sie nicht vorher an Altersschwäche gestorben sind. Irgendwie möchte man ihnen die Stange halten, aber es hat keinen Zweck, Leute wie Sir Leicester werden immer Oberwasser behalten, was soll man machen? Aber den Genossen ist das anscheinend nicht klar, zu ihrem Glück kennen sie

Sir Leicester nicht, und deshalb meinen sie, sie müßten weiter diese traurigen Partys veranstalten.«

»Was ziehst du denn bei diesen Partys an?« fragte ich interessiert, denn ich stellte mir vor, daß Linda in ihren teuer aussehenden Kleidern in diesen Badeanstalten und Sälen ziemlich deplaziert wirken müßte.

»Ach, weißt du, zuerst war das ein Riesenproblem, ich habe mich furchtbar damit herumgequält, aber dann habe ich herausgefunden, solange man Wolle oder Baumwolle trägt, ist alles in Ordnung. Seide und Satin – das wäre natürlich ein Fauxpas. Aber ich trage nur Wolle und Baumwolle und stehe deshalb ganz gut da. Selbstverständlich kein Schmuck, aber den habe ich ohnehin am Bryanston Square gelassen. Ich bin ja auch ohne Schmuck groß geworden, aber es hat mir doch schwer zu schaffen gemacht, muß ich sagen. Christian versteht nichts von Schmuck – ich habe es ihm erzählt, weil ich dachte, er fühlte sich dadurch geschmeichelt, daß ich für ihn alles aufgegeben habe, aber er sagte bloß: ›Immerhin gibt es noch die Burma Jewel Company.‹ Ach Liebe, er ist ein komischer Mensch, du solltest ihn bald mal wieder treffen. Ich muß gehen, Liebling, der Besuch bei dir hat mich richtig aufgemuntert.«

Ich wußte nicht warum, aber es kam mir so vor, als hätte sich Linda erneut in ihren Gefühlen getäuscht, als hätte die Wüstenforscherin zwischen den Sanddünen wieder nur eine Luftspiegelung erblickt. Der See war da, die Bäume waren da, die durstigen Kamele waren hinuntergestiegen, um zu trinken; doch ach, ein paar Schritte vorwärts, und es würden sich nur Staub und Wüste offenbaren, genau wie zuvor.

Kaum war Linda gegangen, um zu Christian und den Genossen nach London zurückzukehren, da bekam ich schon wieder Besuch. Es war Lord Merlin. Ich schätzte ihn sehr, ich bewunderte ihn, ich mochte ihn, aber ich stand keineswegs auf so vertrautem Fuße mit ihm wie Linda. Um die Wahrheit zu sagen, er machte mir angst. Ich hatte das Gefühl, daß er in meiner Gegenwart immer nahe daran war, sich zu langweilen, und daß er mich ohnehin bloß als jemanden ansah, der zu Linda gehörte, nicht als selbständiges Wesen, nur als die uninteressante Frau eines kleinen Universitätsdozenten. Ich war nur die Mitwisserin in der weißen Schürze.

»Eine schlimme Sache«, stieß er ohne jede Einleitung hervor, dabei hatten wir uns seit mehreren Jahren nicht gesehen. »Ich komme eben aus Rom zurück, und was finde ich – Linda und Christian Talbot. Wirklich merkwürdig, daß ich England nie den Rücken kehren kann, ohne daß Linda sich mit irgendeiner völlig unerwünschten Gestalt einläßt. Eine Katastrophe ist das – wie weit ist es denn gekommen? Läßt sich noch etwas tun?«

Ich sagte ihm, daß er Linda nur knapp verfehlt habe, und wollte ihm erzählen, daß ihre Ehe mit Tony unglücklich gewesen sei. Er wischte meine Worte mit einer Geste, die mich verwirrte, beiseite – ich kam mir vor wie ein Dummkopf.

»Selbstverständlich wäre sie niemals bei Tony geblieben – das hat ja auch keiner erwartet. Das Problem besteht darin, daß sie vom Regen in die Traufe gekommen ist. Wie lange geht das denn schon?«

Ich sagte ihm, meiner Ansicht nach habe auch der Kommunismus sie gelockt: »Linda hat immer das Bedürfnis gehabt, sich für eine gute Sache einzusetzen.«

»Eine gute Sache!« meinte er spöttisch. »Meine liebe Fanny, ich glaube, Sie bringen hier Sachen und Personen durcheinander. Nein, Christian ist ein attraktiver Bursche, und ich verstehe diese Reaktion nach der Erfahrung mit Tony vollkommen, aber es ist und bleibt eine Katastrophe. Wenn sie ihn liebt, wird er sie unglücklich machen, und wenn nicht, dann bedeutet dies, daß sie dieselbe Laufbahn wie Ihre Mutter angetreten hat, und das wäre für Linda nun wirklich verhängnisvoll. Nirgendwo sehe ich einen Hoffnungsschimmer. Geld ist natürlich auch keines da, dabei braucht sie Geld, sie braucht es wirklich.«

Er trat ans Fenster und warf einen Blick auf das von der im Westen stehenden Sonne vergoldete Christ Church College.

»Ich kenne Christian«, sagte er, »seit er ein kleiner Junge war – sein Vater ist ein guter Freund von mir. Christian ist ein Mann, der durchs Leben geht, ohne sich an irgend jemanden zu binden – Menschen bedeuten ihm nichts. Die Frauen, die sich in ihn verliebt haben, hatten schwer zu leiden, weil er gar nicht bemerkt, daß sie überhaupt da sind. Ich vermute, ihm ist noch gar nicht recht bewußt, daß Linda zu ihm gezogen ist – immer steckt er mit dem Kopf in den Wolken, und immer ist er hinter irgendeiner neuen Idee her.«

»Ungefähr so hat es mir Linda vorhin auch erzählt.«

»Ach, ist es ihr schon aufgefallen? Na ja, sie ist nicht dumm, und am Anfang macht es ihn sogar besonders attraktiv – wenn er dann nämlich aus seinen Wolken auftaucht, ist er unwiderstehlich, ich verstehe das genau. Aber wie können sie sich je irgendwo niederlassen? Christian hat sich nie ein Zuhause geschaffen und verspürt auch gar kein Bedürfnis danach; er würde nicht wissen, was er damit anfangen soll, es wäre ihm lästig. Nie wird er sich hinsetzen und mit Linda plaudern oder sich irgendwie auf sie konzentrieren, und sie ist eine Frau, die diese Art von Zuwendung ganz besonders braucht. Es ist wirklich zu dumm, daß ich nicht da war, als es passierte. Ich hätte es bestimmt verhindern können. Jetzt ist natürlich nichts mehr zu machen.«

Er wandte sich vom Fenster ab und sah mich so zornig an, daß ich plötzlich das Gefühl hatte, ich sei an allem schuld – in Wirklichkeit war ihm meine Anwesenheit in diesem Augenblick wahrscheinlich gar nicht bewußt.

»Wovon leben die beiden?« fragte er.

»Sie haben sehr wenig. Linda bekommt, glaube ich, eine kleine Summe von Onkel Matthew, und Christian wird wohl mit seinem Journalismus etwas verdienen. Wie ich höre, laufen die Kroesigs herum und erzählen, das Gute an der Sache sei, daß sie jedenfalls verhungern werde.«

»Ach wirklich, sagen sie das?« Lord Merlin zog sein Notizbuch hervor: »Würden Sie mir bitte Lindas Adresse geben, ich bin gerade auf dem Weg nach London.«

Alfred kam herein, wie üblich ohne zu wissen, was um ihn herum vorging, und ganz versunken in irgendeinen Aufsatz, den er gerade schrieb.

»Sie können mir nicht zufällig sagen«, fragte er Lord Merlin, »wie hoch der tägliche Milchverbrauch im Vatikanstaat ist?«

»Nein, natürlich nicht«, entgegnete Lord Merlin

Nancy mit ihren Eltern, um 1907.

Spaziergang, ›Muv‹, Tom,
Miss Miriams, Nancy, Zella,
Nanny Dicks, vor ihr Unity,
Pam und Diana.

*Pam, Tom, Diana und Nancy
im Garten von Asthall.*

Nancy, 1931.

*Nancy, photographiert von
Derek Jackson.*

*Nancy und Peter Rodd an ihrem
Hochzeitstag, 4. Dezember 1933.*

General de Gaulle und
Gaston Palewski, 1942.

Nancy mit ihrer französischen
Bulldogge Millie.

Jagdtreff, 1932.

Schüler, 1936.

Intellektueller in schlackernden
›Oxford Bags‹, 30er Jahre.

Pall Mall, London.

*Die Polo-Mannschaft
des britischen Unterhauses,
rechts Winston Churchill, 1925.*

Nannys und Kinder im Hyde Park,
auf dem Dreirad:
Prinzessin Elisabeth, 1932.

Debütantin der Londoner Saison,
1932.

*Friedensdemonstration
in London, 1932.*

gereizt. »Fragen Sie Tony Kroesig, der weiß alles. Also, auf Wiedersehen Fanny, ich muß sehen, was ich tun kann.«

Und er tat etwas – er schenkte Linda ein Häuschen weit unten am Cheyne Walk. Es war das netteste Puppenhaus, das man je gesehen hat, an der großen Biegung der Themse, wo auch Whistler gewohnt hat. Die Lichtreflexe vom Fluß und das Licht der südlichen oder westlichen Sonne erfüllten die Zimmer; das Haus war mit Wein bewachsen und hatte einen Trafalgar-Balkon. Linda fand es himmlisch. Das nach Osten gewandte Gebäude am Bryanston Square war anfangs dunkel, kalt und pompös gewesen. Nachdem Linda es von einem befreundeten Innenarchitekten hatte renovieren lassen, war es weiß, kalt und gruftähnlich geworden. Der einzige schöne Gegenstand, den sie besessen hatte, war ein Bild, eine dicke, tomatenrote Badende, das ihr Lord Merlin geschenkt hatte, um die Kroesigs zu ärgern. Es hatte sie tatsächlich geärgert, sogar sehr. Nun, in dem Haus am Cheyne Walk tat dieses Bild eine wunderbare Wirkung, man konnte kaum sagen, wo die Reflexe des wirklichen Wassers endeten und wo der Renoir begann. Die Freude, die diese neue Umgebung Linda bereitete, die Erleichterung darüber, daß sie die Kroesigs ein für allemal los war, hatte sie Christian zu verdanken, so muß es ihr jedenfalls vorgekommen sein, von ihm schien alles auszugehen. Die Entdeckung, daß die wirkliche Liebe und das wirkliche Glück ein weiteres Mal an ihr vorübergegangen waren, verzögerte sich dadurch um eine ganze Weile.

14

Die Radletts waren über die ganze Affaire mit Linda schockiert und entsetzt, aber sie mußten auch an ihre anderen Kinder denken, und gerade jetzt trafen sie Vorbereitungen, um die bildhübsche Jassy in die Gesellschaft einzuführen. Jassy, so hofften sie, würde ein Ausgleich für die Enttäuschung mit Linda sein. Sehr unfair, aber vollkommen typisch für die Radletts war es, daß Louisa, die ganz und gar den Wünschen ihrer Eltern gemäß geheiratet hatte, eine treue Ehefrau und inzwischen Mutter von fünf Kindern war, in den Augen dieser Eltern kaum zählte. Irgendwie erschien sie ihnen sogar ziemlich langweilig.

Jassy besuchte zusammen mit Tante Sadie in London ein paar Bälle gegen Ende der Saison, gleich nachdem Linda Tony verlassen hatte. Sie galt als zartbesaitet, und Tante Sadie war der Ansicht, es werde ihr besser bekommen, wenn die wirkliche Einführung in der weniger anstrengenden Herbstsaison stattfand. So mietete sie denn im Oktober ein kleines Haus in London, in dem sie sich mit ein paar Dienstboten einrichten wollte, während Onkel Matthew auf dem Land blieb, um dem Geflügel und anderem Getier nachzustellen. Jassy beklagte sich heftig, daß die jungen Männer, die sie bisher kennengelernt habe, langweilig und gräßlich seien, aber Tante Sadie nahm keine Notiz davon. Sie sagte, alle Mädchen würden am Anfang so denken, bis sie sich dann verliebten.

Kurz bevor sie nach London übersiedeln wollten,

lief Jassy davon. Sie hatte zuvor noch vierzehn Tage bei Louisa in Schottland verbringen sollen, hatte ihren Besuch jedoch ohne Wissen von Tante Sadie abgesagt, hatte ihre Ersparnisse abgehoben und war, bevor überhaupt jemand bemerkt hatte, daß sie fort war, in Amerika angekommen. Völlig unerwartet bekam die arme Tante Sadie ein Telegramm, in dem es hieß: »Unterwegs nach Hollywood. Macht euch keine Sorgen. Jassy.«

Die Radletts standen vor einem Rätsel. Nie hatte Jassy das geringste Interesse am Theater oder am Film gezeigt; sie waren überzeugt, daß sie nicht den Wunsch hatte, Filmstar zu werden, aber warum dann Hollywood? Da fiel ihnen ein, daß Matt etwas wissen könnte, er und Jassy waren die beiden Unzertrennlichen in der Familie. Also bestieg Tante Sadie den Daimler und ließ sich nach Eton fahren. Matt konnte tatsächlich alles aufklären. Er erzählte Tante Sadie, daß Jassy sich in einen Filmstar namens Gary Coon (oder Cary Goon, das wußte er nicht mehr) verliebt hatte, daß sie ihm nach Hollywood geschrieben und ihn gefragt hatte, ob er verheiratet sei, und daß sie Matt erzählt hatte, wenn nicht, werde sie auf der Stelle hinfahren und ihn selbst heiraten. Matt, der gerade im Stimmbruch war, erzählte das alles halb wie ein Erwachsener, halb wie ein Kind – und so, als sei es das Normalste von der Welt.

»Deshalb nehme ich an«, so schloß er seinen Bericht, »daß sie einen Brief bekommen hat, in dem steht, er sei nicht verheiratet, und daß sie gleich losgefahren ist. Zum Glück hatte sie ja ihr Weglauf-Geld. Wie wäre es mit einer kleinen Teemahlzeit, Ma?«

So sehr sie von ihren Sorgen in Anspruch genommen

wurde, wußte Tante Sadie doch, was sich gehörte und was von ihr erwartet wurde, also setzte sie sich zu Matt und sah zu, wie er Wurst und Hummer, Eier und Schinken, gebratene Seezunge, Bananencreme und einen Becher Schokoladeneis verputzte.

Wie immer in Krisenzeiten ließen die Radletts Davey kommen, und wie immer erwies sich Davey als Herr der Situation. Im Nu fand er heraus, daß Cary Goon ein zweitklassiger Filmschauspieler war, den Jassy gesehen haben mußte, als sie im Sommer die letzten Partys in London besucht hatte. Er hatte in einem Film mit dem Titel *One Splendid Hour,* der damals lief, mitgespielt. Davey besorgte den Film, und Lord Merlin führte ihn bei einer Benefizvorstellung für die Familie in seinem Privatkino vor. Er handelte von Piraten, und Cary Goon war nicht einmal der Held, er war bloß ein Pirat, und es gab nichts, was ihn besonders auszeichnete; er sah nicht besonders gut aus, hatte kein besonderes Talent, keinen besonderen Charme, wohl aber eine gewisse Geschicklichkeit beim Herumklettern in den Wanten. Und außerdem tötete er einen Mann mit einer Waffe, die dem Schanzspaten nicht unähnlich war, und dies, so meinten wir, hatte in Jassys Busen vielleicht irgendeine atavistische Gefühlsregung ausgelöst. Der Film selbst war von jener Art, aus der der gewöhnliche Engländer, im Gegensatz zum Film-Fan, nicht recht schlau wird, und jedesmal, wenn Cary Goon auftrat, mußte die Szene für Onkel Matthew wiederholt werden, der fest entschlossen war, sich keine Einzelheit entgehen zu lassen. Er machte absolut keinen Unterschied zwischen dem Schauspieler und seiner Rolle und sagte immer wieder:

»Weshalb macht dieser Kerl das denn jetzt? Verdammter Dummkopf, kann sich doch denken, daß das ein Hinterhalt ist. Ich verstehe kein Wort von dem, was er sagt – lassen Sie das letzte noch mal laufen, Merlin.«

Am Ende erklärte er, der Bursche gefalle ihm überhaupt nicht, er halte anscheinend keine Disziplin, und zu seinem befehlshabenden Offizier sei er sehr unverschämt gewesen. »Sollte sich die Haare schneiden lassen!« und »Es würde mich nicht wundern, wenn er trinkt.«

Onkel Matthew verabschiedete sich sehr höflich von Lord Merlin. Alter und Unglück schienen ihn zu besänftigen.

Nach ausgiebigen Beratungen wurde beschlossen, daß ein Mitglied der Familie, aber nicht Tante Sadie oder Onkel Matthew, nach Hollywood reisen solle, um Jassy heimzuholen. Aber wer? Linda wäre natürlich am besten geeignet gewesen, aber sie war in Ungnade gefallen, und außerdem war sie viel zu sehr mit ihrem eigenen Leben beschäftigt. Es hätte keinen Zweck gehabt, eine Hopse loszuschicken, um die andere zurückzuholen, also mußte ein anderer gefunden werden. Am Ende und nach dem Einsatz von allerlei Überredungskünsten (»kommt mir irrsinnig ungelegen, gerade jetzt, wo ich diese *piqûres*-Kur begonnen habe«) erklärte sich Davey bereit, die Reise mit Louisa, der guten, verständigen Louisa, zu machen.

Als man das beschlossen hatte, war Jassy schon in Hollywood angekommen, hatte ihre Heiratsabsichten in alle Welt hinausposaunt, und der ganze Fall kam in die Zeitungen, die ihm (es war gerade Saure-Gurken-Zeit) ganze Seiten widmeten und eine Fortsetzungsgeschichte daraus machten. Über Alconleigh brach jetzt eine Art von Belagerungszustand herein. Journalisten trotzten Onkel Matthews Viehpeitschen, seinen Bluthunden und seinen fürchterlichen blauen Blitzen, trieben sich im Dorf herum und drangen auf der Suche nach Lokalkolorit sogar ins Haus selbst ein. Ihre Artikel waren ein täglicher Genuß. Onkel Matthew machten sie zu einer Mischung aus Heathcliff, Dracula und dem Earl of Dorincourt, aus Alconleigh wurde Nightmare Abbey oder ein zweites Haus Usher, und Tante Sadie spielte eine ähnliche Rolle wie David Copperfields Mutter. Diese Sonderkorrespondenten legten so viel Mut, Einfallsreichtum und Zähigkeit an den Tag, daß es keinen von uns überraschte, als sie nachher im Krieg so gute Arbeit leisteten. »Kriegsbericht von Soundso ...«

Onkel Matthew sagte dann immer:

»Ist das nicht der verdammte Gulli, den ich damals unter meinem Bett gefunden habe?«

Er genoß die ganze Sache sehr. Hier hatte er es einmal mit Gegnern zu tun, die seiner würdig waren, nicht mit schreckhaften Hausmädchen und weinerlichen Gouvernanten voller verletzter Gefühle, sondern mit zähen, jungen Männern, denen jede Methode recht war, wenn sie nur ins Haus und zu ihrer Story kamen.

Auch genoß er es offensichtlich sehr, in den Zeitungen etwas über sich zu lesen, und wir alle verdächtigten ihn einer heimlichen Lust am öffentlichen Rummel. Tante Sadie hingegen fand dies alles außerordentlich geschmacklos.

Die Radletts hatten es für sehr wichtig gehalten, der Presse zu verheimlichen, daß Davey und Louisa im Begriff waren, zu ihrer Rettungstour aufzubrechen, weil vielleicht gerade das unverhoffte Wiedersehen Jassy zur Rückkehr bewegen würde. Leider konnte sich Davey auf eine so lange, strapaziöse Reise nicht ohne eine eigens für ihn zusammengestellte Reiseapotheke begeben. Das dauerte eine gewisse Zeit, in der sie ein Schiff verpaßten, und als die Apotheke schließlich fertig war, waren ihnen die Spürhunde schon wieder auf den Fersen – dieser unselige Medizinkasten hatte die gleiche verhängnisvolle Rolle gespielt wie das *nécessaire* Marie Antoinettes bei der Flucht nach Varennes.

Mehrere Journalisten begleiteten sie auf der Überfahrt, aber viel kam für sie dabei nicht heraus, denn Louisa litt an Seekrankheit und hütete das Bett, während Davey seine ganze Zeit hinter verschlossener Tür beim Schiffsarzt verbrachte, der feststellte, daß er an einem Darmkrampf litt, welcher sich durch Massage, Bestrahlung, Gymnastik und allerlei Injektionen leicht kurieren ließe – dies alles und das Ausruhen danach nahm jeden Augenblick von Daveys Tag in Anspruch.

Bei ihrer Ankunft in New York aber wurden sie fast in Stücke gerissen, und gemeinsam mit allen Angehörigen der beiden großen englischsprechenden Nationen konnten wir jeden Schritt, den sie taten, verfolgen. Sogar in der Filmwochenschau wurden sie gezeigt, sehr gequält blickten sie drein und versteckten ihre Gesichter hinter Büchern.

Die Reise erwies sich als nutzlos. Zwei Tage nach der Ankunft von Davey und Louisa in Hollywood wurde aus Jassy Mrs. Cary Goon. Louisa telegraphierte die Neuigkeit nach Hause und setzte hinzu: »Cary ist ein phantastischer Hon.«

Einen Trost gab es immerhin: Nach der Heirat war die Zeitungsstory zu Ende.

»Er ist wirklich ein lieber Kerl«, meinte Davey bei

seiner Rückkehr. »Ein kleiner Mann, wie aus dem Ei gepellt. Ich bin sicher, Jassy wird irrsinnig glücklich mit ihm.«

Tante Sadie aber war davon nicht überzeugt, und ein Trost war es für sie auch nicht. Sie fand, es sei ein hartes Schicksal, daß sie eine hübsche, liebe Tochter großgezogen hatte, damit diese Tochter dann schließlich einen kleinen Mann heiratete, der wie aus dem Ei gepellt war, und mit ihm Tausende von Meilen weit entfernt lebte. Die Übernahme des Hauses in London wurde rückgängig gemacht, und die Radletts versanken in solchen Trübsinn, daß sie den nächsten Schlag, als er sie traf, mit Fatalismus hinnahmen.

Matt mit seinen sechzehn Jahren lief aus Eton weg und zog, ebenfalls im grellen Licht der Öffentlichkeit, in den Spanischen Bürgerkrieg. Tante Sadie war darüber sehr bekümmert, anders, glaube ich, als Onkel Matthew. Für ihn war der Wunsch zu kämpfen etwas völlig Natürliches, wenngleich er es sehr bedauerte, daß Matt für Ausländer kämpfte. Gegen die spanischen Roten hatte er im Grunde nichts einzuwenden, das waren mutige Burschen, und sie hatten Verstand genug gehabt, einen Haufen götzendienerischer Mönche, Nonnen und Priester umzulegen, ein Vorgehen, das er billigte, aber es war wirklich ein Jammer, in einem zweitklassigen Krieg zu kämpfen, wenn ein erstklassiger so kurz bevorstand. Es wurde beschlossen, daß nichts unternommen werden sollte, um Matt zurückzuholen.

Auf dem Weihnachtsfest in Alconleigh ging es in diesem Jahr sehr traurig zu. Die Kinder schienen sich zu verflüchtigen wie die Zehn kleinen Negerlein. Bob und Louisa, die ihren Eltern ihr Leben lang keine unruhige Minute beschert hatten, John Fort William, so langweilig wie eh und je, und Louisas Kinder, nett und lieb, aber ohne jede Originalität, konnten das Fehlen von Linda, Matt und Jassy nicht wettmachen, während sich Robin und Victoria, die wie immer voller Streiche und Narreteien steckten, vor der ganzen Atmosphäre nur zu retten wußten, indem sie sich so oft wie möglich im Wäscheschrank der Hons verkrochen.

Sobald ihre Scheidung ausgesprochen war, heiratete Linda in der Caxton Hall. Diese Hochzeit unterschied sich von ihrer ersten so sehr, wie sich die linken Parteien von den anderen unterscheiden. Es war nicht direkt traurig, aber irgendwie freudlos und bedrückend, und ein Gefühl von Beglückung wollte sich nicht einstellen. Von Lindas Freunden war kaum jemand gekommen und von ihren Verwandten niemand außer Davey und mir; Lord Merlin schickte zwei Aubussonteppiche und ein paar Orchideen, aber er selbst erschien nicht. Die Plauderer der Zeit vor Christian waren aus Lindas Leben verschwunden und beklagten jetzt lauthals, wieviel dadurch ihrem eigenen fehlte.

Christian hatte sich verspätet, aber schließlich kam er angehastet, gefolgt von mehreren Genossen.

»Er sieht glänzend aus, das muß ich sagen«, flüsterte mir Davey ins Ohr, »dennoch, mir kann das Ganze hier gestohlen bleiben!«

Es gab kein Hochzeitsessen, und nach ein paar Augenblicken, in denen alle unschlüssig und ziemlich verlegen vor dem Saal herumstanden, gingen Linda und Christian nach Hause. Ich kam mir wie eine Provinzlerin vor, die einen Tag in London verbrachte und etwas vom pulsierenden Leben der Stadt mitbekommen wollte, deshalb ließ ich mich von Davey zum Luncheon ins Ritz einladen. Aber das deprimierte mich nur noch mehr. Meine Kleider, die im »George« in Oxford so schick und gut aussahen und mir die Bewunderung der anderen Professorenfrauen eintrugen (»Meine Liebe, woher haben Sie diesen herrlichen Tweed?«), wirkten, wie ich bald bemerkte, in dieser Umgebung fast grotesk altmodisch, genau wie damals mit den flatternden Tafteinsätzen. Ich dachte an meine lieben, schwarzhaarigen Kinder in ihrem Kinderzimmer – es waren inzwischen drei – und an den lieben Alfred in seinem Arbeitszimmer, aber im Augenblick war dieser Gedanke überhaupt nicht tröstlich. Mich packte ein brennendes Verlangen nach einer schicken Pelzkappe oder einem netten Hut mit Straußenfedern, wie die beiden Damen am Nebentisch sie trugen. Mich verlangte nach einem eleganten schwarzen Kleid, nach Diamanten-Clips, einem dunklen Nerzmantel, nach Absätzen, so hoch wie orthopädische Schuhe, nach langen schwarzen Veloursleder-handschuhen und glattem, glänzendem Haar. Als ich versuchte, Davey das alles zu erklären, meinte er geistesabwesend:

»Ach, Fanny, *du* brauchst das alles doch gar nicht, und woher willst du die Zeit für *les petits soins de la personne* nehmen, wo du an so viel andere, wichtigere Dinge denken mußt.«

Wahrscheinlich glaubte er, das würde mich aufmuntern.

Bald nach der Hochzeit nahmen die Radletts Linda wieder in den Schoß der Familie auf. Zweitehen geschiedener Leute zählten für sie einfach nicht, und Victoria hatte sich eine scharfe Rüge eingehandelt, als sie einmal sagte, Linda sei mit Christian verlobt.

»Man kann sich nicht verloben, wenn man verheiratet ist.«

Nicht die Trauung hatte sie besänftigt – in ihren Augen lebte Linda seither im Zustand des Ehebruchs –, aber sie brauchten Linda einfach so sehr, daß sie den Streit nicht weitertreiben mochten. Das dünne Ende des Keils (Luncheon mit Tante Sadie bei *Gunters*) wurde angesetzt, und bald war zwischen ihnen wieder alles beim alten. Linda fuhr ziemlich oft nach Alconleigh, aber ohne Christian mitzunehmen, denn sie fand, damit sei niemandem gedient.

Linda und Christian wohnten in dem Haus am Cheyne Walk, und wenn Linda nicht so glücklich war, wie sie es erhofft hatte, so ließ sie wie gewöhnlich nach außen nichts davon erkennen. Christian liebte sie gewiß sehr, und auf seine Art versuchte er, freundlich zu ihr zu sein. Aber er war, wie es Lord Merlin prophezeit hatte, viel zu distanziert, um eine normale Frau glücklich zu machen. Wochenlang schien er ihre Anwesenheit kaum zu bemerken; ein andermal verschwand er, tauchte tagelang nicht auf und war viel zu beschäftigt, um ihr mitzuteilen, wo er gerade war oder wann sie ihn zurückerwarten konnte. Er aß und schlief, wohin ihn der Zufall verschlug – auf einer Bank in der St. Pancras Station, oder er hockte sich einfach auf die Schwelle irgendeines leerstehenden Hauses. Das Haus am Cheyne Walk war immer voller Genossen, die nicht mit Linda plauderten, sondern einander Vorträge hielten, herumhetzten, telephonierten, auf der Schreibmaschine tippten, tranken und nicht selten in ihren Klei-

dern, aber immerhin ohne Schuhe, auf Lindas Wohn-
zimmersofa schliefen.

Die Geldsorgen nahmen zu. Es sah zwar so aus, als
würde Christian nie Geld ausgeben, aber er hatte eine
beunruhigende Art, das, was er hatte, zu verpulvern.
Er leistete sich nur wenige, aber kostspielige Ver-
gnügungen, und eine seiner Lieblingsbeschäftigungen
bestand darin, führende Nazis in Berlin und andere
Politiker in Europa anzurufen und sie in langen Tele-
phongesprächen, die Minute für Minute viele Pfund
verschlangen, an der Nase herumzuführen. »Einem
Anruf aus London können sie einfach nicht widerstehen«, pflegte er zu sagen, und leider hatte er recht.
Schließlich wurde das Telephon zu Lindas großer
Erleichterung abgeschaltet, weil sie die Rechnung nicht
bezahlen konnten.

Ich muß sagen, daß wir beide, Alfred und ich, Christian sehr gern hatten. Wir waren selbst rot ange-
hauchte Intellektuelle, begeisterte Leser des *New
Statesman,* so daß seine Anschauungen, auch wenn sie
radikaler waren als die unseren, von der gleichen
Grundlage, von Freiheit und Menschenwürde, aus-
gingen, und, mit Tony verglichen, sahen wir in ihm
einen gewaltigen Fortschritt. Dennoch, als Lindas
Ehemann war er hoffnungslos. Ihre Sehnsucht nach
Liebe war ganz individuell, ganz auf ihre eigene Person bezogen; die allumfassende Liebe zu denen, die
arm, traurig und unattraktiv waren, hatte für sie keinen Reiz, obwohl sie aufrichtig bemüht war, sich so
etwas einzureden. Je häufiger ich Linda damals sah,
desto sicherer war ich mir, daß ein weiterer Hopser
bald bevorstand.

An zwei Tagen der Woche arbeitete Linda in einem

Roten Buchladen. Er wurde von einem äußerst schweigsamen Genossen, einem riesigen Kerl namens Boris, geleitet. Zwischen Donnerstagnachmittag, wenn in diesem Bezirk alle Geschäfte geschlossen hatten, und Montagmorgen liebte es Boris, sich zu betrinken, und deshalb erbot sich Linda, den Laden am Freitag und Samstag zu übernehmen. Es trat nun eine seltsame Verwandlung ein. Die Bücher und Broschüren, die dort Monat für Monat vor sich hinmoderten und immer feuchter und staubiger wurden, bis sie schließlich weggeworfen werden mußten, verschwanden im Hintergrund, und statt dessen legte Linda ihre wenigen, aber hochgeschätzten Lieblingsbücher ins Fenster. *Wohin treibt die British Airways?* wurde ersetzt durch *In vierzig Tagen um die Welt*, *Karl Marx – die Jahre der Entwicklung* durch *Werdegang einer Marquise* und *Der Riese im Kreml* durch *Tagebuch eines Niemand*, während an die Stelle der *Kampfansage an die Grubenbesitzer* die *Bergwerke des König Salomon* traten.

Kaum war Linda an ihren Tagen morgens eingetroffen und hatte die Jalousien hochgezogen, da füllte sich das verkommene Sträßchen auch schon mit Automobilen, vorneweg Lord Merlin in seiner Elektrolimousine. Lord Merlin machte viel Reklame für den Laden und erzählte überall, Linda sei die einzige, die es je geschafft habe, *Froggie's Little Brother* und *Le Père Goriot* für ihn ausfindig zu machen. Nun tauchten erneut in hellen Scharen die Plauderer auf, entzückt darüber, Linda wieder so zugänglich und ohne Christian zu finden, und nur manchmal gab es peinliche Momente, wenn sie nämlich mit irgendwelchen Genossen zusammentrafen. Dann kauften sie hastig ein Buch und traten den Rückzug an, nur Lord Merlin nicht, der noch nie im Leben die Fassung verloren hatte. Er begegnete den Genossen mit großer Entschiedenheit.

»Wie geht es Ihnen heute?« fragte er mit großem Nachdruck und funkelte sie so lange zornig an, bis sie das Geschäft verließen.

Das alles wirkte sich außerordentlich vorteilhaft auf die finanzielle Lage des Unternehmens aus. Statt Woche für Woche enorme Verluste zu erwirtschaften, die irgendwie – man konnte sich denken, woher – ausgeglichen werden mußten, war Lindas Geschäft bald der einzige Rote Buchladen in ganz England, der einen Gewinn abwarf. Boris wurde von seinen Vorgesetzten in den höchsten Tönen gelobt, der Laden bekam eine Medaille, die auf das Ladenschild geklebt wurde, und die Genossen sagten, Linda sei ein liebes Mädchen und ein Gewinn für die Partei.

Ihre übrige Zeit verbrachte sie damit, für Christian und die Genossen den Haushalt zu führen, und dazu gehörten ihre heftigen Bemühungen, eine nicht abreißende Kette von Hausmädchen zum Bleiben zu bewegen, ebenso wie ihre ehrlich gemeinten, aber leider vergeblichen Anstrengungen, diese Mädchen zu vertreten, wenn sie wieder gegangen waren, was im allgemeinen nach Ablauf einer Woche der Fall war. Gegenüber Hausmädchen benahmen sich die Genossen nämlich nicht besonders nett oder rücksichtsvoll.

»Weißt du, konservativ sein, ist sehr viel geruhsamer«, sagte mir Linda einmal in einem schwachen Augenblick, als sie mit ungewohnter Offenheit über ihr Leben sprach, »obgleich man nie vergessen darf, daß es nicht gut, sondern schlecht ist. Aber es findet innerhalb fester Zeiten statt, und danach ist Schluß, während der Kommunismus anscheinend das ganze Leben und die ganze Kraft verzehrt. Außerdem sind die Genossen echte Hons, aber manchmal machen sie mich furchtbar wütend, genauso wie Tony einen wütend machen konnte, wenn er über die Arbeiter sprach. Das gleiche Gefühl habe ich oft, wenn sie von uns sprechen – verstehst du, genau wie bei Tony, sie haben nichts begriffen. Ich bin dafür, wenn sie Sir Leicester aufknüpfen, aber wenn sie sich an Tante Emily und Davey oder auch an Pa heranmachen würden – ich glaube nicht, daß ich das mitansehen könnte. Man ist eben weder Fisch noch Fleisch, das ist das schlimme.«

»Aber es gibt doch einen Unterschied zwischen Sir Leicester und Onkel Matthew«, sagte ich.

»Das versuche ich ihnen ja andauernd zu erklären. Sir Leicester rafft sein Geld in London zusammen, weiß der Himmel, wie, aber Pa holt es aus seinem Land, und einen großen Teil steckt er wieder hinein, nicht nur Geld, auch Arbeit. Und überlege mal, was er alles ohne Bezahlung tut – diese langweiligen Versammlungen. Grafschaftsrat, Friedensrichter und so weiter. Und er ist ein guter Grundbesitzer, er kümmert sich. Weißt du, die Genossen kennen das Land nicht – sie hatten keine Ahnung, daß man ein schönes Haus mit einem großen Garten für 2 Shilling 6 Pence die Woche bekommen kann, bis ich es ihnen erzählte, und dann wollten sie es mir kaum glauben. Christian weiß es, aber er sagt, der Fehler liege im System, und ich nehme an, da liegt er auch.«

»Was macht Christian eigentlich genau?«

»Ach, alles mögliche. Im Augenblick schreibt er gerade ein Buch über den Hunger – meine Güte, es ist ja wirklich schlimm –, aber da kommt nun immer so ein netter, kleiner chinesischer Genosse zu uns und erzählt ihm, was Hunger ist – so einen dicken Menschen hast du noch nie gesehen!«

Ich lachte.

Schuldbewußt fügte Linda rasch hinzu:

»Na ja, es sieht vielleicht so aus, als wollte ich mich über die Genossen lustig machen, aber man weiß doch zumindest, daß sie etwas Gutes tun und nichts Böses, sie leben auch nicht von der Sklaverei anderer Menschen, wie Sir Leicester, und ich habe sie wirklich gern, weißt du, auch wenn ich mir manchmal wünschte, daß sie ein bißchen geselliger und gesprächiger wären und nicht ganz so traurig und ernst und verbiestert.«

15

Zu Beginn des Jahres 1939 strömte die Bevölkerung von Katalonien über die Pyrenäen ins Roussillon, eine arme, wenig bekannte französische Provinz, die nun binnen weniger Tage von mehr Spaniern als Franzosen bewohnt war. Wie die Lemminge, die sich in einem Massenselbstmord von der norwegischen Küste ins Meer stürzen, ohne zu wissen, woher und wohin, so ergriffen von einem auf den anderen Tag eine halbe Million Männer, Frauen und Kinder, ohne sich lange zu besinnen, die Flucht in die Kälte des Gebirges. Es war in der Kürze der Zeit, die sie benötigten, die größte Völkerwanderung seit Menschengedenken. Aber jenseits der Berge fanden sie nicht das Land der Verheißung; die französische Regierung, unschlüssig, wie zu verfahren sei, jagte sie zwar nicht mit Maschinengewehren über die Grenze zurück, aber sie hieß sie auch nicht als Waffenbrüder im Kampf gegen den Faschismus willkommen. Sie trieb diese Menschen wie eine Viehherde in die unwirtlichen Salzsümpfe an der Mittelmeerküste und pferchte sie wie eine Viehherde hinter Stacheldraht ein, um sie dann einfach zu vergessen.

Christian, der, wie ich glaube, immer ein schlechtes Gewissen gehabt hatte, weil er nicht in Spanien gekämpft hatte, machte sich sofort auf den Weg nach Perpignan, um zu sehen, was dort vor sich ging und wo etwas getan werden konnte. Er schrieb zahllose Berichte, Memoranden, Zeitungsartikel und private Briefe über die Lebensbedingungen, die er in den Lagern vorfand, und machte sich dann an die Arbeit – in einem Büro, das von verschiedenen humanitär gesinnten Engländern finanziert wurde und die Aufgabe hatte, die Situation in den Lagern zu verbessern, die Flüchtlingsfamilien wieder zusammenzuführen und so viele wie möglich aus Frankreich herauszubringen. Geleitet wurde das Büro von einem jungen Mann namens Robert Parker, der viele Jahre in Spanien gelebt hatte. Sobald klar wurde, daß eine Typhusepidemie, die man zunächst befürchtet hatte, nicht zu erwarten war, schrieb Christian an Linda, sie möge zu ihm nach Perpignan kommen.

Es verhielt sich nun so, daß Linda in ihrem ganzen Leben noch nie im Ausland gewesen war. Tony hatte alles, was er zu seinem Vergnügen – Jagen, Schießen, Golf – brauchte, in England gefunden und war immer dagegen gewesen, zusätzliche Ferientage mit unnötigem Herumreisen zu verschwenden; und den Radletts wäre es nie in den Sinn gekommen, den Kontinent zu besuchen, es sei denn, um zu kämpfen. Aus den vier Jahren, die Onkel Matthew zwischen 1914 und 1918 in Frankreich und Italien verbrachte, hatte er keinen günstigen Eindruck von den Ausländern mit nach Hause gebracht.

»Frogs«, so sagte er, »sind zwar etwas besser als Hunnen oder Wops, aber im Ausland ist es einfach grauenhaft, Ausländer sind Teufel.«

Die Grauenhaftigkeit des Auslandes und der teuflische Charakter der Ausländer waren als Glaubensartikel in den Anschauungen der Radletts so fest verankert, daß Linda sich nicht ohne Beklommenheit auf ihre Reise begab. Als ich mich auf der Victoria Station von ihr verabschiedete, wirkte sie außerordentlich englisch in ihrem langen, hellen Nerz, den *Tatler* unter den Arm geklemmt und Lord Merlins Reisenecessaire aus Saffianleder unter einem Leinenüberzug in der Hand.

»Ich hoffe, du hast deinen Schmuck auf die Bank gebracht«, sagte ich.

»Oh, Liebling, mach keine Witze, du weißt doch, daß ich gar keinen mehr besitze. Aber mein Geld«, fuhr sie mit leicht verlegenem Kichern fort, »ist in mein Korsett eingenäht. Pa rief an und bat mich inständig darum, und ich muß sagen, ich fand die Idee gut. Ach, warum kommst du nicht mit? Ich bin so ängstlich – stell dir vor, in einem Zug schlafen, und ganz allein.«

»Vielleicht bist du gar nicht allein«, sagte ich, »soviel ich weiß, sind alle Ausländer nur darauf aus, Frauen zu vergewaltigen.«

»Das könnte ja ganz nett sein – solange sie mein Korsett nicht finden. Oh, wir fahren ja schon – auf Wiedersehen, Liebling, denk an mich«, rief sie noch, ballte ihre in einem Velourslederhandschuh steckende Faust und streckte sie zum kommunistischen Gruß aus dem Wagenfenster.

Ich muß erklären, warum ich über das, was Linda nun widerfuhr, so genau Bescheid weiß, obwohl ich sie ein ganzes Jahr lang nicht zu Gesicht bekam. Aber wie man noch sehen wird, waren wir danach lange beisammen und hatten sehr viel Zeit; damals erzählte sie mir alles, immer wieder. Es war ihre Art, das Glück noch einmal lebendig werden zu lassen.

Natürlich war die Reise für sie das reinste Vergnügen. Die Kofferträger in ihren blauen Kitteln, die lauten, schrillen Unterhaltungen, von denen sie kein Wort verstand, obwohl sie glaubte, Französisch einigermaßen zu beherrschen, die stickige, knoblauchgeschwängerte Hitze in dem französischen Zug, das köstliche Essen, zu dem sie von einer kleinen vorüberhastenden Glocke gerufen wurde, alles war wie aus einer anderen Welt, wie ein Traum.

Sie sah aus dem Fenster und erblickte Schlösser und Lindenalleen, Teiche und Dörfer, genau wie die in der *Bibliothèque Rose* – jeden Moment erwartete sie, Sophie zu sehen, in ihrem weißen Kleid, mit den unnatürlich kleinen, schwarzen Pumps an den Füßen und lauter Unsinn im Kopf, wie sie sich das frische Brot und die Sahne schmecken läßt oder ihrem gutmütigen Paul den Kopf krault. Lindas sehr gestelztes, sehr englisches Französisch brachte sie ohne Schwierigkeiten quer durch Paris in den Zug nach Perpignan. Paris. Sie sah aus dem Zugfenster die hell erleuchteten Straßen in der Dämmerung und dachte, daß keine andere Stadt je so beklemmend schön sein könne.

Ein seltsamer, verirrter Gedanke schoß ihr durch den Kopf: Eines Tages würde sie hierher zurückkehren und sehr glücklich sein; dabei wußte sie, daß dies nicht sehr wahrscheinlich war, Christian würde niemals in Paris leben wollen. In ihren Gedanken waren Christian und das Glück damals noch miteinander verbunden.

In Perpignan traf sie ihn in hektischer Betriebsamkeit. Geld war aufgetrieben und ein Schiff gechartert worden, und sechstausend Spanier sollten aus den Lagern nach Mexiko geschickt werden. Daraus ergaben sich ungeheure Organisationsprobleme, denn die Familien (kein Spanier dächte je daran, ohne die ganze Familie auszuwandern) mußten aus den verschiedenen Lagern der Umgebung zusammengeholt, in einem Lager bei Perpignan versammelt und dann mit dem Zug zum Hafen von Sète gebracht werden, wo sie sich schließlich einschiffen sollten. Die Arbeit wurde dadurch sehr erschwert, daß spanische Ehemänner nicht den gleichen Nachnamen wie ihre Frauen tragen. Linda war kaum aus dem Zug gestiegen, da hatte ihr Christian dies alles schon erklärt; er gab ihr einen zerstreuten Kuß auf die Stirn und schaffte sie auf dem schnellsten Weg ins Büro, ließ ihr kaum Zeit, das Gepäck unterwegs im Hotel abzustellen, und den Gedanken, daß sie vielleicht gern ein Bad nehmen würde, wischte er einfach beiseite. Er fragte sie nicht, wie es ihr gehe und ob sie eine angenehme Reise gehabt habe – Christian ging immer davon aus, daß es den Leuten gut ging, sofern sie ihm nichts anderes sagten, und auch dann nahm er es nicht zur Kenntnis, außer wenn es sich um Mittellose, Farbige, Unterdrückte, Aussätzige oder andere unattraktive Fremde handelte. Eigentlich interessierte er sich nur für Massenelend, um Einzelfälle, so echt ihre Not auch sein mochte, kümmerte er sich nie sonderlich, und die Vorstellung, daß jemand drei ordentliche Mahlzeiten am Tag und ein Dach über dem Kopf haben könnte und sich trotzdem unglücklich oder unwohl fühlte, war für ihn ein unerträglicher Unsinn.

Das Büro war ein großer Schuppen, der von einem Hof umgeben wurde. In diesem Hof wimmelte es ständig von Flüchtlingen mit Bergen von Gepäck und einer Unzahl von Kindern, Hunden, Eseln und anderen Habseligkeiten. Alle diese Menschen hatten sich auf ihrer Flucht vor dem Faschismus soeben durch das Gebirge gekämpft und hofften nun, die Engländer würden sie vor den Internierungslagern bewahren. Einige bekamen Geld geliehen oder eine Eisenbahnfahrkarte in die Hand gedrückt, damit sie zu Verwandten in

Frankreich oder nach Französisch-Marokko fahren konnten, aber die meisten von ihnen warteten stundenlang auf eine Unterredung, um dann zu erfahren, daß es für sie keine Hoffnung gab. Mit herzzerreißender Höflichkeit entschuldigten sie sich dann für die Störung und zogen sich zurück. Spanier haben einen ausgeprägten Sinn für Würde.

Hier lernte Linda Robert Parker und Randolph Pine kennen, einen jungen Schriftsteller, der in Südfrankreich eine Art Playboy-Leben geführt und dann in Spanien gekämpft hatte und der nun aus einem gewissen Verantwortungsgefühl für die einstigen Kampfgefährten in Perpignan arbeitete. Sie schienen sich über Lindas Ankunft zu freuen, waren sehr freundlich zu ihr und sagten, es sei nett, ein neues Gesicht zu sehen.

»Ihr müßt mir etwas zu tun geben«, sagte Linda.

»Ja, wir wollen mal überlegen«, erwiderte Robert. »Es gibt massenhaft Arbeit, keine Sorge, wir müssen nur die richtige für dich finden. Sprichst du Spanisch?«

»Nein.«

»Na, das kommt ganz von alleine.«

»Da bin ich mir nicht so sicher«, meinte Linda.

»Verstehst du denn etwas von Sozialarbeit?«

»Ich bin anscheinend ein hoffnungsloser Fall. Nein, nichts, tut mir leid.«

»Lavender wird eine Arbeit für sie finden«, sagte Christian, der sich an einen Tisch gesetzt hatte und in einem Karteikasten blätterte.

»Lavender?«

»Ein Mädchen namens Lavender Davis.«

»Nein! Ich kenne sie gut, auf dem Land früher wohnte sie in der Nachbarschaft. Sie war sogar eine meiner Brautjungfern.«

»Stimmt«, meinte Robert, »sie hat gesagt, daß sie dich kennt, ich hatte es ganz vergessen. Sie ist großartig, eigentlich arbeitet sie für die Quäker in den Lagern, aber sie hilft auch bei uns eine ganze Menge. Sie weiß absolut alles über Kalorien und Babywindeln und werdende Mütter und so weiter, wirklich die tüchtigste Person, die mir je begegnet ist.«

»Ich will dir sagen, was du tun kannst«, warf Randolph Pine ein. »Es gibt eine Aufgabe, die hat bloß auf dich gewartet, die Pläne für die Unterbringung der Leute auf dem Schiff, das nächste Woche abgehen soll.«

»Ja, natürlich«, meinte Robert, »genau das Richtige. Sie kann diesen Tisch hier haben und gleich anfangen.«

»Paß auf«, erklärte Randolph, »ich zeige es dir. (Was für ein köstliches Parfüm, *Après l'Ondie?* Ich dachte es mir.) Also hier ist ein Plan des Schiffes – hier die besten Kabinen, dort die weniger guten Kabinen, dort die miserablen Kabinen und der Stauraum unter den Luken. Und hier ist eine Liste der Familien, die mitfahren. Du brauchst jetzt nur jeder Familie eine Kabine zuzuweisen – wenn du entschieden hast, welche sie bekommen sollen, schreibst du die Nummer der Kabine neben den Familiennamen – hier – siehst du? Und die Nummer der Familie auf die Kabine, so. Ganz einfach, aber es dauert seine Zeit, und es muß gemacht werden, damit sie wissen, wohin sie mit ihrem Gepäck gehen sollen, wenn sie an Bord kommen.«

»Aber wie soll ich entscheiden, wer die guten bekommt und wer im Laderaum verstaut wird? Ziemlich verzwickt, oder?«

»Eigentlich nicht. Die Sache ist die, es ist ein streng demokratisches Schiff, das nach republikanischen Grundsätzen organisiert wird, Klassen gibt es dort nicht. Ich würde die anständigen Kabinen Familien mit kleinen Kindern und Säuglingen geben. Alles andere kannst du machen, wie du es für richtig hältst. Mach die Augen zu und tippe auf irgendeinen Namen, wenn du willst. Es muß nur gemacht werden, sonst gibt es eine wüste Rauferei um die besten Plätze, wenn sie an Bord gehen.«

Linda sah sich die Liste der Familien an. Es war eine Kartei, für jedes Familienoberhaupt gab es eine Karte, auf der die Zahl und die Namen der Angehörigen eingetragen waren.

»Das Alter ist gar nicht angegeben. Woher soll ich da wissen, ob sie Kleinkinder oder Säuglinge haben?«

»Berechtigte Frage«, meinte Robert.

»Ganz einfach«, erklärte Christian. »Bei Spaniern läßt es sich immer sagen. Vor dem Krieg nannten sie ihre Kinder entweder nach Heiligen oder nach Episoden aus dem Leben der heiligen Jungfrau – Anunciación, Asunción, Purificación, Concepción, Consuelo und so weiter. Seit dem Bürgerkrieg heißen sie Carlos nach Charlie Marx, Federigo nach Freddie Engels oder Estalina nach Stalin (war sehr beliebt, bis die Russen sie plötzlich hängenließen), oder nach ein paar netten Schlagworten wie Solidaridad-Obrera, Libertad und so weiter. Dann weißt du genau, daß die Kinder noch keine drei Jahre alt sind. Einfacher geht's nicht, wirklich.«

In diesem Augenblick erschien Lavender Davis. Es war ganz die alte Lavender, ohne Schick, gesund und unansehnlich, in einem Tweedkleid aus der englischen Provinz und mit unförmigen Straßenschuhen an den Füßen. Ihr kurzes braunes Haar war leicht gekräuselt, und sie war ohne Make-up. Sie begrüßte Linda voller

Begeisterung; die Davis hatten sich immer der Täuschung hingegeben, Lavender und Linda seien dick miteinander befreundet. Linda freute sich, sie zu sehen, so wie man sich eben freut, wenn man im Ausland ein bekanntes Gesicht sieht.

»Kommt«, sagte Randolph, »da wir schon alle beisammen sind, wollen wir im Palmarium etwas trinken.« Während der nächsten Wochen, bis das eigene Privatleben wieder ihre Aufmerksamkeit zu beanspruchen begann, lebte Linda in einer Atmosphäre, in der Erstaunen und Erschrecken einander ständig abwechselten. Sie fing an, Perpignan zu lieben, dieses fremdartige, alte Städtchen, das so anders war als alle, die sie schon kannte, mit seinem Fluß und den breiten Kais, seinem Gewirr enger Straßen, den riesigen, urwüchsigen Platanen, und ringsum das eintönige Weinland des Roussillon, das vor ihren Augen in sommerliches Grün ausbrach. Der Frühling war spät und nur zögernd gekommen, aber als er da war, folgte ihm der Sommer auf dem Fuße, und mit einem Schlag kam die Hitze. Jeden Abend tanzten die Menschen in den Dörfern unter den Platanen auf Tanzflächen aus Beton. An den Wochenenden machten die Engländer ihr Büro zu – eine tief verwurzelte nationale Gewohnheit, die sich nicht ausmerzen ließ – und fuhren zum Baden oder um sich zu sonnen an die Küste nach Collioure, oder sie unternahmen Ausflüge in die Pyrenäen.

Aber mit dem Grund für ihre Anwesenheit in dieser bezaubernden Gegend, mit den Lagern, hatte das alles nichts zu tun. Linda kam fast jeden Tag in die Lager, und sie erfüllten ihre Seele mit Verzweiflung. Da sie in Ermangelung spanischer Sprachkenntnisse im Büro nicht viel helfen konnte, und auch bei den Kindern nicht, weil sie nichts von Kalorien verstand, setzte man sie als Fahrerin ein, und nun war sie ständig mit einem Ford-Lieferwagen voller Nahrungsmittel oder voller Flüchtlinge unterwegs oder erledigte Botendienste zwischen dem Büro und den Lagern. Oft mußte sie stundenlang warten, während ein bestimmter Mann gesucht und sein Fall bearbeitet wurde, und bald bildete sich dann ein Kreis von Männern um sie, die sich in gebrochenem, kehligem Französisch mit ihr unterhielten. Inzwischen waren die Lager etwas besser organisiert; reinliche, wenn auch deprimierend wirkende Hütten waren in langen Reihen angeordnet, die Menschen bekamen regelmäßig ihre Mahlzeiten, die zwar nicht sonderlich schmackhaft waren, aber immerhin Leib und Seele zusammenhielten. Doch der Anblick Tausender junger, gesunder Menschen, die, hinter Drahtzäunen zusammengepfercht, von ihren Frauen ferngehalten wurden und untätig ihre Tage fristeten, war für Linda eine immerwährende Qual. Nach und nach gelangte sie zu der Ansicht, daß Onkel Matthew recht gehabt hatte – das Ausland, wo solche Dinge geschehen konnten, war tatsächlich einfach grauenhaft, und die Ausländer, die einander so etwas antaten, mußten wirklich Teufel sein.

Eines Tages, als sie wieder einmal so in ihrem Lieferwagen saß und wie üblich den Mittelpunkt einer Gruppe von Spaniern bildete, ertönte eine Stimme:

»Linda, was in aller Welt machst du denn hier?«

Es war Matt.

Seit sie sich das letzte Mal gesehen hatten, schien er um zehn Jahre gealtert, richtig erwachsen und sehr hübsch, die Radlett-Augen tiefblau in einem dunkelbraunen Gesicht.

»Ich habe dich schon ein paarmal gesehen«, sagte er, »und ich dachte, sie hätten dich geschickt, um mich zu holen, also habe ich mich aus dem Staub gemacht, aber dann habe ich erfahren, daß du mit diesem Christian verheiratet bist. War er es, mit dem du Tony davongelaufen bist?«

»Ja«, sagte Linda, »ich hatte ja keine Ahnung. Ich glaubte, du seist schon längst wieder in England.«

»Ach nein«, entgegnete Matt. »Ich bin Offizier, verstehst du, ich muß bei meinen Jungs bleiben.«

»Weiß Mama, daß es dir gut geht?«

»Ja, ich habe ihr geschrieben – jedenfalls, wenn Christian meinen Brief aufgegeben hat.«

»Ich glaube nicht, daß er es getan hat – soviel ich weiß, hat er nie im Leben einen Brief aufgegeben. Er ist wirklich komisch, das hätte er mir doch erzählen können.«

»Er wußte nichts – als Deckadresse habe ich einen Freund von mir angegeben, der ihn weiterleiten sollte. Wollte nicht, daß die Engländer erfahren, daß ich hier bin, sonst würden sie versuchen, mich nach Hause zu schicken.«

»Christian nicht«, sagte Linda. »Nach seiner Meinung sollen die Leute das tun, was sie wollen. Du bist sehr dünn, Matt, brauchst du irgend etwas?«

»Ja, Zigaretten und ein paar Thriller.« Danach traf sich Linda fast jeden Tag mit ihm. Sie erzählte Christian davon, der nur brummte: »Er muß hier weg, bevor der Krieg losgeht. Ich werde mich darum kümmern« – und sie schrieb an ihre Eltern. Das Ergebnis war ein Paket mit Kleidern von Tante Sadie, dessen Annahme Matt verweigerte, und ein Karton voll Vitamintabletten von Davey, die Linda ihm nicht einmal zu zeigen wagte. Er war fröhlich, immer zu Scherzen aufgelegt und gut gelaunt, aber es ist, wie Christian meinte, doch ein Unterschied, ob man sich irgendwo aufhält, weil man bleiben muß, oder weil man es für richtig hält. Aber wie auch immer, um froh zu sein, bedurfte es bei den Radletts wenig.

Die einzige andere frohe Aussicht war das Schiff. Es würde zwar nur wenige tausend Flüchtlinge aus der Hölle befreien, nur einen Bruchteil all derer, die da waren, aber sie würden jedenfalls erlöst und in eine bessere Welt mit der Aussicht auf ein glückliches und nutzbringend angewendetes Leben gebracht werden.

Wenn sie nicht in ihrem Lieferwagen unterwegs war, arbeitete Linda mit aller Kraft an der Aufteilung der Kabinen, und schließlich hatte sie es geschafft, rechtzeitig zur Einschiffung.

Alle Engländer fuhren an diesem großen Tag nach Sète, bei ihnen auch zwei Unterhausabgeordnete und eine Herzogin, die das Unternehmen in London gefördert hatten und nun gekommen waren, um die Frucht ihrer Arbeit zu sehen. Linda fuhr mit dem Bus nach Argèles, um Matt zu besuchen.

»Die spanische Oberklasse muß sehr komisch sein«, sagte sie, »die machen keinen Finger krumm, um den eigenen Leuten zu helfen, sondern überlassen alles Ausländern wie uns.«

»Du kennst die Faschisten nicht«, meinte Matt mit finsterer Miene.

»Der Gedanke kam mir gestern, als ich mit der Herzogin eine Fahrt nach Barcarès machte – ja, warum eigentlich eine englische Herzogin, gibt es in Spanien keine Herzoginnen, und überhaupt, warum arbeiten eigentlich ausschließlich Engländer in Perpignan? Ich kannte in London mehrere Spanier, warum kommen sie nicht her und helfen ein bißchen mit? Sie könnten sich sehr nützlich machen. Sie sprechen vermutlich Spanisch.«

»Pa hatte ganz recht damit, daß die Ausländer Teufel sind«, sagte Matt, »zumindest die aus der Oberklasse. Die anderen Jungs hier sind alle phantastische Hons, das muß ich sagen.«

»Also, ich kann mir nicht vorstellen, daß die Engländer einander so im Stich lassen würden, auch wenn sie zu verschiedenen Parteien gehören. Ich finde, es ist eine Schande.«

Christian und Robert kamen in fröhlicher Stimmung aus Sète zurück. Alles war wie am Schnürchen gegangen, und ein Baby, das während der ersten halben Stunde an Bord zur Welt gekommen war, hatte den Namen Embarcaciòn erhalten. Solche Scherze gefielen Christian ganz besonders. Robert sagte zu Linda:

»Bist du eigentlich nach einem bestimmten Plan vorgegangen, als du die Kabinen verteilt hast, oder wie hast du das gemacht?«

»Warum? War etwas nicht in Ordnung?«

»Es war perfekt. Jeder hatte einen Platz und sah zu, daß er hinkam. Ich habe mich nur gefragt, woran du dich bei der Verteilung der guten Kabinen gehalten hast, das ist alles.«

»Na, ganz einfach«, sagte Linda, »die guten Kabinen gab ich denen, auf deren Karte auch noch ein *Labrador* verzeichnet stand, denn als ich klein war, hatte ich selbst mal einen, und er war so ein phantastischer ..., wirklich süß, weißt du.«

»Aha«, sagte Robert mit gewichtiger Miene, »das erklärt alles. *Labrador* bedeutet auf Spanisch zufällig

189

Arbeiter. Verstehst du, nach deinem Prinzip (wirklich glänzend, äußerst demokratisch) fanden sich die Landarbeiter alle im Luxus wieder und die Intellektuellen im Laderaum. Es wird ihnen eine Lehre sein, daß sie mit ihrer Schlauheit nicht überall durchkommen. Das hast du sehr gut gemacht, Linda, wir waren dir alle sehr dankbar.«

»Er war so ein süßer Labrador«, sagte Linda träumerisch. »Ich wollte, ihr hättet ihn mal gesehen. Tiere fehlen mir hier wirklich.«

»Dann verstehe ich nicht, warum du nicht versuchst, die *sangsue* zu kaufen«, meinte Robert.

Zu den Merkwürdigkeiten von Perpignan gehörte auch ein Blutegel in einer Flasche, die im Schaufenster einer Apotheke stand, daneben ein mit der Schreibmaschine geschriebener Zettel: *Si la sangsue monte dans la bouteille il fera beau temps, si la sangsue descend – l'orage.*

»Das wäre sicher ganz nett«, erwiderte Linda, »aber irgendwie kann ich mir bei dieser *sangsue* nicht vorstellen, daß sie einen liebgewinnt – den ganzen Tag wegen des Wetters unterwegs, auf und ab, auf und ab – keine Zeit für menschliche Beziehungen.«

16

Linda konnte sich später nicht mehr erinnern, ob es wirklich ein Schock für sie war, und wenn ja, wie sehr, als sie entdeckte, daß Christian sich in Lavender Davis verliebt hatte. Sie hatte überhaupt keine Erinnerung an ihre Empfindungen von damals. Verletzter Stolz war gewiß mit im Spiel, wenn auch vielleicht weniger ausgeprägt, als es bei vielen anderen Frauen der Fall gewesen wäre, denn unter Minderwertigkeitsgefühlen litt Linda kaum. Sie muß erkannt haben, daß sie die vergangenen beiden Jahre, nachdem sie von Tony weggelaufen war, nutzlos vertan hatte – aber war sie zutiefst getroffen? Liebte sie Christian noch? Peinigten sie die gewöhnlichen Qualen der Eifersucht? Ich glaube nicht.

Dennoch, sonderlich schmeichelhaft war seine Wahl nicht. Seit vielen, vielen Jahren, schon seit der Kindheit, schien Lavender alles das zu verkörpern, was die Radletts für besonders unromantisch hielten: Sie war eine begeisterte Pfadfinderführerin und Hockeyspielerin gewesen, kletterte auf Bäume, war die Beste ihrer Schule und ritt im Herrensitz. Sie hatte nie in einem Traum von der Liebe gelebt; dieses Gefühl schien ihr offenbar völlig fern zu liegen, auch wenn sich Louisa und Linda, die einfach nicht glauben konnten, daß jemand ohne ein Fünkchen davon leben konnte, immer wieder Liebesaffairen für Lavender ausgedacht hatten – mit der Sportlehrerin an ihrer Schule oder mit Dr. Simpson aus Merlinford (auf den Louisa einen ihrer

Nonsense-Verse gemünzt hatte – »Doktor ist er und Beamterich an des Richters Tisch, sie liebt ihn, doch er liebt dich«). Seit damals hatte sie eine Ausbildung als Krankenschwester und Sozialarbeiterin gemacht, hatte Kurse in Jura und Volkswirtschaftslehre absolviert, und fast sah es so aus, darüber war sich Linda im klaren, als hätte sie alles dies in der ausdrücklichen Absicht getan, eine geeignete Lebensgefährtin für Christian zu werden. Die Folge davon war in der gegenwärtigen Umgebung, daß sie mit ihrem selbstsicheren Vertrauen in die eigenen Fähigkeiten die arme Linda einfach in den Schatten stellte. Da gab es keine Konkurrenz, es war ein Sieg ohne Kampf.

Linda entdeckte die Liebe der beiden nicht direkt, auf irgendeine gemeine Art und Weise – überraschte sie nicht bei einem Kuß oder im Bett. Es war viel subtiler und viel gefährlicher – von Woche zu Woche wurde ihr einfach immer klarer, daß sie miteinander vollkommen glücklich waren und daß sich Christian allen Zuspruch und alle Ermutigung für seine Arbeit bei Lavender holte. Da diese Arbeit ihn nun mit Herz und Seele gefangennahm, da er an nichts anderes dachte und sich nie auch nur einen Augenblick entspannte, bedeutete diese Abhängigkeit von Lavender zugleich eine völlige Ausschließung von Linda. Sie wußte nicht, was sie tun sollte. Sie konnte sich nicht mit Christian aussprechen; es gab nichts Greifbares, worüber man hätte sprechen können, und ein solches Vorgehen wäre Linda auch völlig fremd gewesen. Vor Szenen und Streitereien hatte sie mehr Angst als vor allem anderen, und sie machte sich keine Illusionen darüber, wie Christian von ihr dachte. Sie hatte das Gefühl, daß Christian sie wegen der leichtfertigen Art verachtete, in der sie Tony und ihr Kind verlassen hatte, und daß sie seiner Ansicht nach einer kindischen, oberflächlichen Anschauung vom Leben huldigte. Er schätzte ernsthafte, gebildete Frauen, vor allem solche, die Sozialarbeit studiert hatten, vor allem Lavender. Sie verspürte nicht den Wunsch, sich das alles von ihm sagen zu lassen. Statt dessen kam ihr der Gedanke, es sei vielleicht nicht falsch, Perpignan von sich aus zu verlassen, bevor Christian und Lavender, was sie für höchst wahrscheinlich hielt, gemeinsam von hier aufbrachen, um Hand in Hand nach neuen Stätten menschlichen Elends zu suchen und dort die Not zu lindern. Es war ihr schon peinlich, wenn sie mit Robert und Randolph zusammen war, denen sie offenbar sehr leid tat und die sie mit irgendwelchen kleinen Manövern davon ablenken wollten, daß Christian jede Minute des Tages mit Lavender verbrachte.

Eines Nachmittags stand sie müßig am Fenster ihres Hotelzimmers und sah, wie die beiden zusammen den Quai Sadi Carnot entlanggingen, ohne Augen für das, was um sie herum war, völlig zufrieden miteinander und vor Glück strahlend. Da durchzuckte Linda eine plötzliche Regung, und sie gab ihr nach. Sie packte ihre Sachen und schrieb Christian einen hastigen Brief, sie werde ihn für immer verlassen, da sie erkannt habe, daß ihre Ehe gescheitert sei. Sie bat ihn, sich um Matt zu kümmern. Dann verbrannte sie ihre Schiffe hinter sich, indem sie ein Postskriptum anfügte (eine verhängnisvolle Angewohnheit von Frauen): »Ich glaube, du solltest Lavender heiraten.« Schließlich zwängte sie sich und ihr Gepäck in ein Taxi und nahm den Nachtzug nach Paris.

Diesmal war die Fahrt grauenhaft. Linda hatte Christian ja doch sehr gern, und sobald der Zug den Bahnhof verlassen hatte, begann sie sich zu fragen, ob sie nicht dumm und falsch gehandelt hatte. Wahrscheinlich hatte er nur vorübergehend, der gemeinsamen Interessen wegen, Gefallen an Lavender gefunden, einer bloßen Laune nachgegeben, die vergehen würde, sobald er wieder in London war. Und vielleicht nicht einmal das, sondern es lag einfach daran, daß seine Arbeit ihn nötigte, die ganze Zeit über mit Lavender zusammen zu sein. Schließlich war die zerstreute Art, mit der er Linda behandelte, nichts Neues, die kannte sie, seit sie zu ihm gezogen war. Sie fing an zu bereuen, daß sie ihm diesen Brief geschrieben hatte.

Sie hatte ihre Rückfahrkarte, aber nur sehr wenig Geld, es reichte gerade, wie sie sich ausrechnete, für ein Abendessen im Zug und für ein paar Lebensmittel am nächsten Tag. Linda mußte das französische Geld immer in Pfund, Shilling und Penny umrechnen, um zu wissen, was sie eigentlich besaß. Wie es schien, hatte sie jetzt 18 Shilling und 6 Pence bei sich, ein Schlafwagen kam also nicht in Frage. Noch nie hatte sie eine ganze Nacht im Zug gesessen, und diese Erfahrung war entsetzlich für sie; es war, wie wenn man mit hohem Fieber krank zu Bett liegt und die qualvollen Stunden der Nacht lang und immer länger werden. Die Gedanken brachten ihr keinen Trost. Sie hatte das Leben, das sie während der letzten beiden Jahre geführt hatte, zerstört, hatte all das, was sie in die Beziehung zu Christian zu legen versucht hatte, wie ein zerknülltes Papier weggeworfen. Wenn das am Ende dabei herauskam – warum hatte sie dann Tony, der trotz allem ihr wirklicher Ehemann war, in guten wie in schlechten Zeiten, und das Kind überhaupt verlassen? Dort, bei ihnen, hatte ihre Pflicht gelegen, und sie wußte es. Sie dachte an meine Mutter und schauderte. Konnte es sein, daß sie, Linda, von nun an zu einem Leben verurteilt war, das sie ganz und gar verabscheute, zu dem Leben einer Hopse?

Und in London, was würde sie dort finden? Ein kleines, leeres, verstaubtes Haus. Vielleicht, so überlegte sie, würde Christian ihr folgen, vielleicht würde er kommen und darauf bestehen, daß sie zu ihm gehörte. Aber tief im Inneren wußte sie, daß er nicht kommen würde, daß sie ihm nicht gehörte und daß es zu Ende war. Christian war viel zu sehr davon überzeugt, daß man die Menschen in ihrem Leben das tun lassen muß, was sie wollen, ohne sich einzumischen. Er hatte Linda gern, das wußte sie, aber er war enttäuscht von ihr, das wußte sie auch; er hätte den ersten Schritt zur Trennung vielleicht nicht selbst getan, aber er würde es nicht sehr bedauern, daß sie ihn getan hatte. Bald würde er irgendein neues Projekt im Kopf haben, einen neuen Plan für notleidende Menschen, irgendwelche Menschen, irgendwo, ihre Zahl mußte nur groß genug und ihr Leiden schwer genug sein. Dann würde er Linda und vielleicht auch Lavender vergessen, als hätte es sie nie gegeben. Christian lag nicht viel an Liebe und Leidenschaft, er hatte andere Interessen, andere Ziele, und es bedeutete wenig für ihn, mit welcher Frau er zusammenlebte. Aber tief in ihm gab es etwas Hartes, Unbarmherziges, das wußte sie. Sie glaubte auch zu wissen, daß er ihr das, was sie getan hatte, nie verzeihen würde; nie würde er versuchen, sie zu überreden, ihre Entscheidung zurückzunehmen, und es gab ja auch gar keinen Grund, warum er es hätte versuchen sollen.

Man konnte nicht behaupten, so überlegte Linda, während der Zug durch die Dunkelheit seinem Ziel entgegenstampfte, daß ihr bisheriges Leben besonders erfolgreich gewesen war. Sie hatte die große Liebe oder das große Glück weder gefunden noch hatte sie es anderen geschenkt. Die Trennung von ihr war für ihre Ehegatten kein katastrophaler Schlag gewesen; im Gegenteil, beide konnten sich mit Erleichterung einer sehr viel mehr geschätzten Geliebten zuwenden, die in jeder Hinsicht besser zu ihnen paßte. Worin immer die Eigenschaft bestehen mochte, die die Liebe und die Zuneigung eines Mannes für unbegrenzte Zeit zu erhalten vermag – sie, Linda, besaß diese Eigenschaft jedenfalls nicht, und nun war sie zu dem einsamen, gehetzten Leben einer schönen, aber ungebundenen Frau verurteilt. Wo war die Liebe jetzt, die bis ans Grab und weit darüber hinaus dauern würde? Was hatte sie mit ihrer Jugend angefangen? Tränen über ihre verlorenen Hoffnungen und Träume, Tränen des Selbstmitleids, liefen ihr jetzt über die Wangen. Die drei dicken Franzosen, die mit ihr im Abteil saßen, schnarchten vor sich hin, sie weinte allein.

So traurig und erschöpft Linda war, die Schönheit von Paris an diesem Sommermorgen, als sie quer durch die Stadt zur Gare du Nord fuhr, entging ihr dennoch nicht. Paris ist frühmorgens von einer fröhlichen Geschäftigkeit erfüllt, eine Verheißung bevorstehender Köstlichkeiten liegt in der Luft, und ganz unverkennbar duftet es nach Kaffee und Croissants.

Die Menschen begrüßen den neuen Tag, als wüßten sie schon, daß er ihnen Gutes bringen wird, in heiterer Erwartung guter Geschäfte ziehen die Ladenbesitzer die Rolläden hoch, die Arbeiter gehen fröhlich an die

Arbeit, und die Leute, die die ganze Nacht in den Nachtclubs zugebracht haben, begeben sich fröhlich zur Ruhe, das Orchester der Autohupen, der rasselnden Trambahnen, der pfeifenden Polizisten stimmt die Instrumente zur täglichen Symphonie, und überall ist Freude. Diese Freude, dieses Leben, diese Schönheit paßten so gar nicht zu Lindas Erschöpfung und ihrer Traurigkeit, sie spürte etwas davon, aber sie hatte keinen Anteil daran. Sie ließ ihre Gedanken nach dem alten, vertrauten London schweifen, vor allem sehnte sie sich nach ihrem eigenen Bett und kam sich vor wie ein verwundetes Tier, das sich in seinen Bau schleppt. Sie hatte nur den einen Wunsch, ungestört in ihrem eigenen Zimmer zu schlafen.

Aber als sie ihre Rückfahrkarte an der Gare du Nord vorzeigte, da erklärte ihr eine aufbrausender laute, unsympathische Stimme, sie sei ungültig.

»Voyons, madame – le 29 mai. C'est aujourd'hui le 30, n'est-ce pas? Donc –!« Gewaltiges Achselzucken.

Linda war vor Schreck gelähmt. Ihre 18 Shilling 6 Pence waren inzwischen auf 6 Shilling 3 Pence zusammengeschmolzen, kaum genug für eine Mahlzeit. Sie kannte niemanden in Paris, sie wußte absolut nicht, was sie tun sollte, sie war zu müde und zu hungrig, um einen klaren Gedanken zu fassen. Sie stand da wie eine Statue der Verzweiflung. Ihr Träger, der keine Lust hatte, noch länger neben einer Statue der Verzweiflung auszuharren, stellte das Gepäck vor sie hin und ging murrend seiner Wege. Linda sank auf ihren Koffer und begann zu weinen; noch nie war ihr etwas so Furchtbares zugestoßen. Sie weinte bitterlich, sie konnte nicht mehr aufhören. Leute kamen und gingen vorüber, so als seien weinende Damen an der Gare du Nord eine ganz normale Erscheinung. »Teufel! Teufel!« schluchzte sie. Warum hatte sie nicht auf ihren Vater gehört, warum war sie jemals in dieses unsäglich grauenhafte Ausland gekommen? Wer konnte ihr helfen? In London, das wußte sie, gab es einen Verein, der sich um Frauen, die auf Bahnhöfen gestrandet waren, kümmerte; hier in Paris gab es wahrscheinlich eher einen Verein, der solche Frauen nach Südamerika verfrachtete. Jeden Augenblick konnte jemand auftauchen, vielleicht eine freundlich dreinblickende alte Frau, und ihr eine Spritze verabreichen, und dann würde sie für immer verschwinden.

Sie bemerkte, daß jemand neben ihr stand, keine alte Dame, sondern ein kleiner, untersetzter, sehr dunkelhaariger Franzose mit einem schwarzen Homburg. Er lachte. Linda beachtete ihn nicht, sondern weinte weiter. Je mehr sie weinte, desto mehr lachte er. Ihre Tränen waren jetzt Tränen der Wut und nicht mehr des Selbstmitleids.

Endlich sagte sie mit einer Stimme, die zornig und bestimmt klingen sollte, die aber nur als ein zitterndes Quietschen durch ihr Taschentuch drang:

»*Allez-vous en.*«

Als Antwort ergriff er ihre Hand und zog Linda hoch. »*Bonjour, bonjour*«, sagte er.

»*Voulez-vous vous en aller?*« sagte Linda, schon etwas weniger bestimmt, immerhin war hier ein menschliches Wesen, das ein gewisses Interesse an ihr zu erkennen gab. Dann fiel ihr Südamerika ein.

»*Il faut expliquer que je ne suis pas*«, sagte sie, »*une esclave blanche. Je suis la fille d'un très important lord anglais.*«

Der Franzose brach in schallendes Gelächter aus.

»Man braucht«, sagte er in dem früh vollendeten Englisch dessen, der diese Sprache seit seiner Kindheit spricht, »kein Sherlock Holmes zu sein, um das zu erraten.«

Linda ärgerte sich. Eine Engländerin im Ausland ist vielleicht stolz auf ihre Nationalität und auf ihren Stand, aber sie will nicht, daß diese Eigenschaften jedem so direkt ins Auge springen.

»Französische Damen«, fuhr er fort, »die mit *les marques extérieurs de la richesse* bedeckt sind, sitzen niemals frühmorgens auf ihren Koffern an der Gare du Nord und weinen, wohingegen *esclaves blanches* stets Beschützer haben, und daß Sie im Augenblick schutzlos sind, ist offensichtlich.«

Das klang einleuchtend, und Linda war besänftigt.

»Also denn«, sagte er, »ich lade Sie zum Luncheon ein, aber zuerst brauchen Sie ein Bad, etwas Ruhe und eine kalte Kompresse auf Ihrem Gesicht.«

Er nahm ihr Gepäck und ging auf ein Taxi zu.

»Steigen Sie bitte ein.«

Linda stieg ein. Sie war sich zwar keineswegs sicher, daß dies nicht der kürzeste Weg nach Buenos Aires war, aber irgend etwas veranlaßte sie zu tun, was er ihr sagte. Ihre Widerstandskraft war am Ende, und sie sah wirklich keine andere Möglichkeit.

»Hotel Montalembert«, sagte er zum Taxifahrer. »Rue du Bac. *Je m'excuse, madame,* daß ich Sie nicht zum Ritz bringe, aber es kommt mir so vor, als würde das Hotel Montalembert gerade heute morgen eher Ihrer Stimmung entsprechen.«

Linda saß kerzengerade in ihrer Ecke des Taxis und hoffte, sehr spröde zu wirken. Ihr fiel nichts ein, was sie hätte sagen können, also schwieg sie. Ihr Begleiter summte eine kleine Melodie vor sich hin und schien ungemein amüsiert. Im Hotel nahm er ein Zimmer für sie, bat den Aufzugführer, sie dorthin zu begleiten, bat den *concierge*, ihr einen *café complet* hinaufzuschicken, küßte ihre Hand und sagte:

»*A tout à l'heure* – ich hole Sie kurz vor ein Uhr ab, dann gehen wir essen.«

Linda nahm ihr Bad, frühstückte und legte sich ins Bett. Als das Telephon klingelte, schlief sie so tief, daß sie nur mit Mühe erwachte.

»*Un monsieur qui demande madame.*«

»*Je descends tout de suite*«, sagte Linda, aber es dauerte eine gute halbe Stunde, bis sie fertig war.

17

Aha! Sie lassen mich warten«, sagte er, während er ihre Hand küßte oder vielmehr ihre Hand an seine Lippen führte und sie dann plötzlich wieder losließ. »Das ist ein sehr gutes Zeichen.«

»Ein Zeichen wofür?« fragte Linda. Er hatte einen Zweisitzer draußen vor dem Hotel, und sie stieg ein. Sie fühlte sich jetzt sehr viel wohler.

»Oh, für dies und das«, meinte er und legte den Gang ein, »ein gutes Vorzeichen für unsere Affaire, daß sie glücklich sein wird und lange dauert.«

Linda erstarrte, sie war jetzt ganz Engländerin und sehr verlegen. Unsicher erklärte sie:

»Wir haben keine Affaire.«

»Mein Name ist Fabrice – darf man den Ihren erfahren?«

»Linda.«

»Linda. *Comme c'est joli.* Bei mir dauert es meistens fünf Jahre.«

Er fuhr zu einem Restaurant, wo man sie ehrerbietig an einen Tisch in einer Ecke mit roten Plüschmöbeln geleitete. Er bestellte das Essen und den Wein in jenem schnellen Französisch, dem Linda einfach nicht folgen konnte, legte dann die Hände auf seine Knie und sagte zu ihr:

»*Allons, racontez, madame.*«

»*Racontez* was?«

»Nun, die Geschichte natürlich. Wer hat Sie denn da weinend auf diesem Koffer sitzenlassen.«

»Er hat mich nicht sitzenlassen. Ich habe ihn verlassen. Es war mein zweiter Mann, und ich habe ihn für immer verlassen, weil er sich in eine andere Frau verliebt hat – eine Sozialarbeiterin, Sie wissen wahrscheinlich gar nicht, was das ist, in Frankreich gibt es so etwas bestimmt nicht. Es macht die Dinge bloß noch schlimmer, das ist alles.«

»Was für ein seltsamer Grund, seinen zweiten Mann zu verlassen. Bei Ihren Erfahrungen mit Ehemännern muß Ihnen doch aufgefallen sein, daß die so etwas immer mal wieder tun: sich in andere Frauen verlieben. Aber die Sache hat ja auch ihre guten Seiten, und *ich* beklage mich jedenfalls nicht. Aber warum der Koffer? Warum haben Sie sich nicht in den Zug gesetzt und sind zu Monsieur, dem wichtigen Lord, Ihrem Vater, gefahren?«

»Das habe ich ja getan, bis es hieß, meine Rückfahrkarte sei abgelaufen. Ich hatte nur noch 6 Shilling und 3 Pence, in Paris kenne ich niemanden, und ich war schrecklich müde, da habe ich geweint.«

»Der zweite Mann – warum von ihm nicht ein bißchen Geld leihen? Oder haben Sie einen Brief auf seinem Kopfkissen hinterlassen – nie können sich die Frauen diese kleinen Ausflüge in die Literatur verkneifen, dabei macht gerade das dann eine Rückkehr so peinlich, ich weiß.«

»Nun, er ist ohnehin in Perpignan, ich hätte also gar nichts tun können.«

»Ach, Sie kommen aus Perpignan. Und was um alles in der Welt haben Sie dort getan?«

»Wir haben dort um alles in der Welt versucht, euch Frogs daran zu hindern, die armen *Epagnards zu* quälen«, sagte Linda mit einem gewissen Schwung.

»*E-spa-gnols!* Wir quälen sie also, tatsächlich?«

»Jetzt nicht mehr so sehr – aber am Anfang war es schlimm.«

»Was hätten wir denn mit ihnen tun sollen? Wir haben sie nicht zu uns eingeladen, wissen Sie.«

»Ihr habt sie bei diesem grausamen Wetter in Lager getrieben und ihnen wochenlang kein Dach über dem Kopf gegeben. Hunderte sind gestorben.«

»Es ist gar nicht so einfach, von heute auf morgen einer halben Million Menschen ein Dach über dem Kopf zu geben. Wir haben getan, was wir konnten – wir gaben ihnen zu essen –, Tatsache ist, daß die meisten noch am Leben sind.«

»Noch immer in Lagern zusammengepfercht.«

»Meine liebe Linda, Sie können kaum von uns erwarten, daß wir sie ohne Geld frei in der Gegend herumlaufen lassen – was würde dabei herauskommen? Benutzen Sie einmal Ihren gesunden Menschenverstand.«

»Ihr solltet sie zum Militärdienst heranziehen, damit sie im Krieg gegen den Faschismus mitkämpfen können, der heute oder morgen losgehen kann.«

»Reden Sie lieber über Dinge, von denen Sie etwas verstehen, dann vergeht der Zorn. Wir haben nicht einmal genug Waffen, um unsere eigenen Soldaten für den Krieg gegen Deutschland auszurüsten, der bald kommen wird – nicht heute und nicht morgen, aber nach der Ernte, vielleicht im August. Und jetzt erzählen Sie weiter von Ihren Ehemännern. Das ist viel interessanter.«

»Es sind nur zwei. Mein erster war ein Konservativer und mein zweiter ein Kommunist.«

»Genau, wie ich vermutete, Ihr erster ist reich, Ihr

zweiter ist arm. Ich habe sofort gesehen, daß Sie einmal mit einem reichen Mann verheiratet waren, das Reisenécessaire und der Pelzmantel, obwohl die Farbe scheußlich ist, und soweit man sehen konnte – Sie trugen ihn ja über dem Arm –, ist er auch scheußlich geschnitten. Dennoch, *vison* ist meistens ein Zeichen dafür, daß ein reicher Mann nicht allzu weit entfernt ist. Diesem entsetzlichen Leinenkostüm, das Sie da tragen, sieht man andererseits auf hundert Meter an, daß es von der Stange ist.«

»Sie sind grob, es ist ein sehr nettes Kostüm.«

»Und auch noch vom vergangenen Jahr. Die Jacken gehen jetzt in die Länge, wie Sie noch feststellen werden. Ich werde Ihnen ein paar Kleider besorgen – schick angezogen, würden Sie recht gut aussehen, obwohl Ihre Augen wirklich klein sind. Zwar blau, eine schöne Farbe, aber klein.«

»In England«, sagte Linda, »gelte ich als Schönheit.«

»Nun, dafür spricht einiges.«

So zog sich dieses alberne Gespräch in die Länge, aber es war nur das Wellengekräusel an der Oberfläche. Linda spürte etwas, das sie bisher noch nie bei einem Mann gespürt hatte, eine überwältigende körperliche Anziehung. Ihr wurde ganz schwindelig davon, und es erschreckte sie. Sie sah, daß Fabrice mit völliger Sicherheit zu wissen glaubte, worauf es hinauslaufen würde, und auch sie war sich dessen vollkommen sicher, aber gerade das machte ihr angst. Wie konnte es geschehen, daß sie, die beiläufige Affairen immer verabscheut und verachtet hatte, sich von irgendeinem hergelaufenen Ausländer aufgabeln ließ und, nachdem sie ihn nur eine Stunde kannte, keinen sehnlicheren Wunsch hatte, als mit ihm ins Bett zu gehen? Dabei sah er nicht einmal gut aus, er war genauso wie Dutzende anderer schwarzhaariger Männer mit Homburgs, die man in den Straßen jeder französischen Stadt sehen kann. Aber es gab da etwas in der Art, wie er sie ansah, das ihr das Gleichgewicht raubte. Sie war tief bestürzt und gleichzeitig heftig erregt.

Nach dem Luncheon verließen sie das Restaurant und schlenderten durch strahlenden Sonnenschein.

»Kommen Sie, ich zeige Ihnen meine Wohnung«, sagte Fabrice.

»Lieber würde ich mir Paris ansehen«, erwiderte Linda.

»Kennen Sie Paris gut?«

»Ich war noch nie hier.«

Fabrice war aufrichtig bestürzt.

»Noch nie hier gewesen?« Er konnte es nicht glauben. »Wie schön für mich, daß ich Ihnen alles zeigen darf. Es gibt so viel zu zeigen, das wird Wochen dauern.«

»Leider«, sagte Linda, »reise ich morgen nach England ab.«

»Ja, natürlich. Dann müssen wir alles heute nachmittag ansehen.«

Sie fuhren langsam durch ein paar Straßen, überquerten einige Plätze und machten dann einen Spaziergang im Bois. Linda konnte gar nicht fassen, daß sie eben erst angekommen war, daß dies immer noch derselbe Tag war, den sie durch ihren morgendlichen Tränenschleier so voller Verheißungen hatte heraufdämmern sehen.

»Was für ein Glück Sie haben, in einer solchen Stadt zu wohnen«, sagte sie zu Fabrice. »Sehr unglücklich könnte man hier gar nicht sein.«

»O doch!« entgegnete er. »Die eigenen Gefühle werden in Paris intensiviert – man kann hier glücklicher
und auch unglücklicher sein als irgendwo sonst. Aber
hier zu leben ist tatsächlich ein immerwährender
Anlaß zur Freude, und niemandem ist so elend zumute
wie einem Pariser, den es aus seiner Stadt verschlagen
hat. Die übrige Welt erscheint uns unerträglich kalt
und öde, fast unbewohnbar.« Er sprach mit viel Gefühl.

Nach dem Tee, den sie in einem Gartenlokal im Bois
tranken, fuhr er langsam nach Paris zurück. Vor einem
alten Haus in der Rue Bonaparte brachte er den Wagen
zum Stehen und sagte noch einmal:

»Kommen Sie, ich zeige Ihnen meine Wohnung.«

»Nein, nein«, sagte Linda. »Es ist an der Zeit, darauf
hinzuweisen, daß ich *une femme sérieuse* bin.«

Fabrice brach wieder in sein schallendes Gelächter
aus.

»Oh«, stammelte er und schüttelte sich vor Lachen,
»wie komisch Sie sind. Was für ein Ausdruck, *femme
sérieuse*, woher haben Sie ihn? Und wenn Sie so ernsthaft sind, wie erklären Sie dann den zweiten Mann?«

»Ja, ich gebe zu, das war falsch von mir, sogar sehr
falsch, und ich habe einen großen Fehler gemacht.
Aber das ist kein Grund, die Selbstbeherrschung zu
verlieren, ganz abzurutschen, sich von einem fremden
Herrn an der Gare du Nord auflesen zu lassen und
dann sogleich mit ihm in seine Wohnung zu gehen.
Und bitte, wenn Sie so freundlich wären, mir etwas
Geld zu leihen, ich möchte morgen früh den Zug nach
London nehmen.«

»Selbstverständlich, auf alle Fälle«, sagte Fabrice.

Er drückte ihr einen Packen Banknoten in die Hand
und fuhr sie zum Hotel Montalembert. Er schien von

ihrer Ansprache völlig unbeeindruckt und kündigte an, er werde abends gegen acht Uhr wieder da sein und sie zum Dinner abholen.

Lindas Zimmer war voller Rosen, es erinnerte sie an Moiras Geburt.

»Wirklich«, dachte sie kichernd, »eine Verführung wie im Groschenroman, wie soll ich denn darauf hereinfallen?«

Aber sie war erfüllt von einem fremdartigen, ungestümen, unbekannten Glücksgefühl und wußte, daß es die Liebe war. Zweimal im Leben hatte sie sich getäuscht und sie mit etwas anderem verwechselt; es war, als würde man auf der Straße jemanden sehen, den man für einen Freund hält, man pfeift und winkt und läuft hinter ihm her, aber dann ist es nicht nur nicht der Freund, sondern jemand, der ihm nicht einmal besonders ähnlich ist. Ein paar Minuten später taucht der wirkliche Freund auf, und man begreift gar nicht, wie man den anderen überhaupt mit ihm verwechseln konnte. Jetzt blickte Linda in das Antlitz der echten Liebe, sie erkannte es, aber es ängstigte sie auch. Daß die Liebe so beiläufig zu ihr kam, nur dank einer Reihe von Zufällen, war erschreckend. Sie versuchte, sich zu erinnern, was sie gefühlt hatte, damals, am Anfang, als sie in ihre beiden Ehemänner verliebt war. Es mußte ein starkes, bezwingendes Gefühl gewesen sein; denn in beiden Fällen hatte sie ihr Leben über den Haufen geworfen, hatte ohne Gewissensbisse ihre Eltern und Freunde empört, um diese Männer zu heiraten, aber an das Gefühl konnte sie sich nicht mehr erinnern. Sie wußte nur, daß sie noch nie, auch nicht in ihren Träumen – und sie träumte viel von der Liebe – etwas gefühlt hatte, das dieser Empfindung auch nur entfernt ähnlich war. Immer wieder sagte sie sich, daß sie morgen nach London zurückfahren müsse, aber sie hatte gar nicht die Absicht zurückzukehren, und sie wußte es.

Fabrice lud sie zum Dinner ein und führte sie dann in einen Nachtclub, wo sie aber nicht tanzten, sondern unendlich lange plauderten. Sie erzählte ihm von Onkel Matthew, Tante Sadie und Louisa und Jassy und Matt, und er konnte gar nicht genug davon hören und stachelte sie zu ungeheuren Übertreibungen bei der Schilderung ihrer Angehörigen und deren verschiedener Marotten an.

»*Et* Jassy – *et* Matt – *alors, racontez.*«

Und sie erzählte, stundenlang.

Auf dem Heimweg im Taxi weigerte sie sich noch einmal, mit ihm zu fahren oder ihn mit ins Hotel kommen zu lassen. Er insistierte nicht, er versuchte nicht, ihre Hand zu fassen, er berührte sie überhaupt nicht. Er sagte bloß:

»*C'est une résistance magnifique, je vous félicite de tout mon cœur, madame.*«

Vor dem Hotel gab sie ihm die Hand und sagte Gute Nacht. Er ergriff sie mit beiden Händen und küßte sie wirklich.

»*A demain*«, sagte er und stieg ins Taxi.

»*Allô – allô.*«

»Hallo.«

»Guten Morgen. Frühstücken Sie gerade?«

»Ja.«

»Ich glaube, ich hörte eine Kaffeetasse klirren. Ist es gut?«

»Es ist so köstlich, daß ich andauernd innehalten

muß, aus lauter Angst, ich könnte zu rasch damit fertig sein. Frühstücken Sie auch?«

»Habe schon. Ich muß Ihnen sagen, daß ich lange Unterhaltungen am Morgen sehr mag, und ich erwarte von Ihnen, daß Sie mir *raconter des histoires*.«

»Wie Scheherezade?«

»Ja, genauso. Und bitte ohne diesen Unterton von ›Ich muß jetzt gleich auflegen‹, den die Engländer immer so pflegen.«

»Welche Engländer kennen Sie denn?«

»Einige. Ich bin in England zur Schule gegangen, und zwar in Oxford.«

»Nein! Wann?«

»1920.«

»Damals war ich neun. Stellen Sie sich vor, vielleicht bin ich Ihnen auf der Straße begegnet – wir haben alle unsere Einkäufe in Oxford gemacht.«

»*Elliston & Cavell?*«

»Jawohl, und *Webbers*.«

Schweigen.

»Weiter«, sagte er.

»Weiter, womit?«

»Ich meine, legen Sie nicht auf. Erzählen Sie weiter.«

»Ich lege schon nicht auf. Ich plaudere nämlich für mein Leben gern. Es ist meine Lieblingsbeschäftigung, und wahrscheinlich werden Sie lange vor mir auflegen wollen.«

Es entspann sich eine ausgiebige, ziemlich verrückte Unterhaltung zwischen ihnen, und schließlich sagte Fabrice:

»Stehen Sie jetzt auf, in einer Stunde hole ich Sie ab, und wir fahren nach Versailles.«

In Versailles, das Linda vollkommen bezauberte, fiel

ihr eine alte Geschichte ein, die sie einmal gelesen hatte, über zwei englische Damen, die den Geist Marie Antoinettes in ihrem Garten am Kleinen Trianon hatten sitzen sehen. Fabrice fand sie außerordentlich langweilig und sagte es auch.

»Histoires«, meinte er, »sind nur interessant, wenn sie wahr sind oder wenn Sie sich diese Geschichten ausgedacht haben, eigens um mich zu amüsieren. *Histoires de revenants*, die irgendwelche trübseligen, alten englischen Jungfern sich ausgedacht haben, sind weder wahr noch interessant. *Donc plus d'histoires de revenants, madame, s'il vous plait.*«

»Schon gut«, sagte Linda mürrisch. »Ich tue mein Bestes, Sie zu unterhalten – erzählen Sie mir mal eine Geschichte!«

»Na schön – aber diese Geschichte ist wahr. Meine Großmutter war eine sehr schöne Frau und hatte viele Liebhaber, selbst dann noch, als sie schon ziemlich alt war. Kurz vor ihrem Tod war sie mit meiner Mutter, ihrer Tochter, in Venedig, und eines Tages, als sie in ihrer Gondel über irgendeinen Kanal glitten, erblickten sie einen kleinen Palazzo aus rosa Marmor, sehr vornehm. Sie hielten an, um ihn in Augenschein zu nehmen, und meine Mutter sagte: ›Ich glaube nicht, daß jemand darin wohnt, wie wäre es, wenn wir versuchen, ihn uns von innen anzusehen?‹

Sie läuteten also, und es erschien ein alter Diener, der ihnen erklärte, seit vielen, vielen Jahren würde niemand mehr hier wohnen, und wenn sie wollten, könnte er sie herumführen. Sie traten ein und gingen hinauf in den *salone*, der drei Fenster hatte, die auf den Kanal hinausgingen, und mit Stukkaturen aus dem fünfzehnten Jahrhundert, weiß auf blaßblauem Grund, verziert war. Meine Großmutter schien seltsam bewegt und stand lange Zeit schweigend da. Endlich sagte sie zu meiner Mutter:

›Wenn in der dritten Schublade dieses Schreibtisches dort ein mit Filigran verziertes Kästchen steht, in dem ein kleiner goldener Schlüssel an einem schwarzen Samtband liegt, dann gehört dieses Haus mir.‹

Meine Mutter sah nach, es war da, und es gehörte tatsächlich ihr. Einer der Liebhaber meiner Großmutter hatte es ihr vor langen Jahren, als sie noch recht jung war, geschenkt, und sie hatte es ganz vergessen.«

»Du meine Güte«, rief Linda, »was für ein faszinierendes Leben ihr Ausländer doch führt!«

»Und heute gehört es mir.«

Er fuhr ihr mit der Hand über die Stirn und strich eine herabhängende Haarsträhne zurück:

»Gleich morgen würde ich Sie dorthin mitnehmen, wenn …«

»Wenn was?«

»Man muß jetzt hier abwarten, verstehen Sie, wegen des Krieges.«

»Ach, den Krieg vergesse ich immer.«

»Ja, vergessen wir ihn. *Comme vous êtes mal coiffée, ma chère.*«

»Wenn Sie meine Kleider nicht mögen und Ihnen mein Haar nicht gefällt und Sie glauben, meine Augen seien zu klein, weiß ich gar nicht, was Sie überhaupt an mir finden.«

»*Quand même j'avoue qu'il y a quelque chose*«, sagte Fabrice.

Wieder dinierten sie zusammen.

Linda fragte: »Haben Sie denn keine anderen Verabredungen?«

»Doch, selbstverständlich. Ich habe sie abgesagt.«

»Wer sind Ihre Freunde?«

»*Les gens du monde*. Und Ihre?«

»Als ich mit Tony verheiratet war, das war mein erster Mann, da bewegte ich mich in der *monde*, sie war mein Leben. Damals liebte ich sie. Aber Christian mißbilligte es, er wollte nicht, daß ich auf Partys ging, und verscheuchte meine Freunde, er hielt sie für leichtfertig und dumm, und wir trafen nur noch ernsthafte Leute, die versuchten, die Welt in Ordnung zu bringen. Ich machte mich über sie lustig und sehnte mich nach meinen anderen Freunden, aber heute weiß ich nicht mehr recht. Seit ich in Perpignan war, bin ich vielleicht selbst ernsthafter geworden.«

»Jeder Mensch wird im Laufe der Zeit ernsthafter, so geht das eben. Aber gleichgültig, wo man in der Politik steht, rechts, links, Faschist, Kommunist, *les gens du monde* sind die einzigen, mit denen man sich anfreunden kann. Verstehen Sie, sie haben aus den persönlichen Beziehungen eine schöne Kunst gemacht und aus allem, was dazugehört – Manieren, Kleider, schöne Häuser, gutes Essen, was das Leben eben angenehm macht. Es wäre dumm, daraus keinen Nutzen zu ziehen. Freundschaft ist etwas, das sorgfältig aufgebaut werden muß, von Leuten, die Muße haben, es ist eine Kunst, mit Natur hat das nichts zu tun. Man sollte das gesellschaftliche Leben nie verachten – das *de la haute société*, meine ich, es kann sehr befriedigend sein, vollkommen artifiziell natürlich, aber sehr fesselnd. Wenn man einmal vom geistigen Leben und vom beschaulichen Leben der Religion, das zu genießen nur wenige Menschen geeignet sind, absieht – was könnte den Menschen denn sonst noch vom Tier unterscheiden, wenn nicht sein gesellschaftliches Leben? Und wer versteht sich so gut darauf, wer kann es so beschwingt und amüsant gestalten wie *les gens du monde*? Aber man kann es nicht gleichzeitig mit einer Liebesaffaire haben, man muß mit ganzem Herzen dabei sein, wenn man es genießen will, deshalb habe ich alle meine Verabredungen abgesagt.«

»Wie schade«, sagte Linda, »denn morgen früh werde ich nach London zurückkehren.«

»Ach ja, das hatte ich vergessen. Wie schade.«

»*Allô – allô.*«

»Hallo.«

»Haben Sie geschlafen?«

»Ja, natürlich. Wie spät ist es?«

»Ungefähr zwei. Soll ich vorbeikommen, zu einem kleinen Besuch.«

»Meinen Sie, jetzt?«

»Ja.«

»Ich muß sagen, das wäre sehr nett – nur, was würde der Nachtportier denken?«

»*Ma chère*, wie englisch Sie sind. *Eh bien, je vais vous le dire – il ne se fera aucune illusion.*«

»Nein, wohl kaum.«

»Aber ich kann mir kaum vorstellen, daß er sich überhaupt irgendwelche Illusionen macht. Schließlich komme ich jeden Tag dreimal zu Ihnen – sonst haben Sie niemanden getroffen, und Franzosen haben einen Blick für solche Dinge, wissen Sie.«

»Ja – ich verstehe …«

»*Alors c'est entendu – à tout à l'heure.*«

Am nächsten Tag brachte Fabrice sie in einer Wohnung unter, er sagte, es sei *plus commode*: »Als ich jung war,

liebte ich das Abenteuer sehr und scheute keine Gefahr. Ich versteckte mich im Kleiderschrank, ließ mich
in einem Schrankkoffer ins Haus tragen, verkleidete
mich als Lakai oder stieg zum Fenster herein. Was
waren das für Touren! Ich erinnere mich noch, einmal,
auf halber Höhe in einer Kletterpflanze, war da plötzlich ein Wespennest – oh, diese Schmerzen –, noch eine
Woche nachher trug ich einen *soutien-gorge* von Kestos.
Aber heute ziehe ich eine gewisse Bequemlichkeit
vor, eine gewisse Routine ist mir ganz lieb und der
eigene Schlüssel.«

Wirklich, weniger romantisch und noch praktischer
veranlagt als Fabrice konnte man gar nicht sein, dachte
Linda, ein völlig sachlicher Typ. Ein bißchen Sinn für
Unsinn, dachte sie, wäre ganz nett gewesen.

Die Wohnung war schön, groß und sonnig, und auf
die kostspieligste Art modern eingerichtet. Die Fenster
gingen nach Süden und Westen auf den Bois de Bou-
logne hinaus, und die Wohnung befand sich auf einer
Höhe mit den Baumwipfeln. Die Aussicht bestand aus
diesen Baumwipfeln und dem Himmel. Die riesigen
Fenster funktionierten wie Autofenster, die Glasschei-
ben ließen sich in der Wand vollständig versenken. Für
Linda war das eine große Freude, sie war gern an der
frischen Luft und liebte es, stundenlang ohne Kleider
in der Sonne zu baden, bis sie ganz erhitzt und braun
und schläfrig und glücklich war. Zu der Wohnung, die
offensichtlich Eigentum von Fabrice war, gehörte auch
eine bezaubernde ältere *femme de ménage* namens Germaine. Ihr gingen verschiedene andere ältere Frauen
zur Hand, die in einem verwirrenden Rhythmus
kamen und gingen. Sie war offenbar sehr tüchtig, hatte
Lindas Sachen im Nu ausgepackt, gebügelt, zusam-

mengelegt und verstaut, und ging dann in die Küche, wo sie Anstalten zu einem Abendessen machte. Linda fragte sich unwillkürlich, wie viele Frauen Fabrice schon in dieser Wohnung untergebracht hatte; aber da sie es höchstwahrscheinlich doch nicht herausfinden würde und eigentlich auch gar nicht wissen wollte, schob sie diesen Gedanken beiseite. Nirgendwo war die Spur einer früheren Bewohnerin zu sehen, nicht mal ein Zettel mit einer hingekritzelten Telephonnummer oder der Fleck eines Lippenstifts; die Wohnung sah aus, als sei sie erst gestern eingerichtet worden.

Während sie ein Bad nahm, vor dem Abendessen, dachte Linda ziemlich wehmütig an Tante Sadie. Sie, Linda, war jetzt eine Mätresse und eine Ehebrecherin, und sie wußte, Tante Sadie würde das gar nicht gefallen. Es hatte ihr auch nicht gefallen, als Linda mit Christian Ehebruch beging, aber der war wenigstens Engländer, Linda war ihm ordnungsgemäß vorgestellt worden und kannte seinen Nachnamen. Außerdem hatte Christian immer die Absicht gehabt, sie zu heiraten. Wieviel weniger würde es Tante Sadie da gefallen, wenn ihre Tochter sich einen unbekannten, namenlosen Ausländer aufgabelte und mit ihm auf und davon ging, um im Luxus zu leben. Es war ein weiter Weg von dem Lunch in Oxford bis hierher, obgleich Onkel Matthew, wenn er ihre Lage kennen würde, darin zweifellos nur einen Schritt in der gleichen Richtung gesehen hätte – auf immer würde er sie verstoßen, sie in den Schnee hinausjagen, Fabrice erschießen oder irgendeine andere Gewalttat vollbringen, die ihm gerade in den Sinn kam. Und dann würde ihn irgend etwas zum Lachen bringen, und alles wäre wieder gut. Bei Tante Sadie war es anders. Sie würde zwar nicht viel sagen, aber sie würde

ins Grübeln geraten, würde sich alles zu Herzen nehmen und sich fragen, ob sie bei Lindas Erziehung
irgend etwas falsch gemacht hatte; Linda hoffte zutiefst,
daß sie es nie herausfinden würde.

In diese Träumerei hinein klingelte das Telephon.
Germaine nahm ab, klopfte dann an die Badezimmer-
tür und sagte:

»*Monsieur le duc sera légèrement en retard, madame.*«

»Es ist gut – danke«, antwortete Linda.

Beim Abendessen sagte sie:

»Könnte man Ihren Namen erfahren?«

»Oho«, sagte Fabrice, »haben Sie ihn noch nicht
herausgefunden? Welch außergewöhnlicher Mangel an
Neugier. Mein Name ist Sauveterre. Kurzum, *madame,*
ich freue mich, Ihnen sagen zu können, daß ich ein sehr
reicher Herzog bin, eine höchst angenehme Sache,
auch heutzutage.«

»Wie schön für Sie. Und da wir schon bei Ihrem
Privatleben sind – sind Sie verheiratet?«

»Nein.«

»Warum nicht?«

»Meine Verlobte ist gestorben.«

»Ach, traurig – wie war sie?«

»Sehr hübsch.«

»Hübscher als ich?«

»Viel hübscher. Und sehr korrekt.«

»Korrekter als ich?«

»*Vous – vous êtes une folle, madame, aucune correction.
Et elle était gentille – mais d'une gentillesse, la pauvre.*«

Zum erstenmal, seit sie ihn kennengelernt hatte, war
Fabrice wirklich sentimental geworden, und plötzlich
überfiel Linda eine schreckliche Eifersucht, so schrecklich, daß ihr fast schwarz vor Augen wurde. Wenn sie

es noch nicht erkannt hatte, dann begriff sie es jetzt und für immer: daß dies die große Liebe ihres Lebens werden sollte.

»Fünf Jahre«, sagte sie, »ist eine lange Zeit, wenn man noch alles vor sich hat.«

Aber Fabrice war in Gedanken immer noch bei seiner Verlobten.

»Sie starb vor viel mehr als fünf Jahren – im Herbst werden es fünfzehn. Jedesmal gehe ich hin und lege ihr Rosen aufs Grab, diese kleinen, festen Rosen mit den dunkelgrünen Blättern, die sich nie richtig öffnen – sie erinnern mich an sie. *Dieu, que c'est triste.*«

»Und wie hieß sie?«

»Louise. *Enfant unique du dernier Rancé.* Ich besuche oft ihre Mutter, sie lebt noch, eine bemerkenswerte alte Dame. Sie ist in England groß geworden, am Hof der Kaiserin Eugénie, aber Rancé heiratete sie trotzdem, aus Liebe. Sie können sich vorstellen, wie seltsam das allen vorkam.«

Tiefe Schwermut erfaßte sie beide. Linda erkannte nur zu deutlich, daß sie es nicht mit einer Verlobten aufnehmen konnte, die nicht nur hübscher und korrekter als sie war, sondern auch noch tot. Es erschien ihr äußerst unfair. Würde sie noch leben, so wäre ihr hübsches Aussehen nach fünfzehn Jahren Ehe sicherlich verblaßt, und ihre Korrektheit wäre nur noch langweilig gewesen; aber als Tote war sie für immer einbalsamiert in ihre Jugend, ihre Schönheit und ihre *gentillesse*.

Nach dem Abendessen jedoch kehrte das Glück in Lindas Leben zurück. Die Liebe mit Fabrice war ein Rausch, ganz anders als alles, was sie bisher erlebt hatte.

(»Die Schlußfolgerung drängte sich mir auf«, sagte

sie, als sie mir später davon erzählte, »daß weder Tony noch Christian eine Ahnung von dem hatten, was wir früher die Tatsachen des Lebens genannt haben. Aber ich vermute, als Liebhaber sind alle Engländer hoffnungslos.«

»Nicht alle«, erwiderte ich, »das Problem bei den meisten besteht darin, daß sie nicht bei der Sache sind, und diese Sache bedarf nun mal großer Hingabe. Alfred«, so fügte ich hinzu, »ist wunderbar.«

»Na schön«, meinte sie, schien aber nicht überzeugt.)

Sie saßen noch lange da und sahen aus dem Fenster. Der Abend war warm, und als die Sonne untergegangen war, glimmte noch ein grünes Licht hinter den schwarzen Umrissen der Bäume, bis die völlige Dunkelheit hereinbrach.

»Lachen Sie immer, wenn Sie mit einem Mann schlafen?« fragte Fabrice.

»Darüber habe ich noch nie nachgedacht, aber ich nehme es an. Wenn ich glücklich bin, lache ich meistens, und wenn nicht, weine ich, ich habe einen schlichten Charakter, wissen Sie. Finden Sie es seltsam?«

»Sehr verwirrend zuerst, das muß ich sagen.«

»Aber warum – lachen denn die meisten Frauen nicht?«

»Nein, keineswegs. Viel öfter weinen sie.«

»Wie merkwürdig – genießen sie es denn nicht?«

»Mit Genuß hat das nichts zu tun. Wenn sie noch jung sind, rufen sie nach ihrer Mutter, wenn sie gläubig sind, rufen sie die heilige Jungfrau um Vergebung an. Aber ich habe noch nie eine kennengelernt, die gelacht hat, außer Ihnen. *Mais qu'est-ce que vous voulez, vous êtes une folle.*«

Linda war ganz gefesselt.

»Und was tun sie noch?«

»Was sie alle tun, außer Ihnen – sie sagen: ›Comme vous devez me mépriser‹.«

»Aber warum sollten Sie sie denn verachten?«

»Nun ja, meine Liebe, man tut es eben, so ist das nun mal.«

»Also, das nenne ich höchst unfair. Zuerst verführen Sie sie, um sie dann auch noch zu verachten, die Armen. Was sind Sie doch für ein Ungeheuer.«

»Es gefällt ihnen. Sie schwelgen gern in diesem Gefühl und sagen ›Qu'est-ce que j'ai fait? Mon Dieu, hélas Fabrice, que pouvez-vous bien penser de moi? O, que j'ai honte.‹ Für diese Frauen gehört das einfach dazu. Aber Sie, Sie scheinen Scham gar nicht zu kennen, Sie brechen einfach in schallendes Gelächter aus. Es ist äußerst seltsam. Pas désagréable, il faut avouer.«

»Aber was war denn mit der Verlobten«, fragte Linda, »haben Sie die nicht verachtet?«

»Mais non, voyons, natürlich nicht. Sie war eine tugendhafte Frau.«

»Wollen Sie damit sagen, daß Sie mit ihr nie ins Bett gegangen sind?«

»Nie. Nie und nimmer wäre mir so etwas in den Sinn gekommen.«

»Du liebe Güte«, entfuhr es Linda, »in England machen wir es immer.«

»Ma chère, c'est bien connu, le côté animal des anglais. Die Engländer sind eine trunksüchtige, zügellose Rasse, das ist bekannt.«

»Aber sie wissen es nicht. Dasselbe sagen die Engländer nämlich immer von den Ausländern.«

»Die französischen Frauen sind die tugendhaftesten

in der ganzen Welt«, erklärte Fabrice mit jenem über-
triebenen Stolz in der Stimme, mit dem die Franzosen
immer über ihre Frauen sprechen.

»Ach, Lieber«, sagte Linda. »Früher war ich so
tugendhaft. Ich möchte wissen, was mit mir geschehen
ist. Ich bin auf Abwege geraten, als ich meinen ersten
Mann heiratete, aber wie hätte ich das wissen sollen?
Ich hielt ihn für einen Gott und glaubte, ich würde ihn
ewig lieben. Dann geriet ich noch mehr auf die schiefe
Bahn, als ich mit Christian davonlief, aber ich glaubte,
ihn zu lieben, und ich habe ihn auch geliebt, viel mehr
als Tony, aber er hat mich nie wirklich geliebt, und bald
habe ich ihn gelangweilt, ich war wohl nicht ernsthaft
genug. Aber wenn ich das alles nicht getan hätte, hätte
ich am Ende nicht auf einem Koffer an der Gare du
Nord gesessen und hätte Sie nie kennengelernt, eigentlich bin ich also froh darüber. Und gleichgültig, wo
ich in meinem nächsten Leben zur Welt komme, sobald
ich im heiratsfähigen Alter bin, werde ich auf dem
schnellsten Weg zu den Boulevards eilen und mir dort
einen Mann suchen.«

»*Comme c'est gentil*«, sagte Fabrice, »*et en effet*, die
Ehen in Frankreich sind meistens sehr, sehr glücklich,
wissen Sie. Mein Vater und meine Mutter führten ein
völlig ungetrübtes Leben miteinander, sie liebten sich
so sehr, daß sie kaum in Gesellschaft gingen. Der
Lebensabend meiner Mutter erstrahlt noch immer von
einer Art Nachglühen dieses Glücks. Was für eine gute
Frau sie doch ist!«

»Ich muß Ihnen sagen«, fuhr Linda fort, »daß auch
meine Mutter und eine meiner Tanten, eine meiner
Schwestern und meine Cousine tugendhafte Frauen
sind, Tugend ist in meiner Familie also kein unbekann-

tes Wort. Und überhaupt, Fabrice, was ist denn mit Ihrer Großmutter?«

»Ja«, meinte Fabrice mit einem Seufzer. »Ich gebe zu, sie war eine große Sünderin. Aber sie war auch *une très grande dame*, und sie starb geläutert und völlig ausgesöhnt mit der Kirche.«

18

Es kam jetzt eine gewisse Regelmäßigkeit in das Leben der beiden. Fabrice speiste jeden Abend mit ihr in der Wohnung – nie mehr lud er sie in ein Restaurant ein – und blieb dann bis zum nächsten Morgen. »J'ai horreur de coucher seul«, sagte er. Um sieben stand er auf, zog sich an und ging nach Hause, gerade rechtzeitig, um gegen acht im eigenen Bett zu sein, wenn sein Frühstück gebracht wurde. Dann frühstückte er, las die Zeitungen, rief um neun Linda an und plauderte mit ihr eine halbe Stunde über dies und das, als hätte er sie seit Tagen nicht gesehen.

»Weiter«, sagte er, wenn sie Anzeichen von Ermüdung zeigte. »Allons, des histoires!«

Tagsüber sah er sie kaum. Das Mittagessen nahm er immer zusammen mit seiner Mutter ein, deren Räume über seiner Parterrewohnung im ersten Stock lagen. Manchmal machte er nachmittags mit Linda einen Ausflug, aber meistens tauchte er nicht vor halb sieben auf, und kurze Zeit später aßen sie zu Abend.

Linda verbrachte die Tage damit, Kleider zu kaufen, und sie bezahlte mit großen Bündeln von Geldscheinen, die Fabrice ihr gab.

»Wenn schon, denn schon«, dachte sie. »Da er mich ohnehin verachtet, kann auch das nicht mehr viel schaden.«

Fabrice war entzückt. Er interessierte sich sehr für ihre Kleider, sah sie sich von oben bis unten genau an, ließ Linda im Salon mit ihnen auf- und abgehen, nötigte sie auch, die Sachen in die Geschäfte zurückzutragen und Änderungen vornehmen zu lassen, die ihr zunächst völlig unnötig erschienen, die sich am Ende jedoch als der eigentliche Clou erwiesen. Es war Linda nie aufgefallen, wie sehr die französische Mode der englischen überlegen war. Während ihrer Ehe mit Tony in London hatte sie immer als ausnehmend gut angezogen gegolten; jetzt erkannte sie, daß sie nach französischen Maßstäben damals nie auch nur den geringsten Anspruch auf *chic* hätte anmelden können. Die Kleider, die sie bei sich hatte, erschienen ihr so schrecklich altmodisch, so hausbacken und ohne Konturen, daß sie erst in die Galeries Lafayette ging und dort ein Kleid von der Stange kaufte, bevor sie sich getraute, die großen Modehäuser zu betreten. Als sie dann schließlich mit ein paar Kleidern von dort nach Hause kam, drängte Fabrice sie, noch viel mehr zu kaufen. Für eine Engländerin sei ihr Geschmack keineswegs schlecht, auch wenn er bezweifele, daß sie je wirklich und im wahren Sinne des Wortes *élégante* werden würde.

»Nur durch Probieren«, sagte er »können Sie Ihr *genre* herausfinden und erkennen, worauf es bei Ihnen hinausläuft. *Continuez, donc, ma chère, allez-y. Jusqu'à présent, ça ne va pas mal du tout.*«

Das Wetter wurde jetzt heiß und schwül, Ferienwetter, das ans Meer lockte. Aber man schrieb das Jahr 1939, und die Menschen dachten nicht ans Ausspannen, sondern an den Tod, nicht an Badeanzüge, sondern an Uniformen, nicht an Tanzmusik, sondern an Trompeten, und die Strände sollten für die nächsten Jahre nicht mehr Plätze des Vergnügens, sondern Schauplätze des Krieges sein. Fabrice beteuerte jeden Tag, wie gern er mit Linda an die Riviera reisen würde, nach Venedig und auf sein schönes Château in der Dauphiné. Aber er war Reservist und konnte nun jeden Tag einberufen werden. Linda machte es nichts aus, in Paris zu bleiben. In ihrer Wohnung konnte sie so viele Sonnenbäder nehmen, wie sie wollte. Der bevorstehende Krieg beunruhigte sie nicht sonderlich, sie lebte vor allem in der Gegenwart.

»So nackt könnte ich mich sonst nirgendwo sonnen«, sagte sie, »und das ist mein einziges Ferienvergnügen. Mir liegt nichts an Schwimmen und Tennisspielen oder Tanzen und Glücksspiel, also kann ich ebensogut hier bleiben, mich sonnen und Einkäufe machen, zwei wunderbare Beschäftigungen für tagsüber, und abends dann Sie, mein Geliebter. Ich glaube, ich bin die glücklichste Frau der Welt.«

An einem glühendheißen Julinachmittag kam sie mit einem neuen, besonders hinreißenden Strohhut nach Hause. Er war groß und ganz schlicht, mit einem Blumenkranz und zwei blauen Schleifen. Im rechten Arm trug sie einen riesigen Strauß Rosen und Nelken und in der Linken eine gestreifte Schachtel, in der sich ein anderer exquisiter Hut befand. Mit ihrem Schlüssel öffnete sie die Wohnungstür und stapfte auf den hohen Korkabsätzen ihrer Sandalen in den Salon.

Die grünen Jalousien waren herabgelassen, und der Raum war in ein Halbdunkel getaucht, aus dem sich plötzlich die Schatten zweier Gestalten lösten, eines schmächtigen und eines nicht ganz so schmächtigen Mannes – Davey und Lord Merlin.

»Du lieber Himmel«, rief Linda und ließ sich in ein Sofa plumpsen. Die Rosen lagen vor ihren Füßen verstreut.

»Tja«, sagte Davey, »also du siehst wirklich gut aus.«

Linda bekam tatsächlich Angst, wie ein Kind, das man bei irgendeiner Untat ertappt hat und dem man sein neues Spielzeug wegnehmen will. Sie blickte von einem zum anderen. Lord Merlin trug eine dunkle Brille.

»Sind Sie incognito hier?« fragte Linda.

»Nein, warum? Ach, die Brille – ich muß sie tragen, wenn ich ins Ausland reise, ich habe einen so freundlichen Blick, da drängen sich immer die Bettler heran und werden lästig.«

Er nahm sie ab und blinzelte.

»Weshalb seid ihr gekommen?«

»Du scheinst nicht sehr erfreut, uns zu sehen«, meinte Davey. »Eigentlich sind wir gekommen, um zu sehen, ob es dir gut geht. Aber da dies ganz offenkundig der Fall ist, können wir ebensogut wieder gehen.«

»Wie habt ihr es herausgefunden? Wissen Mami und Pa etwas?« fragte sie zaghaft.

»Nein, absolut nichts. Sie glauben, du seist immer noch bei Christian. Meine liebe Linda, wir sind nicht als zwei viktorianische Onkel hergekommen, wenn es das ist, was dir Kummer macht. Zufällig lief mir ein Bekannter über den Weg, der in Perpignan gewesen war, und er erwähnte, daß Christian mit Lavender Davis zusammenlebt ...«

»Oh, gut«, sagte Linda.

»Wie bitte? Und daß du vor sechs Wochen abgereist seiest. Ich fuhr zum Cheyne Walk, aber da warst du natürlich nicht, und dann gerieten Mer und ich ein wenig in Besorgnis bei dem Gedanken, du könntest auf dem Kontinent herumirren, hilflos und unselbständig (glaubten wir, aber da haben wir uns geirrt), und gleichzeitig waren wir irrsinnig neugierig, wo du steckst und wie du lebst, deshalb haben wir mit etwas diskreter Detektivarbeit herausgefunden, wo du dich aufhältst – und jetzt ist ja auch sonnenklar, wie du lebst, ich jedenfalls bin sehr erleichtert.«

»Sie haben uns einen ziemlichen Schrecken eingejagt«, sagte Lord Merlin mürrisch. »Wenn Sie das nächste Mal die Cléo de Mérode spielen wollen, könnten Sie wenigstens eine Postkarte schicken. Aber es ist ein wirkliches Vergnügen, Sie in dieser Rolle zu erleben, ich würde es um nichts in der Welt missen wollen. Ich habe gar nicht gewußt, daß Sie eine so schöne Frau sind, Linda.«

Davey lachte still vor sich hin.

»Du meine Güte, wie komisch das alles ist – so wunderbar altmodisch. Die Einkäufe! Die Pakete! Die Blumen! So ungeheuer viktorianisch. Seit wir gekommen sind, wurden alle fünf Minuten irgendwelche Pakete abgegeben. Du kannst einem das Leben ganz schön interessant machen, Linda. Hast du ihm schon gesagt, er müsse dich aufgeben und ein unverdorbenes, junges Mädchen heiraten?«

Linda sagte mit entwaffnender Offenheit: »Mach dich nicht lustig, Davey. Ich bin so glücklich, das kannst du dir gar nicht vorstellen.«

»Ja, glücklich siehst du aus, das muß ich sagen. Aber diese Wohnung, was für ein Witz!«

»Gerade kam mir der Gedanke«, sagte Lord Merlin, »daß der Geschmack, so sehr er sich auch wandelt, doch immer einem ganz bestimmten, festen Muster folgt. Früher brachten die Franzosen ihre Mätressen in *appartements* unter, von denen sah eines aus wie das andere, und den Grundton darin, wenn man so will, bildeten Spitzen und Samt. Die Wände, das Bett, die Frisierkommode, sogar das Bad waren mit Spitzen behängt, und alles andere war Samt. An die Stelle der Spitzen ist heute Glas getreten, und alles andere ist Seide. Ich wette, Sie haben ein Glasbett, Linda?«

»Ja ... aber ...«

»Und einen gläsernen Toilettentisch, und im Bad – es würde mich nicht überraschen, wenn Ihre Badewanne aus Glas ist und in den Seitenwänden Goldfische herumschwimmen. Goldfische sind zu allen Zeiten ein wichtiges Motiv gewesen.«

»Sie haben nachgesehen«, sagte Linda schmollend. »Sehr schlau.«

»Ist ja himmlisch«, sagte Davey. »Es stimmt also! Er hat nicht nachgesehen, ich schwöre es, aber du siehst, mit etwas Scharfsinn kann man es erraten.«

»Es gibt hier aber auch einiges«, meinte Lord Merlin, »was das Niveau trotz allem hebt. Der Gauguin, die beiden Matisse (süßlich, aber gekonnt) und der Savonnerieteppich dort. Ihr Beschützer muß sehr reich sein.«

»Das ist er«, sagte Linda.

»Wenn das so ist, Linda, dürfte man dann um eine Tasse Tee bitten?«

Sie läutete, und bald machte sich Davey mit der ganzen Hingabe eines Schuljungen über *éclairs* und *mille feuilles* her.

»Ich werde dafür zahlen müssen«, sagte er mit verwegenem Lächeln, »aber sei's drum, man ißt nicht jeden Tag in Paris.«

Lord Merlin schlenderte mit seiner Teetasse umher. Er griff nach einem Buch, das Linda tags zuvor von Fabrice geschenkt bekommen hatte, romantische Gedichte aus dem neunzehnten Jahrhundert.

227

»Lesen Sie jetzt so etwas?« fragte er. »*Dieu, que le son du cor est triste au fond des bois.*‹ Als ich in Paris lebte, hatte ich einen Freund, der sich eine Boa Constrictor als Haustier hielt, und diese Boa verkroch sich eines Tages in einem Waldhorn. Mein Freund rief mich an und meinte sorgenvoll: ›*Dieu, que le son du boa est triste au fond du cor.*‹ Ich habe es nie vergessen.«

»Um welche Zeit stellt sich denn dein Liebhaber im allgemeinen ein?« fragte Davey und zog seine Uhr hervor.

»Nicht vor sieben. Bleibt doch und seht ihn euch an, er ist so ein phantastischer Hon.«

»Nein danke, auf gar keinen Fall.«

»Wer ist es denn?« fragte Lord Merlin.

»Er nennt sich Duc de Sauveterre.«

Davey und Lord Merlin wechselten einen Blick, in dem sich höchste Verwunderung und belustigtes Entsetzen mischten.

»Fabrice de Sauveterre?«

»Ja. Kennen Sie ihn?«

»Liebe Linda, über Ihrer raffinierten Eleganz vergißt man immer wieder, was für eine kleine Provinzlerin Sie im Grunde doch sind. Selbstverständlich kennen wir ihn, und wir wissen alles über ihn, mehr noch: Jeder weiß es, nur Sie nicht.«

»Ja, finden Sie denn nicht, daß er ein phantastischer Hon ist?«

»Fabrice«, sagte Lord Merlin mit Nachdruck, »ist im Hinblick auf Frauen ohne Zweifel einer der verruchtesten Männer in ganz Europa. Aber ich muß zugeben, als Gesellschafter ist er höchst angenehm.«

»Weißt du noch, in Venedig«, meinte Davey, »immer sah man ihn auf dieser Gondel bei der Arbeit, eine nach der anderen legte er sie um, wie die Karnickel, die armen Kleinen.«

»Bitte denkt daran«, sagte Linda, »daß ihr in diesem Augenblick sein Gebäck eßt und seinen Tee trinkt.«

»Ach ja, und es schmeckt wirklich köstlich. Bitte noch einen *éclair*, Linda. Und dann der Sommer«, fuhr er fort, »in dem er mit der Freundin des Grafen Ciano durchbrannte, was war das für eine Aufregung, ist mir unvergeßlich, und eine Woche später ließ er sie in Cannes sitzen, fuhr mit Martha Birmingham nach Salzburg, und der arme alte Claude hat viermal auf ihn geschossen und kein Mal getroffen.«

»Fabrice lebt im Schutz eines Zaubers«, sagte Lord Merlin. »Auf ihn ist wohl häufiger geschossen worden als auf irgend jemanden sonst, aber soviel ich weiß, hat er nie auch nur einen Kratzer davongetragen.«

Linda ließ sich durch diese Enthüllungen, denen Fabrice selbst schon zuvorgekommen war, nicht erschüttern. Keiner Frau macht es viel aus, wenn sie von den vergangenen Affairen ihres Liebhabers hört, nur die Zukunft vermag zu erschrecken.

»Laß uns gehen, Mer«, sagte Davey. »Es wird Zeit, daß die *petite femme* ins *négligé* schlüpft. Du meine Güte, was für eine Szene, wenn er Mer's Zigarre riecht, würde mich nicht wundern, wenn es zu einem *crime passionel* kommt. Auf Wiedersehen, Linda, wir müssen los, speisen heute abend mit unseren intellektuellen Freunden. Hast du Lust, morgen mittag mit uns im Ritz zu essen? So gegen eins. Auf Wiedersehen – liebe Grüße an Fabrice.«

Als Fabrice kam, schnupperte er herum und fragte, wessen Zigarre das sei. Linda erklärte es ihm.

»Die beiden behaupten, Sie zu kennen.«

»*Mais bien sûr – Merlin, tellement gentil, et l'autre, War-beck, toujours si malade, le pauvre. Je les connaissais à Venise.* Wie gefiel es ihnen hier?«

»Sie haben sich über die Wohnung lustig gemacht.«

»Ja, ich kann es mir vorstellen. Diese Wohnung paßt eigentlich nicht zu Ihnen, aber sie ist praktisch, und da jetzt der Krieg bevorsteht ...«

»Oh, aber ich liebe sie, eine andere würde mir nicht halb so gut gefallen. Aber schlau waren sie, daß sie mich hier überhaupt gefunden haben, nicht wahr?«

»Wollen Sie damit sagen, daß niemand weiß, wo Sie stecken?«

»Ich habe wirklich nicht daran gedacht – die Tage vergehen so rasch, wissen Sie – da vergißt man so etwas einfach.«

»Und da dauert es sechs Wochen, bis diese beiden auf die Idee kommen, nach Ihnen zu suchen? Ihre Familie erscheint mir eigenartig *décousu*.«

Plötzlich warf sich Linda in seine Arme und sagte voller Leidenschaft:

»Lassen Sie mich nie, nie zu ihnen zurückgehen.«

»Aber, meine Liebe – Sie lieben sie doch. Mami und Pa, Matt und Robin und Victoria und Fanny. Was ist denn?«

»Fabrice, ich will immer bei Ihnen bleiben, solange ich lebe.«

»Aha! Aber Sie wissen, daß Sie mich wahrscheinlich verlassen müssen, und zwar schon bald. Der Krieg fängt demnächst an, wissen Sie.«

»Warum kann ich nicht bleiben? Ich könnte arbeiten – ich könnte Krankenschwester werden – na ja, vielleicht nicht Krankenschwester, aber irgend etwas anderes.«

»Wenn Sie versprechen, zu tun, was ich sage, können Sie noch eine Zeitlang hier bleiben. Zu Anfang werden wir nur dasitzen und die Deutschen über die Maginot-Linie hinweg anstarren, ich werde dann viel in Paris sein, unterwegs zwischen Paris und der Front, aber meistens hier. Ich möchte Sie in dieser Zeit hier haben. Danach allerdings wird einer, wir oder die Deutschen, aber ich fürchte sehr, es werden die Deutschen sein, die Linie durchbrechen, und es beginnt ein Bewegungs-krieg. Ich werde von dieser *étape* frühzeitig erfahren, und Sie müssen mir versprechen, daß Sie in dem Augenblick, in dem ich es Ihnen sage, nach London ab-reisen, auch wenn Sie gar keinen Grund dazu sehen. Es würde mich bei der Erfüllung meiner Aufgaben unsäg-lich behindern, wenn Sie dann noch hier wären. Wollen Sie mir das also jetzt hoch und heilig versprechen?«

»Gut«, sagte Linda. »Hoch und heilig. Ich glaube zwar nicht, daß etwas so Furchtbares geschehen kann, aber ich verspreche es. Versprechen Sie mir zum Aus-gleich dafür, daß Sie nach London kommen und mich holen, sobald alles vorüber ist! Versprochen?«

»Ja«, sagte Fabrice, »versprochen.«

Beim Luncheon mit Davey und Lord Merlin herrschte eine gedrückte Stimmung. Jeder war mit sich selbst be-schäftigt. Die beiden Männer hatten einen langen, lusti-gen Abend bei ihren literarischen Freunden hinter sich – man sah es ihnen deutlich an. Davey verspürte erste Anzeichen einer äußerst schmerzhaften Dyspep-sie, während Lord Merlin unter einem ganz gewöhnli-chen Kater schwer zu leiden hatte, und als er seine Brille abnahm, blickte er überhaupt nicht freundlich drein. Aber am elendesten von den dreien war Linda zumute, sie war völlig durcheinander, weil sie im Foyer zufällig mitangehört hatte, wie sich zwei französische Damen über Fabrice unterhielten. Mit ihrer gewohnten Pünktlichkeit, die ihr Onkel Matthew eingehämmert hatte, war sie zu früh dagewesen. Fabrice hatte sie nie ins Ritz geführt, sie fand es wunderbar; sie wußte, daß sie genauso hübsch und fast so gut gekleidet war wie alle hier, und nahm munter Platz, um auf die anderen zu warten. Da hörte sie plötzlich, und es versetzte ihr einen Stich ins Herz, wie man ihn spürt, wenn der Name dessen, den man liebt, von fremden Leuten genannt wird:

»Und haben Sie denn Fabrice in letzter Zeit gesehen?«

»Doch ja, ich treffe ihn recht oft bei Mme. de Sauveterre, aber er geht ja niemals aus, wie Sie wissen.«

»Was ist denn mit Jacqueline?«

»Noch immer in England. Er weiß sich gar nicht zu lassen ohne sie, der arme Fabrice, wie ein Hund, der nach seinem Herrn Ausschau hält. Er sitzt traurig zu Hause, geht nicht in Gesellschaft, geht nie in den Club, trifft sich mit niemandem. Seine Mutter macht sich seinetwegen richtige Sorgen.«

»Wer hätte gedacht, daß Fabrice so treu sein würde? Wie lange geht das jetzt schon?«

»Fünf Jahre, glaube ich. Eine wirklich glückliche *ménage*.«

»Jacqueline kommt sicherlich bald zurück.«

»Nicht bevor die alte Tante gestorben ist. Anscheinend ändert sie ständig ihr Testament, und Jacqueline hält es für ratsam, die ganze Zeit über bei ihr zu bleiben – schließlich muß sie an ihren Mann und die Kinder denken.«

»Ziemlich hart gegenüber Fabrice, wie?«

»*Qu'est-ce que vous voulez?* Seine Mutter sagt, er ruft sie jeden Morgen an und unterhält sich eine Stunde mit ihr ...«

In diesem Augenblick tauchten Davey und Lord Merlin auf, erschöpft und mürrisch dreinblickend, und entführten Linda zum Luncheon. Gern wäre sie noch geblieben, um mehr von diesem peinigenden Gespräch mitanzuhören, aber einen Cocktail lehnten die beiden schaudernd ab und drängten statt dessen zum Speisesaal, wo sie nur halbwegs freundlich zu Linda und rundweg unfreundlich zueinander waren.

Die Mahlzeit kam ihr endlos vor, und als sie schließlich doch zu Ende ging, warf sie sich in ein Taxi und fuhr zum Haus von Fabrice. Sie mußte herausfinden, was mit Jacqueline war, sie mußte wissen, was er vorhatte. Wenn Jacqueline zurückkehrte, sollte dann sie, Linda, abreisen, wie sie es versprochen hatte? Ein netter Bewegungskrieg!

Der Diener erklärte, Monsieur le Duc sei soeben mit Madame la Duchesse ausgegangen, werde aber in einer Stunde zurück sein. Linda sagte, sie wolle warten, und er führte sie in das Wohnzimmer von Fabrice. Sie nahm ihren Hut ab und ging unruhig hin und her. Zusammen mit Fabrice war sie schon einige Male hier gewesen, und nach ihrer sonnenhellen Wohnung kam es ihr immer ein wenig bedrückend vor. Jetzt, da sie allein hier war, begann sie, die außerordentliche Schönheit des Raumes wahrzunehmen, eine schwere, feierliche Schönheit, die sie schließlich ganz in ihren Bann schlug. Der Raum war sehr hoch, ein rechteckiger Grundriß, mit grauer Holztäfelung und kirschroten Brokatvorhängen. Die Fenster gingen auf einen Innenhof, und nie hätte ein Sonnenstrahl in das Zimmer fallen können, das war einfach nicht vorgesehen. Dies war ein kultiviertes Interieur, mit dem Draußen hatte es nichts zu tun. Jedes Ding hier drinnen war vollkommen. Das Mobiliar hatte die strengen Umrisse und die großartigen Proportionen von 1780, dann gab es das Portrait einer Dame mit einem Papagei auf der Hand von Lancret, eine Büste derselben Dame von Bouchardon, einen Teppich wie in Lindas Wohnung, aber größer und noch imposanter, mit einem gewaltigen Wappen in der Mitte. Ein hoher, mit Schnitzereien verzierter Bücherschrank enthielt nur französische Klassiker, gebunden in zeitgenössisches Maroquin, mit dem Familienwappen der Sauveterre, und aufgeschlagen auf einem Kartentisch lag ein Exemplar von Redoutés Mappe »Les roses«.

Linda war jetzt sehr viel ruhiger, aber zugleich auch sehr traurig. Sie erkannte, daß dieser Raum für eine Seite von Fabrices Charakter stand, die ihr fast völlig unzugänglich geblieben war und die in der *grandeur* der alten französischen Zivilisation wurzelte. Das war der eigentliche Fabrice, etwas, an dem sie niemals Anteil haben würde – immer würde sie draußen bleiben, in ihrer sonnigen, modernen Wohnung, ferngehalten von alledem, ausgeschlossen, auch wenn ihre Liaison dauern würde. Die Ursprünge der Familie Radlett verloren sich in den Nebeln des Altertums, die Ursprünge von Fabrices Familie hingegen verloren sich nicht, hier waren sie, jede Generation klammerte sich an die folgende. Die Engländer, so ging ihr durch den Kopf, stoßen ihre Vorfahren von sich. Das ist die große Stärke unserer Aristokratie, aber Fabrice hat die seinen am Hals, und nie wird er sie loswerden.

Langsam begriff sie, daß hier ihre wirklichen Widersacher, ihre Feinde waren und daß Jacqueline im Vergleich mit ihnen nichts bedeutete. Hier und im Grab von Louise. Hierherzukommen und wegen einer anderen Geliebten eine Szene zu machen, war völlig sinnlos, so als würde sich ein Nichts über ein anderes Nichts beklagen. Fabrice wäre verärgert, wie alle Männer in solchen Situationen, und ihr würde keine Genugtuung zuteil. Sie konnte seine spröde, sarkastische Stimme hören:

»*Ah! Vous me grondez, madame?*«

Es war besser, zu gehen und die ganze Sache zu ignorieren. Ihre einzige Hoffnung bestand darin, daß es ihr gelang, alles so zu erhalten, wie es jetzt war, das Glück festzuhalten, das sie Tag für Tag und Stunde für Stunde genoß, und nicht an die Zukunft zu denken. Die Zukunft hatte ihr nichts zu bieten, also nicht daran rühren. Außerdem war die Zukunft aller Menschen in Gefahr, jetzt, da der Krieg bevorstand, dieser Krieg, den sie immer wieder vergaß.

Doch sie wurde an ihn erinnert, als Fabrice an diesem Abend in Uniform erschien.

»Ich schätze, noch ein Monat«, sagte er. »Sobald sie die Ernte eingefahren haben.«

»Wenn die Engländer zu entscheiden hätten«, meinte Linda, »würden sie warten, bis sie ihre Weihnachtseinkäufe erledigt haben. Ach, Fabrice, er wird doch nicht lange dauern, oder?«

»Solange er dauert, wird er jedenfalls sehr unangenehm«, antwortete Fabrice. »Waren Sie heute bei mir zu Hause?«

»Ja, nach dem Mittagessen mit diesen beiden Brummbären hatte ich plötzlich das Gefühl, ich müßte Sie unbedingt sehen.«

»*Comme c'est gentil*«, er warf ihr einen seltsamen Blick zu, so als sei ihm plötzlich etwas eingefallen, »und warum haben Sie nicht gewartet?«

»Ihre Vorfahren haben mich verscheucht.«

»Ach, wirklich? Aber soviel ich weiß, haben Sie selbst doch auch Vorfahren, *madame*?«

»Die machen sich aber nicht so breit wie die Ihren.«

»Sie hätten warten sollen«, sagte Fabrice, »es ist immer ein außerordentliches Vergnügen, Sie zu sehen, sowohl für mich als auch für meine Vorfahren. Es muntert uns ungemein auf.«

Germaine kam herein, den Arm voller Blumen und einen Brief von Lord Merlin in der Hand:

»Hier ein paar Kohlen für Newcastle. Wir tuckern jetzt mit der Fähre heimwärts. Ob ich Davey lebend nach Hause bringen werde? Was meinen Sie? Ich lege etwas bei, das vielleicht eines Tages nützlich sein könnte.«

Es war eine Geldanweisung über 20 000 Francs.

»Ich muß schon sagen«, meinte Linda, »trotz seiner hartherzigen Augen – er denkt wirklich an alles.«

Nach den Ereignissen dieses Tages überließ sie sich jetzt ihren Gefühlen.

»Sagen Sie, Fabrice, was haben Sie in dem Augenblick gedacht, als Sie mich zum erstenmal sahen?«

»Wenn Sie es wirklich wissen wollen, ich dachte: ›*Tiens, elle ressemble à la petite Bosquet.*‹«

»Wer ist denn das?«

»Es gibt zwei Schwestern Bosquet, die ältere ist eine Schönheit, und die kleine ähnelt Ihnen.«

»*Merci beaucoup*«, sagte Linda. »*J'aimerais autant ressembler à l'autre.*«

Fabrice lachte. »*Ensuite, je me suis dit, comme c'est amusant, le côté démodé de tout ça …*«

Als der Krieg, der schon so lange drohte, ungefähr sechs Wochen später tatsächlich ausbrach, berührte das Linda seltsamerweise kaum. Sie lebte ganz in der Gegenwart, lebte ihr eigenes zukunftsloses, losgelöstes Dasein, das ihr ohnedies schon so gefährdet und schwankend erschien: Äußere Ereignisse drangen kaum in ihr Bewußtsein vor. Der Gedanke, daß der Krieg tatsächlich angefangen hatte, erleichterte sie fast ein wenig, insofern der Anfang ja auch der erste Schritt zum Ende ist. Daß er nur der Form nach, aber noch nicht wirklich begonnen hatte, fiel ihr gar nicht auf. Hätte der Krieg ihr Fabrice entführt, dann hätte sie gewiß eine ganz andere Haltung eingenommen, aber seine Arbeit – für den Geheimdienst – brachte es mit sich, daß er meist in Paris war. Sie sah ihn sogar häufiger als früher, denn er zog nun zu ihr in die Wohnung, nachdem er seine eigene verschlossen und seine Mutter aufs Land geschickt hatte. Zu allen möglichen und unmöglichen Tages- und Nachtzeiten tauchte er auf oder verschwand wieder, und da sein Anblick für Linda eine ständige Freude war, da sie sich keine größere Seligkeit vorstellen konnte, als jene, die sie immer empfand, wenn sich in den leeren Raum vor ihren Augen seine Gestalt schob, versetzten diese plötzlichen Auftritte sie in eine dauernde glückliche Spannung und trieben die Beziehung zwischen ihr und Fabrice auf den höchsten Punkt.

Seit Daveys Besuch bekam Linda Briefe von ihren Angehörigen. Davey hatte Tante Sadie ihre Adresse gegeben und ihr erzählt, Linda arbeite in Paris beim mi-

litärischen Hilfsdienst: zum Wohle der französischen
Armee, so hatte er sich ausgedrückt – etwas unbe-
stimmt, aber ein Körnchen Wahrheit steckte ja darin.
Tante Sadie war darüber erfreut, sie fand es sehr löb-
lich, daß Linda so schwer arbeitete (manchmal die
ganze Nacht hindurch, hatte Davey gesagt), und war
froh zu hören, daß sie sich ihren Lebensunterhalt selbst
verdiente. Die Arbeit freiwilliger Helfer und Helferin-
nen war ja oft so unbefriedigend und brachte wenig
ein. Onkel Matthew fand es zwar schade, daß sie für
Ausländer arbeitete, und bedauerte, daß seine Kinder
so erpicht darauf waren, die Weltmeere zu überqueren,
aber auch er war entschieden für den militärischen
Hilfsdienst. Er selbst ärgerte sich fast schwarz darüber,
daß das Kriegsministerium nicht imstande war, ihm
eine Gelegenheit zur Wiederholung seiner Großtat
mit dem Schanzspaten zu verschaffen oder überhaupt
irgendeine Aufgabe, und lief herum wie ein Bär mit
Kopfschmerzen, erfüllt von der unbefriedigten Sehnsucht, für König und Vaterland zu kämpfen.

Ich schrieb Linda und berichtete ihr von Christian,
der nach London zurückgekommen war, die Kommunistische Partei verlassen hatte und Soldat geworden
war. Auch Lavender war wieder da; sie arbeitete jetzt
beim A. T. S., dem weiblichen Hilfsdienst der englischen Armee.

Christian interessierte sich überhaupt nicht dafür,
was aus Linda geworden war, auch wollte er sich
anscheinend nicht von ihr scheiden lassen oder Lavender heiraten. Er hatte sich mit Haut und Haaren der
Armee verschrieben und dachte an nichts anderes
als den Krieg.

Bevor er Perpignan verließ, hatte er Matt aus dessen

Truppe herausgeholt. Unter Einsatz seiner ganzen Überredungskunst hatte er ihn dazu gebracht, die spanischen Genossen zu verlassen, um sich der Schlacht gegen den Faschismus an einer anderen Front wieder anzuschließen. Matt trat in Onkel Matthews altes Regiment ein, und, wie man hörte, ging er seinen Offizierskollegen in der Messe schrecklich auf die Nerven mit der These, die ganze Ausbildung der Infanterie sei völlig verfehlt, und bei der Schlacht am Ebro hätten sie es so und so gemacht. Endlich fiel seinem Oberst, der ein etwas hellerer Kopf war als die anderen, die naheliegende Erwiderung ein, nämlich: »Aber verloren habt ihr trotzdem!« Damit war Matt in Sachen Taktik zwar der Mund gestopft, dafür konnte er sich nun um so besser über statistische Fragen verbreiten – »30 000 Deutsche und Italiener, 500 deutsche Flugzeuge« und so weiter –, was fast ebenso langweilig war.

Linda hörte nichts mehr von Jacqueline, und mit der Zeit vergaß sie, wie sehr die wenigen, zufällig im Ritz aufgeschnappten Worte sie bestürzt hatten. Immer wieder sagte sie sich, daß niemand wirklich wußte, wie es im Herzen eines Mannes aussah, auch nicht, und vielleicht am allerwenigsten, seine Mutter, und daß in der Liebe vor allem die Taten zählen. Fabrice hatte gar keine Zeit für zwei Frauen, jede freie Minute verbrachte er bei ihr, und das allein beruhigte sie schon. Und wie sie ohne ihre Ehen mit Tony und Christian niemals Fabrice kennengelernt hätte, so hätte er niemals Linda kennengelernt, wenn es nicht diese Affaire gegeben hätte: Denn zweifellos hatte er Jacqueline an der Gare du Nord zum Zug gebracht, als er Linda weinend auf ihrem Koffer fand. Und wenn sie sich in Jacquelines Lage versetzte, wurde ihr sofort klar, um wieviel vorteilhafter ihre eigene war: Die wirklich gefährliche Rivalin war jedenfalls nicht Jacqueline, sondern jene nebelhafte, tugendreine Gestalt aus der Vergangenheit, Louise. Immer wenn Fabrice den sachlichen Praktiker ein wenig zurücktreten ließ und den Romantiker hervorkehrte, kam er auf seine *fiancée* zu sprechen, erging sich in sanfter Traurigkeit über ihre Schönheit, ihre edle Abstammung, ihre riesigen Besitzungen und ihren religiösen Wahn. Einmal äußerte Linda die Vermutung, wenn die *fiancée* länger gelebt hätte und seine Frau geworden wäre, dann wäre sie vielleicht gar nicht besonders glücklich geworden.

»All diese Klettertouren«, sagte sie, »in anderer Leute Schlafzimmerfenster – hätte sie das nicht empört?«

Fabrice warf ihr einen zutiefst erschrockenen, vorwurfsvollen Blick zu: Mit den Klettertouren hätte es dann für immer ein Ende gehabt, sagte er, hinsichtlich der Ehe hege er die allerhöchsten Ideale, und sein ganzes Leben würde er der Aufgabe gewidmet haben, Louise glücklich zu machen. Linda spürte den Tadel, aber völlig überzeugt war sie nicht.

Die ganze Zeit über hatte Linda die Baumwipfel aus ihrem Fenster beobachtet. Seit sie in die Wohnung gezogen war, hatten sie sich verändert: zuerst hellgrün vor einem hellblauen Himmel, dann dunkelgrün vor einem blauvioletten Himmel, schließlich gelb vor einem tiefblauen Himmel, und nun ragten die schwarzen Astgerippe in einen maulwurfsgrauen Himmel, der Weihnachtstag war gekommen. Die Fenster konnte man jetzt nicht so weit öffnen, daß die Scheiben ganz versanken, aber immer wenn die Sonne hervorkam, schien sie in Lindas Zimmer, und stets war die Wohnung warm wie ein Toast. An diesem Weihnachtsmorgen kam Fabrice ganz unerwartet, noch bevor sie aufgestanden war. Er hatte die Arme voller Pakete, und bald war der Fußboden mit einem Gewoge von Seidenpapier bedeckt, zwischen dem, wie Wrackteile und Seeungeheuer in einem seichten Meer, Pelzmäntel, Hüte, echte Mimosen und künstliche Blumen, Federn, Parfum, Handschuhe, Strümpfe, Unterwäsche und eine junge Bulldogge zum Vorschein kamen.

Linda hatte für die 20 000 Francs von Lord Merlin einen winzigen Renoir gekauft, um ihn Fabrice zu schenken: fünfzehn Zentimeter Küste, ein Fleckchen strahlendes Blau, das sich in seinem Zimmer in der Rue Bonaparte einfach gut machen würde. Für Fabrice Geschenke zu kaufen war äußerst schwierig, er besaß eine größere Kollektion von Schmuckstücken, Raritäten und allem möglichen Schnickschnack als jeder andere aus ihrem Bekanntenkreis. Aber der Renoir entzückte ihn, nichts, so sagte er, hätte ihm mehr Freude machen können, und Linda spürte, daß er es ernst meinte.

»Wie kalt es heute ist«, sagte er. »Ich war in der Kirche.«

»Fabrice, wie können Sie in die Kirche gehen, wenn es mich gibt.«

»Wieso nicht?«

»Sie sind Katholik, oder?«

»Selbstverständlich. Was dachten denn Sie? Finden Sie, ich sähe aus wie ein Kalvinist?«

»Aber leben Sie denn nicht in der Todsünde? Und was ist, wenn Sie zur Beichte gehen?«

»*On ne précise pas*«, meinte Fabrice unbekümmert,

»überhaupt sind diese kleinen Sünden des Fleisches ganz unwichtig.«

Linda wäre im Leben von Fabrice gern mehr gewesen als eine kleine Sünde des Fleisches, aber sie hatte sich daran gewöhnt, in ihrem Verhältnis zu ihm auf solche verschlossenen Türen zu stoßen, sie hatte gelernt, ihren Gleichmut zu bewahren und dankbar zu sein für das Glück, das ihr wirklich zuteil wurde.

»In England«, so erzählte sie, »müssen die Leute einander entsagen, wenn einer von beiden katholisch ist. Manchmal ist das sehr traurig für sie. Viele englische Bücher handeln davon.«

»*Les Anglais sont des insensés, je l'ai toujours dit.* Das klingt ja fast, als wollten Sie, daß ich Sie aufgebe. Was ist denn seit Samstag geschehen? Der militärische Hilfsdienst wird Ihnen doch hoffentlich nicht zuviel?«

»Nein, nein, Fabrice. Ich habe mich nur gewundert, sonst nichts.«

»Aber Sie sehen so traurig aus, *ma chérie*, was ist los?«

»Ich dachte an den Weihnachtstag daheim. An Weihnachten werde ich immer sentimental.«

»Wenn eintritt, was eintreten könnte, wenn ich Sie nach England schicken muß, würden Sie dann zu Ihrem Vater zurückkehren?«

»O nein«, sagte Linda, »aber dazu wird es gar nicht kommen. Alle englischen Zeitungen schreiben, mit unserer Blockade würden wir den Deutschen den Garaus machen.«

»*Le blocus*«, meinte Fabrice ungeduldig, »*quelle blague! Je vais vous dire, madame, ils ne se fichent pas mal de votre blocus.* Wo würden Sie denn wohnen?«

»In meinem Haus in Chelsea und dort auf Sie warten.«

»Es könnte Monate dauern, oder Jahre.«

»Ich werde warten«, sagte sie.

Der leere Raum zwischen den kahlen Zweigen der Bäume begann sich wieder zu füllen, erst färbten sie sich rötlich und gingen dann in Goldgrün über. Oft war der Himmel blau, und an manchen Tagen konnte Linda wieder die Fenster öffnen und nackt in der Sonne liegen, deren Strahlen schon eine gewisse Kraft besaßen. Sie hatte den Frühling immer geliebt, die plötzlichen Temperaturwechsel, die kurzen Sprünge zurück in den Winter und vorwärts in den Sommer, und in diesem Jahr, da sie in der herrlichen Stadt Paris lebte und ihre Wahrnehmungen durch die Tiefe ihrer Gefühle noch gesteigert wurden, berührte er sie ganz besonders. Es lag jetzt eine seltsame Stimmung in der Luft, ganz anders und viel nervöser als in der Zeit vor Weihnachten, und die Stadt war voller Gerüchte. Immer wieder fiel Linda der Ausdruck »*fin de siècle*« ein. Es bestand eine gewisse Ähnlichkeit zwischen der Gemütsverfassung, die er bezeichnete, und derjenigen, die sich jetzt ausgebreitet hatte, nur daß es jetzt eher wie »*fin de vie*« klang. Es war, als würde jeder und auch sie selbst die letzten Lebenstage auskosten, aber dieses seltsame Gefühl beunruhigte sie nicht, ein gelassener, heiterer Fatalismus hatte sie ergriffen. Die Zeit des Wartens zwischen den Besuchen von Fabrice vertrieb sie sich mit Sonnenbädern, wenn die Sonne da war, oder sie spielte mit ihrem jungen Hund. Auf Fabrices Rat hin begann sie sogar, ein paar neue Kleider für den Sommer zu bestellen. In der Anschaffung neuer Kleider schien er eine der wichtigsten Pflichten der Frau zu sehen, die sie auch in Krieg und Revolution, bei Krankheit und bis zum Tod erfüllen mußte. Fast so, wie wenn man sagt: »Was auch geschieht, die Felder müssen bestellt und das Vieh muß versorgt werden, das Leben geht weiter.« Fabrice war so sehr Städter, daß für ihn der langsame Wechsel der Jahreszeiten durch die frühlingshaften *tailleurs*, die sommerlichen *imprimés*, die herbstlichen *ensembles* und die winterlichen Pelze seiner Geliebten markiert wurde.

An einem schönen, blauweißen Apriltag geschah es dann. Fabrice, den Linda seit fast einer Woche nicht gesehen hatte, kam mit ernster, sorgenvoller Miene von der Front und erklärte ihr, sie müsse sofort nach England zurückgehen.

»Ich habe Ihnen einen Platz im Flugzeug für heute nachmittag besorgt. Packen Sie nur einen kleinen Koffer zusammen, die übrigen Sachen werden mit dem Zug nachgeschickt. Germaine wird sich darum kümmern. Ich muß jetzt ins Ministère de la Guerre, ich komme so schnell wie möglich zurück, auf jeden Fall rechtzeitig, um Sie nach Le Bourget zu bringen. Kommen Sie«, fügte er hinzu, »gerade noch Zeit für ein bißchen militärischen Hilfsdienst.« In diesem Augenblick war er ganz der nüchterne Praktiker und nicht im mindesten romantisch.

Als er zurückkehrte, wirkte er so gedankenverloren wie noch nie. Linda wartete auf ihn, ihr Koffer war gepackt, sie trug das blaue Kleid, in dem er sie zuerst gesehen hatte, und hatte ihren alten Nerzmantel über den Arm gelegt.

»*Tiens*«, sagte Fabrice, der immer sogleich bemerkte,

was sie anhatte, »was ist denn das hier? Ein Kostüm-
ball?«

»Fabrice, Sie müssen verstehen, daß ich die Sachen
nicht mitnehmen kann, die Sie mir geschenkt haben.
Ich habe sie sehr gern getragen, solange ich hier war
und solange es Ihnen Vergnügen machte, mich in ihnen
zu sehen, aber schließlich habe ich auch meinen Stolz.
Je n'étais quand même pas élevée dans un bordel.«

»*Ma chére*, seien Sie doch nicht so bürgerlich, das
steht Ihnen überhaupt nicht. Es ist keine Zeit zum Um-
ziehen mehr… aber, warten Sie…« Er eilte in ihr
Schlafzimmer und kam mit einem langen Zobelpelz
zurück, einem seiner Weihnachtsgeschenke. Er nahm
ihren Nerzmantel, rollte ihn zusammen, warf ihn in
den Papierkorb und legte ihr statt dessen den anderen
über den Arm.

»Germaine wird Ihnen Ihre Sachen nachschicken«,
sagte er. »Kommen Sie jetzt, wir müssen gehen.«

Linda verabschiedete sich von Germaine, nahm ihre
junge Bulldogge auf den Arm, folgte Fabrice zum Auf-
zug und hinaus auf die Straße. Sie begriff nicht wirklich, daß sie dieses glückliche Leben nun für immer
hinter sich ließ.

19

Daheim am Cheyne Walk begriff sie anfangs immer
noch nicht. Gewiß, die Welt war grau und kalt,
die Sonne war hinter einer Wolke verschwunden, aber
nur für eine gewisse Zeit: Sie würde wieder hervor-
kommen, und bald würde sich Linda wieder in Wärme
und Licht hüllen können, die sie so wohlig durchrieselt
hatten – es war doch noch so viel Blau am Himmel,
gewiß würde das Wölkchen vorüberziehen. Aber die
Wolke, die zunächst so klein ausgesehen hatte, wurde,
wie es zuweilen geschieht, größer und größer, bis sie
zuletzt als riesiges graues Laken den ganzen Horizont
zudeckte. Jetzt kamen die schlimmen Nachrichten,
die schrecklichen Tage, die unvergeßlichen Wochen.
Eine stählerne Schreckensmaschinerie wälzte sich über
Frankreich hinweg, auf England zu, überrollte die
armseligen Menschenwesen, die sich ihr entgegen-
stemmten, überrollte Fabrice, Germaine, die Wohnung,
und die vergangenen Monate von Lindas Leben, überrollte Alfred, Bob, Matt und den kleinen Robin, und
rückte immer näher, um uns alle unter sich zu begra-
ben. Ungeniert weinten die Londoner in den Bussen
und auf den Straßen über die englische Armee, die
verloren war.

Doch eines Tages war die englische Armee plötzlich
wieder da. Ein Gefühl unendlicher Erleichterung brei-
tete sich aus, als wäre der Krieg schon vorbei und ge-
wonnen. Alfred, Bob, Matt, der kleine Robin, sie alle
tauchten auf, und als auch viele Franzosen eintrafen,

kam in Linda die unbändige Hoffnung auf, Fabrice könnte unter ihnen sein. Den ganzen Tag saß sie beim Telephon, und wenn es klingelte, und Fabrice war nicht am anderen Ende der Leitung, dann war sie wütend auf den unglücklichen Anrufer – ich weiß es, denn ich habe es selbst erlebt. Sie war so wütend, daß ich wieder auflegte und sofort zu ihr fuhr.

Sie packte gerade einen riesigen Schrankkoffer aus, der soeben aus Frankreich eingetroffen war. Ich hatte sie noch nie so schön gesehen. Mir stockte der Atem, und dann fiel mir ein, daß Davey nach seiner Rückkehr aus Paris erzählt hatte, Linda habe das Versprechen ihrer Kindheit nun endlich wahrgemacht und sei eine Schönheit geworden.

»Kannst du dir vorstellen, wie dieser Kasten hierhergekommen ist?« fragte sie zwischen Tränen und Lachen. »Was für ein eigenartiger Krieg. Die Leute von der Southern Railway haben ihn eben gebracht, ich habe unterschrieben, und fertig, als wäre nichts geschehen – ich begreife das nicht. Was tust du in London, Liebling?«

Sie hatte anscheinend ganz vergessen, daß sie vor einer halben Stunde mit mir telephoniert und mir dabei fast den Kopf abgebissen hatte.

»Ich bin mit Alfred hier. Er muß sich neu ausrüsten und mit allen möglichen Leuten reden. Ich glaube, er geht bald wieder ins Ausland.«

»Ungeheuer anständig von ihm«, sagte Linda, »dabei hätte er doch gar nicht zur Armee gemußt, nehme ich an. Was erzählt er von Dünkirchen?«

»Er sagt, es war wie in einem Abenteuerroman – er fand es offenbar sehr spannend.«

»Das fanden sie alle. Die Jungs waren gestern hier –

solche Geschichten hast du noch nie gehört! Natürlich war ihnen nie ganz klar, wie aussichtslos ihre Lage war, bis sie an die Küste kamen. Oh, ist es nicht wunderbar, daß wir sie wieder bei uns haben. Wenn – wenn man nur wüßte, was aus den französischen Freunden, die man so hatte, geworden ist.« Sie warf mir einen vielsagenden Blick zu, und ich glaubte schon, sie würde mir von ihrem Leben erzählen, aber dann überlegte sie es sich anders und machte sich wieder ans Auspacken.

»Ich muß diese Wintersachen nachher doch wieder in die Koffer verstauen«, sagte sie. »Ich habe in den Schränken einfach nicht genug Platz dafür, aber auf diese Weise habe ich wenigstens etwas zu tun, und es macht Spaß, sie wieder einmal zu sehen.«

»Du solltest sie ausschütteln und in die Sonne legen«, sagte ich. »Sie sind vielleicht ein wenig klamm und feucht.«

»Liebling, du bist wunderbar, du weißt immer Bescheid.«

»Woher hast du das Hündchen?« fragte ich neidisch. Seit Jahren wünschte ich mir eine Bulldogge, aber Alfred war dagegen, weil sie so schnarchen.

»Den habe ich mitgebracht. Er ist der netteste Welpe, den ich je hatte, und so gehorsam, das kannst du dir gar nicht vorstellen!«.

»Und wie war das mit der Quarantäne?«

»Unter dem Mantel«, antwortete Linda lakonisch. »Du hättest hören sollen, wie er knurrte und schnaufte – daß die Wände wackelten –, ich hatte schreckliche Angst, aber dann war er so brav. Er rührte sich nicht. Übrigens, da wir gerade beim Thema Welpen sind: Diese abscheulichen Kroesigs wollen Moira nach Amerika schicken, ist das nicht typisch? Ich hatte ein Riesentrara mit Tony, damit ich sie noch einmal sehen kann, bevor sie fährt, immerhin bin ich ihre Mutter.«

»Das habe ich nie an dir verstanden, Linda.«

»Was?«

»Wie du dich gegenüber Moira so abscheulich verhalten konntest.«

»Langweilig«, meinte Linda, »uninteressant.«

»Ich weiß, aber die Sache ist doch die: Kinder sind tatsächlich wie Welpen; wenn man sich um die Welpen nie kümmert, wenn man sie dem Pferdeknecht oder dem Wildhüter zum Großziehen überläßt, dann werden sie eben langweilig und uninteressant. Mit Kindern ist es das gleiche – man muß ihnen viel mehr schenken als nur das Leben, wenn aus ihnen etwas werden soll. Arme kleine Moira – das einzige, was du ihr geschenkt hast, war dieser häßliche Name.«

»Ach, Fanny, das weiß ich doch. Um die Wahrheit zu sagen, ich glaube, ich hatte immer so eine Ahnung, daß ich Tony davonlaufen würde, früher oder später, und ich wollte nicht, daß ich sie zu sehr liebgewinne oder daß sie mich zu sehr liebgewinnt. Sie hätte zur Fessel werden können, und ich wollte einfach nicht das Risiko eingehen, mich an die Kroesigs zu binden.«

»Arme Linda.«

»Oh, nur kein Mitleid! Ich habe elf Monate vollkommenen, ungetrübten Glücks hinter mir, und ich denke, es gibt nur sehr wenige Menschen, die das von sich sagen können, auch wenn sie noch so lange leben.«

Das dachte ich auch. Alfred und ich sind glücklich, so glücklich, wie Eheleute sein können. Wir lieben uns, wir passen geistig und körperlich in jeder Hinsicht zueinander, wir sind gerne beisammen, wir haben keine Geldprobleme und drei entzückende

Kinder. Und doch, wenn ich mein Leben genau betrachte, Tag für Tag und Stunde für Stunde, dann scheint es aus einer unausgesetzten Folge von Widrigkeiten zu bestehen. Kindermädchen, Köchinnen, die endlose Schinderei im Haushalt, der entnervende Lärm und die ermüdenden, ständig sich wiederholenden Unterhaltungen mit kleinen Kindern, ihre gänzliche Unfähigkeit, sich selbst zu beschäftigen, ihre plötzlichen, erschreckenden Krankheiten, Alfreds nicht seltene Anwandlungen von schlechter Laune, die Art, wie er beim Essen unweigerlich über den Pudding meckert, und daß er immer meine Zahnpasta benutzt und die Tube immer in der Mitte zusammendrückt. Aus solchen Dingen besteht die Ehe, das Vollkornbrot des Lebens, grob geschrotet, einfach, aber nahrhaft; aber Linda hatte sich von Honig ernährt, einer völlig unvergleichlichen Speise.

Die alte Frau, die mir geöffnet hatte, kam herein und fragte, ob noch etwas zu tun sei, sie würde sonst nach Hause gehen.

»Nein, nichts«, sagte Linda. »Das war Mrs. Hunt«, erklärte sie mir, als die Frau gegangen war. »Ein phantastischer Hon – sie kommt jeden Tag.«

»Warum gehst du nicht nach Alconleigh?« fragte ich. »Oder nach Shenley? Tante Emily und Davey würden sich bestimmt freuen, und ich komme auch, sobald Alfred wieder fort ist.«

»Ich werde euch gern einmal besuchen, wenn ich genauer weiß, was vor sich geht, aber im Augenblick muß ich hier bleiben. Sag ihnen liebe Grüße von mir. Ich habe dir so viel zu erzählen, Fanny; was wir vor allem brauchten, wären viele, viele Stunden im Wäscheschrank der Hons.«

Nach langem Hin und Her erlaubten Tony Kroesig und seine Frau Pixie, daß Moira, bevor sie England verließ, ihrer Mutter einen Besuch abstattete. In den Cheyne Walk kam sie mit Tonys Wagen, der immer noch von einem Chauffeur in Uniform, aber nicht der des Königs, gelenkt wurde. Sie war ein unscheinbares, etwas schwerfälliges, scheues kleines Mädchen, das so ganz und gar nichts von den Radletts an sich hatte; oder, um es einmal deutlich zu sagen: Sie war ein richtiges kleines Gretchen.

»Was für ein netter kleiner Hund«, sagte sie linkisch, nachdem Linda ihr einen Kuß gegeben hatte. Moira war sichtlich verlegen. »Wie heißt er?«

»Plon-plon.«

»Oh. Ist das ein französischer Name?«

»Ja. Er ist auch ein französischer Hund, verstehst du?«

»Daddy sagt, die Franzosen seien gemein.«

»Das habe ich mir gedacht.«

»Er sagt, sie hätten uns im Stich gelassen, aber wenn man sich mit solchen Leuten einließe, könnte man auch nichts anderes erwarten.«

»Ja, gewiß.«

»Daddy meint auch, wir sollten zusammen mit den Deutschen kämpfen und nicht gegen sie.«

»Hm. Aber Daddy selbst scheint nicht gerade viel zu kämpfen, soweit ich sehe, weder mit jemandem noch gegen jemanden. Hör mal, Moira, bevor du abfährst, habe ich zwei Dinge für dich, das eine ist ein Geschenk, und dann möchte ich dir noch etwas sagen. Es ist ziemlich langweilig, also bringen wir zuerst das zweite hinter uns, einverstanden?«

»Ja«, sagte Moira teilnahmslos. Sie zog den Hund neben sich auf das Sofa.

»Du sollst wissen«, sagte Linda, »und dir merken (bitte Moira, höre jetzt mal einen Augenblick auf, mit dem Hund zu spielen, und gib acht, was ich dir sage), daß ich es überhaupt nicht billige, wenn du jetzt davonläufst, ich finde es ganz furchtbar falsch. Wenn man ein Land hat, das einem so viel gegeben hat, wie England uns allen gegeben hat, dann sollte man ihm treu bleiben und sich nicht davonstehlen, wenn es in Schwierigkeiten geraten ist.«

»Aber ich kann doch nichts dafür«, sagte Moira und runzelte die Stirn. »Ich bin doch nur ein Kind, und Pixie bringt mich hin. Ich muß doch tun, was man mir sagt, oder?«

»Ja, natürlich, ich weiß. Aber wenn du könntest, würdest du doch bestimmt lieber hierbleiben, nicht wahr?« meinte Linda hoffnungsvoll.

»O nein, ich glaube nicht. Es könnte Luftangriffe geben.«

Jetzt gab Linda auf. Ob Kinder an Luftangriffen, wenn sie gerade stattfanden, ihren Spaß hatten oder nicht, war eine andere Frage – aber daß es Kinder gab, die bei dem *Gedanken* an einen Luftangriff nicht in Begeisterung gerieten, war ihr unbegreiflich, und sie konnte einfach nicht glauben, daß sie ein solches Wesen zur Welt gebracht hatte. Es war nutzlos, mehr Zeit und Worte an dieses unnatürliche kleine Mädchen zu verschwenden. Sie stieß einen Seufzer aus und sagte:

»Also gut, warte einen Moment, ich hole dir dein Geschenk.«

In ihrer Tasche hatte sie, in einer kleinen, mit Samt ausgelegten Schachtel, eine Korallenhand, die einen Diamantenpfeil hielt. Fabrice hatte ihr die Brosche geschenkt, aber jetzt brachte sie es nicht über sich, so etwas Hübsches an diesen dummen, kleinen Feigling zu vergeuden. Sie ging in ihr Schlafzimmer und fand eine Sportarmbanduhr, die sie zur Hochzeit mit Tony geschenkt bekommen und nie getragen hatte. Moira schien sehr erfreut über dieses Geschenk und verließ das Haus ebenso höflich und unbegeistert, wie sie gekommen war.

Linda rief mich in Shenley an und berichtete mir von dieser Unterredung.

»Ich bin so wütend«, schimpfte sie, »ich muß einfach mit jemandem reden. Der Gedanke, daß ich neun Monate meines Lebens ruiniert habe, und dann kommt so etwas dabei heraus! Was halten deine Kinder von Luftangriffen, Fanny?«

»Ich muß leider sagen, sie wünschen sich nichts sehnlicher, und sie sehnen sich auch danach, daß die Deutschen kommen. Den ganzen Tag legen sie im Obstgarten Fallgruben für sie an.«

»Immerhin ein Trost – ich dachte schon, vielleicht sei die ganze Generation so. Im Grunde genommen ist es natürlich nicht Moiras Schuld, dahinter steckt diese verdammte Pixie – das Schema ist mir völlig klar, dir auch? Pixie hat eine Heidenangst, und sie hat herausgefunden, daß es mit Amerika genauso ist wie mit dem Kinderkonzert, man kommt nur hinein, wenn man ein Kind dabei hat. Und da macht sie sich Moira zunutze – geschieht mir ganz recht, bei allem, was ich falsch gemacht habe.« Linda war offensichtlich sehr verärgert. »Und wie ich höre, fährt Tony auch mit, irgendeine parlamentarische Mission. Ich kann nur sagen: Was für Leute!«

Die langen schrecklichen Monate Mai, Juni und Juli hindurch wartete Linda auf ein Zeichen von Fabrice, aber es kam keines. Sie zweifelte nicht daran, daß er noch lebte; sich vorzustellen, jemand könnte tot sein, lag Linda völlig fern. Sie wußte, daß Tausende von Franzosen in die Hände der Deutschen gefallen waren, aber sie war überzeugt, wenn Fabrice in Gefangenschaft geraten würde (was sie übrigens keineswegs billigte, denn sie vertrat die altmodische Auffassung, es sei, von besonderen Ausnahmefällen abgesehen, eine Schmach), dann würde es ihm ohne Zweifel gelingen zu fliehen. Binnen kurzem würde sie dann von ihm hören, und so lange konnte sie nichts tun, sie mußte einfach warten. Dennoch, während die Tage ohne irgendwelche Neuigkeiten verstrichen und aus Frankreich nur schlechte Nachrichten kamen, erfaßte sie eine tiefe Unruhe. In Wirklichkeit bereitete ihr seine innere Haltung mehr Sorge als seine äußere Sicherheit – seine Haltung zu den Ereignissen und seine Haltung zu ihr. Sie war überzeugt, daß er sich mit dem Waffenstillstand niemals abfinden würde, sie glaubte fest, daß er mit ihr Kontakt aufnehmen wollen würde, aber sie hatte keinen Beweis, und in manchen Augenblicken großer Einsamkeit und Niedergeschlagenheit verlor sie alle Zuversicht. Ihr wurde klar, wie wenig sie im Grunde von Fabrice wußte, selten hatte er ernste Gespräche mit ihr geführt, ihre Beziehung war vor allem eine körperliche gewesen, während alle ihre Unterhaltungen und ihr Geplauder scherzhaft gewesen waren.

Sie hatten gelacht und sich geliebt und wieder gelacht, und in all den Monaten war gar keine Zeit für etwas anderes als Lachen und Liebe geblieben. Sie war damit zufrieden gewesen, aber wie stand es mit ihm? Nun, da das Leben eine so ernste und für einen Franzosen so tragische Wendung genommen hatte – war da die Seifenblase nicht einfach zerplatzt, war das Geschehene nicht einfach völlig bedeutungslos geworden und in Vergessenheit geraten, so, als wäre es nie gewesen? Sie dachte jetzt immer häufiger, sagte sich immer wieder und zwang sich zu dem Eingeständnis, daß wahrscheinlich alles aus war, daß Fabrice von nun an für sie nie mehr etwas anderes sein würde als eine Erinnerung.

Gleichzeitig versäumten es die wenigen Menschen, denen sie begegnete, nie, wenn sie über Frankreich sprachen – und über Frankreich sprach zu dieser Zeit jeder –, darauf hinzuweisen, daß jene Franzosen, die »man kannte«, jene Familien, die *bien* waren, allesamt eine sehr schlechte Figur machten, lauter überzeugte Pétain-Anhänger. Fabrice gehörte nicht zu ihnen – daran glaubte sie, das spürte sie, aber sie wollte es wissen, sie sehnte sich nach einem Beweis.

Zwischen Hoffnung und Verzweiflung schwankte sie hin und her, aber als Monat um Monat ohne Nachricht von ihm verstrich, die er ihr gewiß hätte zukommen lassen können, wenn er wirklich gewollt hätte, gewann die Verzweiflung schließlich die Oberhand.

Da, ganz früh an einem sonnigen Sonntagmorgen im August, klingelte das Telephon. Sie fuhr aus dem Schlaf hoch, bemerkte, daß es schon einige Male geläutet hatte, und wußte mit völliger Sicherheit, daß es Fabrice war.

»Ist dort Flaxman 2815?«

»Ja.«

»Ein Anruf für Sie. Ich verbinde.«

»*Allô – allô?*«

»Fabrice?«

»*Oui.*«

»Oh! Fabrice – *on vous attend depuis si longtemps.*«

»*Comme c'est gentil. Alors, on peut venir tout de suite chez vous?*«

»Oh, warten Sie – ja, Sie können sofort kommen, aber legen Sie noch nicht auf, sprechen Sie weiter, einen Augenblick lang möchte ich Ihre Stimme noch hören.«

»Nein, nein, draußen wartet ein Taxi auf mich. In fünf Minuten bin ich bei Ihnen. Es gibt zuviel, was man am Telephon nicht tun kann, *ma chère, voyons …*« Klick.

Sie lehnte sich zurück, und alles war Licht und Wärme. Das Leben, so dachte sie, ist manchmal traurig und oft trostlos, aber es gibt auch Rosinen im Kuchen, und hier ist eine. Draußen vor dem Fenster strahlte die Morgensonne auf den Fluß, und die Lichtreflexe von der Wasserfläche tanzten an ihrer Zimmerdecke. Die Sonntagsstille wurde von zwei Schwänen unterbrochen, die langsam stromaufwärts flogen, und dann vom Tuckern eines kleinen Flußschleppers – während sie auf jenes Geräusch wartete, das inniger als jedes andere, vom Klingeln des Telephons vielleicht abgesehen, mit einer großstädtischen Liebesaffaire verbunden ist: auf das Geräusch eines anhaltenden Taxis. Sonne, Stille und Glück. Da hörte sie es auf der Straße, langsam, noch langsamer, jetzt hielt es an, das Taxameter-Fähnchen schnellte mit einem Klingeln nach oben, die Tür wurde zugeschlagen, Stimmen, Geklimper von Münzen, Schritte. Sie stürzte nach unten.

Stunden später machte Linda Kaffee.

»Was für ein Glück«, sagte sie, »daß heute Sonntag ist und Mrs. Hunt nicht kommt. Was würde sie denken?«

»Ungefähr das gleiche wie der Nachtportier im Hotel Montalembert, nehme ich an«, sagte Fabrice.

»Warum sind Sie gekommen, Fabrice? Wollen Sie sich mit General de Gaulle zusammentun?«

»Nein, das wäre nicht nötig, das habe ich bereits getan. Ich war schon in Bordeaux bei ihm. Ich arbeite in Frankreich, aber es gibt Möglichkeiten, Verbindung aufzunehmen, wenn wir wollen. Ich werde ihn natürlich aufsuchen, er erwartet mich um die Mittagszeit, aber eigentlich bin ich in einer privaten Mission gekommen.«

Er sah sie lange an.

»Ich bin gekommen, um Ihnen zu sagen, daß ich Sie liebe«, erklärte er schließlich.

Ein Schwindelgefühl überkam Linda.

»In Paris haben Sie mir das nie gesagt.«

»Nein.«

»Da wirkten Sie immer so nüchtern und praktisch.«

»Ja, vermutlich. Ich hatte es in meinem Leben schon so oft gesagt, ich war mit so vielen Frauen so romantisch gewesen, und als ich fühlte, daß es diesmal anders war, da bekam ich alle diese abgedroschenen, alten Redensarten einfach nicht mehr heraus, ich brachte sie nicht über die Lippen. Ich habe nie gesagt, daß ich Sie liebe, ich habe Sie nie geduzt – absichtlich. Weil ich vom ersten Augenblick an wußte, daß es diesmal wahr ist, so wie alle anderen falsch waren, es war, wie wenn man jemanden wiedererkennt – ich kann es nicht erklären.«

»Aber genauso ist es auch mir ergangen«, sagte Linda, »versuchen Sie nicht zu erklären, es ist nicht nötig, ich verstehe.«

»Als Sie dann abgereist waren, hatte ich das Gefühl, ich müßte es Ihnen sagen, und dieses Gefühl hat mich seither nicht mehr losgelassen. All die furchtbaren Wochen waren für mich noch furchtbarer, weil ich daran gehindert war, es Ihnen zu sagen.«

»Wie sind Sie denn überhaupt hierhergekommen?«

»*On circule*«, sagte Fabrice ausweichend. »Morgen früh muß ich wieder los, und ich komme erst zurück, wenn der Krieg vorbei ist, aber Sie werden auf mich warten, Linda, und jetzt, da Sie es wissen, ist es nicht mehr so schwer. Es quälte mich, ich konnte mich auf nichts konzentrieren, konnte nicht mehr richtig arbeiten. In Zukunft wird es für mich nicht leicht, aber ich werde nicht mehr den Gedanken mit mir herumschleppen müssen, daß Sie sich von mir abwenden könnten, ohne zu wissen, wie sehr ich Sie liebe.«

»O Fabrice, dieses Gefühl – ich nehme an, gläubige Menschen empfinden manchmal so.«

Linda legte den Kopf auf seine Schulter, und sie saßen lange schweigend da.

Nachdem er seinen Besuch in Carlton Gardens bei General de Gaulle gemacht hatte, fuhren sie zum Lunch ins Ritz. Es waren viele Leute da, die Linda kannte, alle sehr schick, sehr fröhlich, und sie flachsten über das unmittelbar bevorstehende Eintreffen der Deutschen. Wären es nicht lauter junge Männer gewesen, die in Flandern tapfer gekämpft hatten und ohne Zweifel bald wieder tapfer und diesmal mit mehr Erfahrung auf anderen Schlachtfeldern kämpfen würden, dann hätte man den Ton der Gespräche als schockierend empfinden können. Fabrice zog auch ein ernstes Gesicht und meinte, ihnen sei anscheinend nicht klar …

Da tauchten Davey und Lord Merlin auf. Sie machten große Augen, als sie Fabrice sahen.

»Der arme Merlin hat die falsche Sorte«, sagte Davey zu Linda.

»Die falsche Sorte wovon?«

»Die falschen Tabletten, falls die Deutschen kommen. Er hat welche von der Sorte, die man Hunden gibt.«

Davey zog eine juwelenverzierte Dose hervor, in der zwei Pillen lagen, eine weiße und eine schwarze.

»Zuerst nimmt man die weiße und dann die schwarze – er sollte wirklich mal zu meinem Arzt gehen.«

»Ich finde, das Töten sollte man den Deutschen überlassen«, sagte Linda. »Da wird ihr Verbrechen noch größer und ihr Munitionsvorrat kleiner. Warum soll man ihnen denn auch noch den Weg ebnen? Wetten, daß ich wenigstens zwei erledige, ehe sie mich bekommen?«

»Ach, du bist so stark, Linda, aber für mich gäbe es leider keine Kugel, mich würden sie foltern, du brauchst dir nur anzusehen, was ich in der *Gazette* über sie gesagt habe.«

»Das war auch nicht schlimmer als das, was du über uns alle schreibst«, meinte Lord Merlin.

Davey war für seine Grausamkeit als Literaturkritiker bekannt, ein richtiger Henker, der seine besten

Freunde nicht schonte. Er schrieb unter mehreren Pseudonymen, die seinen unverkennbaren Stil aber durchaus nicht verschleierten, und unter seine grausamsten Artikel setzte er den Namen »Little Nell«.

»Sind Sie länger hier, Sauveterre?«

»Nein, nur kurz.«

Linda und Fabrice betraten den Speisesaal. Sie sprachen über dies und das, meistens scherzten sie. Fabrice erzählte ihr, mit einer Fülle unwahrscheinlicher Einzelheiten, Skandalgeschichten über einige andere Gäste, die er seit langem kannte. Nur einmal kam er auf Frankreich zu sprechen und meinte bloß, der Kampf müsse weitergehen, am Ende würde alles gut werden. Linda mußte daran denken, wie anders es bei Tony oder Christian gewesen wäre. Tony hätte sich des langen und breiten über seine großen Erfahrungen und die Vorkehrungen für seine Zukunft ausgelassen, und Christian hätte über die Weltlage nach der jüngsten Niederlage Frankreichs monologisiert, über deren wahrscheinliche Auswirkungen auf Arabien und das ferne Kaschmir, darüber, daß Pétain unfähig sei, mit einer so großen Zahl von Flüchtlingen und Vertriebenen zurechtzukommen, und welche Maßnahmen er, Christian, ergreifen würde, wenn er in den Stiefeln des Marschalls steckte. Beide hätten zu ihr genauso wie zu irgendeinem Kameraden aus ihrem Club gesprochen. Fabrice dagegen sprach nur mit *ihr,* zu *ihr* und für *sie,* und was er sagte, war ganz und gar persönlich, durchsetzt mit Scherzen und Anspielungen, die nur sie beide verstanden. Sie hatte das Gefühl, daß er allen ernsten Themen unbedingt aus dem Weg gehen wollte, weil er sonst unweigerlich auf die Tragik der Lage zu sprechen gekommen wäre, während er doch wollte, daß sie eine glückliche Erinnerung an seinen Besuch zurückbehielt. Aber er erweckte zugleich auch einen Eindruck von grenzenlosem Optimismus und großer Zuversicht, der in dieser dunklen Zeit sehr aufmunternd wirkte.

Früh am nächsten Tag, wieder war der Morgen warm und sonnig, hatte sich Linda in die Kissen zurückgelehnt und sah Fabrice beim Anziehen zu, wie sie es in Paris so oft getan hatte. Wenn er sich die Krawatte knotete, machte er eine ganz bestimmte Grimasse, die sie in den vergangenen Monaten fast vergessen hatte, und plötzlich sah Linda ihr gemeinsames Leben in Paris wieder deutlich vor sich.

»Fabrice«, sagte sie, »glauben Sie, daß wir je wieder zusammenleben werden?«

»Aber selbstverständlich, Jahre und Jahre und Jahre lang, bis ich neunzig bin. Ich bin außerordentlich treu veranlagt.«

»Aber gegen Jacqueline waren Sie nicht treu.«

»Ach – Sie wissen von Jacqueline, ja? *La pauvre, elle était si gentille – gentille, élégante, mais assomante, mon Dieu! Enfin,* ich war ihr ungeheuer treu, und es dauerte fünf Jahre, das ist bei mir immer so (entweder fünf Tage oder fünf Jahre). Aber da ich Sie zehnmal mehr liebe als die anderen, läuft es auf neunzig hinaus, und dann, *j'en aurai tellement l'habitude ...*«

»Und wie bald werde ich Sie wiedersehen?«

»*On fera la navette.*« Er trat ans Fenster. »Es kam mir vor, als hätte ich einen Wagen gehört – ah ja, da wendet er gerade. So, ich muß gehen. *Au revoir,* Linda.«

Höflich, fast geistesabwesend, als wäre er schon ganz woanders, küßte er ihre Hand und verließ das Zimmer. Linda trat ans offene Fenster und lehnte sich hinaus. Gerade bestieg er ein großes Automobil mit zwei französischen Soldaten in der Führerkabine und der Fahne des Freien Frankreich auf der Kühlerhaube. Als es sich in Bewegung setzte, blickte er nach oben.

»*Navette, navette* …«, rief Linda mit einem strahlenden Lächeln. Dann legte sie sich wieder ins Bett und weinte sehr lange. Linda war bei diesem zweiten Abschied völlig verzweifelt.

20

Jetzt begannen die Luftangriffe auf London. Anfang September fiel eine Bombe in den Garten von Tante Emilys Haus in Kent, kurz nachdem ich mit meiner Familie dorthin gezogen war. Es war eine kleine Bombe, verglichen mit denen, die später kamen, und keiner von uns wurde verletzt, doch das Haus war ziemlich stark beschädigt. Tante Emily, Davey, meine Kinder und ich suchten nun Zuflucht in Alconleigh, wo uns Tante Sadie mit offenen Armen aufnahm und sich erbot, uns bis zum Ende des Krieges zu beherbergen. Louisa hatte sich mit ihren Kindern schon eingefunden. John Fort Williams war zu seinem alten Regiment zurückgekehrt, und ihr Haus in Schottland hatte die Navy übernommen.

»Je mehr, desto munterer«, meinte Tante Sadie. »Ich habe das Haus gern voll, bei den Lebensmittelzuteilungen bringt es übrigens auch Vorteile, und für eure Kinder ist es doch schön, wenn sie zusammen aufwachsen, wie in alten Zeiten. Jetzt, wo die Jungen fort sind und Victoria bei den Marinehelferinnen ist, würden Matthew und ich so ganz allein doch nur trübsinnig werden.«

Die Säle von Alconleigh waren mit den Sammlungen irgendeines naturkundlichen Museums vollgestellt. Einquartierungen von Evakuierten hatte es nicht gegeben, wahrscheinlich hatte man geahnt, daß die Kälte dieses Hauses niemandem zugemutet werden konnte, der unter diesen harten Lebensbedingungen nicht auch aufgewachsen war.

Aber bald vergrößerte sich unsere Gruppe auf eine völlig unerwartete Weise. Ich war gerade oben im Kinderbadezimmer und wusch irgend etwas für Nanny, knauserte dabei in kriegsbedingter Sparsamkeit mit den Seifenflocken und wünschte mir, das Wasser in Alconleigh möge nicht so schrecklich hart sein, als Louisa hereinplatzte.

»Du errätst in tausend Jahren nicht, wer eben angekommen ist«, sagte sie.

»Hitler«, erwiderte ich albern.

»Deine Mutter, Tantchen Hopse. Eben kam sie die Auffahrt herauf und ist ins Haus gegangen.«

»Allein?«

»Nein, mit einem Mann.«

»Mit dem Major?«

»Wie ein Major sieht er nicht aus. Er hat ein Musikinstrument dabei und ist sehr schmutzig. Komm, Fanny, laß die Sachen erst mal einweichen ...«

Tatsächlich. In der Halle saß meine Mutter, trank einen Whisky-Soda und erzählte mit ihrer zwitschernden Stimme, unter welchen unglaublichen Abenteuern sie von der Riviera geflüchtet war. Der Major, mit dem sie jahrelang zusammengelebt hatte und der die Deutschen schon immer mehr geschätzt hatte als die Franzosen, war geblieben, um zu kollaborieren, und der Mann, der meine Mutter jetzt begleitete, war ein schurkenhaft aussehender Spanier namens Juan, den sie unterwegs aufgelesen hatte und ohne den sie, nach ihren Erzählungen, nie aus diesem schauderhaften Internierungslager in Spanien entkommen wäre. Sie sprach einfach über ihn hinweg, so als sei er gar nicht anwesend, was recht seltsam und sogar äußerst peinlich wirkte, bis uns klar wurde, daß Juan nur Spanisch sprach und kein einziges Wort in irgendeiner anderen Sprache verstand. Er saß da, starrte Löcher in die Luft, hielt seine Gitarre umklammert und stürzte den Whisky in großen Schlucken hinunter. Wie die beiden zueinander standen, war offenkundig, Juan war ohne Zweifel (sogar Tante Sadie zweifelte keinen Augenblick daran) der Liebhaber der Hopse, ohne daß die beiden imstande gewesen wären, irgendwelche Worte auszutauschen, denn Sprachtalent besaß meine Mutter ganz und gar nicht.

Jetzt erschien auch Onkel Matthew, und die Hopse begann mit der Erzählung ihrer Abenteuer noch einmal von vorn. Onkel Matthew sagte, er sei hocherfreut, sie zu sehen, und hoffe, sie werde so lange bleiben, wie es ihr gefalle, richtete sodann seine blauen Augen auf Juan und warf ihm einen höchst furchterregenden, unnachgiebigen Blick zu. Tante Sadie winkte ihn hinaus ins Geschäftszimmer, redete dort flüsternd auf ihn ein, und schließlich hörten wir ihn sagen:

»Na gut, aber nur ein paar Tage.«

Ganz außer sich vor Freude beim Anblick meiner Mutter war der gute, alte Josh.

»Wir müssen Ihre Ladyschaft wieder aufs Pferd bekommen«, sagte er und pfiff dabei vor Freude durch die Zähne.

Meine Mutter war schon seit drei Ehemännern (oder vier, wenn man den Major mitzählte) keine Ladyschaft mehr, aber Josh nahm keine Notiz davon, für ihn würde sie immer Ihre Ladyschaft bleiben. Er fand ein Pferd, das in seinen Augen ihrer zwar nicht würdig, aber immerhin auch keine absolute Niete war, und schon eine Woche nach ihrer Ankunft jagte sie mit seinem Beistand wieder junge Füchse.

Was mich anging, so begegnete ich meiner Mutter jetzt zum erstenmal in meinem Leben direkt, von Angesicht zu Angesicht. Als Kind war ich von ihr wie verzaubert gewesen, und die wenigen Auftritte, die ich erlebte, hatten mich völlig geblendet, obgleich ich, wie gesagt, nie den Wunsch hegte, in ihre Fußstapfen zu treten. Mit viel Geschick hatten Davey und Tante Emily, vor allem Davey, sie nach und nach unmerklich, und ohne meine Gefühle zu verletzen, in eine Art Witzfigur verwandelt. Seit ich erwachsen war, hatte ich sie einige Male gesehen, hatte sie auch zusammen mit Alfred während unserer Hochzeitsreise besucht, aber der Umstand, daß wir trotz unserer innigen Beziehung keine gemeinsame Vergangenheit besaßen, erwies sich als große Belastung, und diese Begegnungen waren nicht sehr erfolgreich. In Alconleigh, wo ich nun morgens, mittags und abends mit ihr zusammen war, beobachtete ich sie mit der größten Neugier, denn sie war ja schließlich, von allem anderen abgesehen, auch die Großmutter meiner Kinder. Es überraschte mich selbst, wie gut sie mir gefiel. Zwar war sie die Albernheit in Person, aber ihre offene Art, ihre gute Laune und ihre unerschütterliche Gutmütigkeit hatten etwas Gewinnendes. Die Kinder – die von Louisa ebenso wie meine eigenen – beteten sie an. Bald entwickelte sie sich zu einem weiteren, inoffiziellen Kindermädchen und machte sich in dieser Eigenschaft sehr nützlich.

In ihrem ganzen Auftreten war sie seltsam altmodisch. Sie schien immer noch in den zwanziger Jahren zu leben, als hätte sie mit fünfunddreißig beschlossen, nicht weiter zu altern, als hätte sie sich damals geistig und körperlich eingepökelt und versiegelt – ohne

Rücksicht auf die Tatsache, daß die Welt sich veränderte und sie selbst rasch dahinwelkte. Sie hatte einen kurzen, kanariengelben Herrenschnitt (zerzaust) und trug Hosen wie jemand, der durch seinen Nonkonformismus provozieren will, ohne zu ahnen, daß jedes vorstädtische Ladenmädchen es längst genauso macht. Was sie sagte, der Blickwinkel, den sie dabei einnahm, selbst der Jargon, den sie benutzte – alles gehörte den späten zwanziger Jahren an, von denen uns inzwischen mehr als eine Ewigkeit trennte. Sie war völlig unpraktisch und töricht und machte einen gebrechlichen Eindruck, mußte aber in Wirklichkeit doch eine recht zähe kleine Person sein, denn immerhin hatte sie zu Fuß die Pyrenäen überquert, war aus einem spanischen Lager geflohen und hatte bei ihrem Erscheinen in Alconleigh ausgesehen, als hätte sie eben noch als Chorus-Girl in *No, No, Nanette* mitgetanzt.

Es entstand im Haus zunächst einige Verwirrung, weil sich niemand erinnern konnte, ob sie den Major am Ende nun geheiratet hatte oder nicht (er war selbst verheiratet gewesen und Vater von sechs Kindern), so daß wir nicht wußten, ob sie nun Mrs. Rawl oder Mrs. Plugge hieß. Rawl war ein Großwildjäger gewesen, der einzige Ehemann, den sie auf ehrbare Weise, durch den Tod, verloren hatte. Auf einer Safari hatte sie ihn versehentlich in den Kopf geschossen. Die Namensfrage wurde jedoch bald mit Hilfe ihres Lebensmittelkartenheftes gelöst, welches sie als Mrs. Plugge auswies.

»Dieser Tschuahn«, meinte Onkel Matthew, als sie ungefähr eine Woche in Alconleigh waren, »was soll denn nun aus ihm werden?«

»Tja, Matthew, Lippling«, sie süßte ihre Sätze gern

mit dem Wort Liebling, und so sprach sie es aus. »Hu-arn hat mir das Leben gerettet, weißt du, nicht nur einmal, sondern oft, da kann ich ihn doch nicht einfach in kleine Stücke reißen und wegwerfen, mein Lieber, oder?«

»Einen Haufen Dagos kann ich hier nicht verköstigen, verstehst du.« Onkel Matthew sagte das in dem gleichen Ton, in dem er früher Linda erklärt hatte, sie solle sich nicht noch mehr Tiere anschaffen, und wenn sie es dennoch täte, würden sie im Stall untergebracht. »Du mußt dir für ihn etwas anderes überlegen, Hopse, tut mir leid.«

»Ach, Lippling, laß ihn noch ein bißchen dableiben, bitte, nur ein paar Tage, Matthew, Lippling«, sie klang wie Linda, wenn sie sich für irgendeinen muffigen Hund ins Zeug gelegt hatte, »und ich verspreche dir, daß ich ein Plätzchen für ihn und meine Wenigkeit finden werde. Du glaubst nicht, was für eine schlimme Zeit wir hinter uns haben, ich muß jetzt zu ihm halten, ich muß einfach.«

»Gut, noch eine Woche, wenn es sein muß, aber das ist nicht das dünne Ende vom Keil, Hopse, und danach muß er gehen. Du kannst selbstverständlich bleiben, solange du willst, aber bei Tschuahn hört es für mich auf.« Mit Augen, groß wie Untertassen, berichtete mir Louisa: »Vor dem Tee stürzt er in ihr Zimmer und lebt mit ihr.« Louisa bezeichnete den Liebesakt immer als »leben«. »Vor dem Tee, Fanny, kannst du dir das vorstellen?«

»Liebe Sadie«, sagte Davey, »ich tue jetzt etwas ganz Unverzeihliches. Es dient zwar dem allgemeinen Wohl, auch deinem eigenen, aber es ist unverzeihlich. Und wenn du glaubst, du könntest mir nicht verzeihen, wenn ich gesagt habe, was zu sagen ist, dann müssen Emily und ich eben abreisen.«

»Davey«, meinte Tante Sadie erstaunt, »was ist denn los?«

»Das Essen, Sadie, es ist das Essen. Ich weiß, wie schwierig es in Kriegszeiten für dich ist, aber wir werden alle der Reihe nach vergiftet. Gestern abend war mir stundenlang schlecht, vorgestern hatte Emily Durchfall, Fanny hat diesen großen Pickel auf der Nase, und ich bin überzeugt, die Kinder nehmen nicht so zu, wie sie sollten. Die Sache ist die, wenn Mrs. Beecher eine Borgia wäre, könnte sie kaum erfolgreicher operieren – dieses ganze Wurstgehacksel ist Gift, Sadie. Ich würde mich nicht beklagen, wenn es bloß abscheulich schmecken oder nicht ausreichen würde oder zuviel Stärke enthielte, im Krieg erwartet man das nicht anders, aber wirkliches Gift kann man, wie ich finde, nicht mit Schweigen übergehen. Schau dir den Speisezettel dieser Woche an – Montag, Giftpastete; Dienstag, Giftburger-Steak; Mittwoch, Kornisch Gift ...«

Tante Sadie sah tiefbetrübt drein.

»Ach ja, Lieber, als Köchin taugt sie nichts, ich weiß, aber was soll man machen, Davey? Die Fleischzuteilung reicht nur für zwei Mahlzeiten, und du mußt bedenken, wir haben vierzehn Mahlzeiten in der Woche. Wenn sie die mit ein bißchen Hackfleisch streckt – Giftfleisch (da stimme ich dir wirklich zu) –, dann reicht es viel länger, verstehst du?«

»Aber auf dem Land kann man die Zuteilung doch bestimmt mit Wild oder mit Erzeugnissen vom Hof ergänzen. Ich weiß, das Hofgut ist verpachtet, aber man könnte doch ein Schwein und ein paar Hühner halten. Und was ist mit dem Wild? Früher gab es hier doch immer so viel Wild?«

»Das dumme ist, daß Matthew meint, sie brauchen all ihre Munition für die Deutschen, er weigert sich, auch nur einen Schuß an Hasen oder Rebhühner zu verschwenden. Und Mrs. Beecher (ach, was für eine schreckliche Person, obwohl wir natürlich froh sind, daß wir sie haben) ist eine von diesen Köchinnen, die einen Braten und zwei Gemüse ganz ordentlich hinbekommen, aber wenn es darum geht, ein paar Leckerbissen aus diesem und jenem zu improvisieren, fällt ihr nichts ein. Aber du hast recht, du hast völlig recht, Davey, es ist nicht gesund. Ich werde sehen, was sich machen läßt, es muß etwas geschehen.«

»Früher hattest du deinen Haushalt immer so gut im Griff, Sadie, es tat mir immer außerordentlich gut, hierherzukommen. Ich erinnere mich an ein Weihnachten, da habe ich hundertfünfzehn Gramm zugenommen. Aber jetzt nehme ich ständig ab, mein geplagter Leib ist fast schon ein Skelett, und ich fürchte, wenn ich mir jetzt irgend etwas fange, ist es aus mit mir. Ich treffe ja schon alle erdenklichen Vorkehrungen, alles wird desinfiziert, und ich gurgele mindestens sechsmal am Tag, aber ich kann dir nicht verhehlen, daß meine Widerstandskraft sehr geschwächt ist.«

Tante Sadie sagte: »Es ist leicht, eine wunderbare Hausfrau zu sein, wenn man eine erstklassige Köchin, zwei Küchenhilfen und ein Spülmädchen hat und alles bekommt, was man haben will. Mit Lebensmittelrationen komme ich leider Gottes überhaupt nicht zurecht, aber ich will noch mal einen Anlauf machen. Ich bin sehr froh, daß du es erwähnt hast, Davey, es war völlig richtig von dir, und ich bin dir deswegen überhaupt nicht böse.«

Aber eine wirkliche Verbesserung ergab sich nicht. Mrs. Beecher sagte zu allen Vorschlägen »Ja, ja« und wartete weiterhin mit Hamburger Steaks, Cornwall-Pastete und Shepherds Pie auf, die auch weiterhin voller Hackgift waren. Es schmeckte abscheulich und war sehr ungesund, und wir alle fanden, daß Davey diesmal kein bißchen zu weit gegangen war. Für niemanden waren die Mahlzeiten ein Vergnügen, und für Davey waren sie geradezu eine Qual. Mit verhärmtem Gesicht saß er da, lehnte das Essen ab und nahm immer häufiger Zuflucht zu den Vitamintabletten, von denen sein Platz bei Tisch regelrecht umstellt war – selbst für seine große Sammlung juwelenbesetzter Dosen waren es viel zu viele –, ein kleiner Wald von Flaschen, Vitamin A, Vitamin B, Vitamin A und C, Vitamin B_3 und D, eine Tablette entspricht zwei Pfund Butter – zehnmal so wirksam wie fünf Liter Lebertran – für das Blut – für das Hirn – für die Muskeln – für die Energie – gegen dies und zum Schutz gegen das – alle außer einer trugen ein hübsches Etikett.

»Und was ist in dieser, Davey?«

»Oh, das nehmen die Panzertruppen, bevor sie in den Kampf ziehen.«

Davey schniefte einige Male. Das bedeutete meistens, daß er bald Nasenbluten bekommen würde, riesige Mengen roter und weißer, so beharrlich mit Vitaminen gespickter Blutkörperchen würden vergeudet werden und seine Widerstandskraft noch weiter sinken.

Tante Emily und ich sahen etwas besorgt von den

Rissoles auf, die wir trübsinnig auf unseren Tellern herumschoben.

»Hopse«, sagte Davey streng, »du bist wieder an meinem Mary Chess gewesen.«

»Ach, Davey Lippling, so ein winziges Tröpfchen.«

»Ein winziges Tröpfchen verstänkert nicht das ganze Badezimmer. Bestimmt hast du den Tropfverschluß abgeschraubt und es so in die Wanne geschüttet. Es ist eine Schande. Mit dieser Flasche muß ich den ganzen Monat auskommen, das ist wirklich sehr häßlich von dir, Hopse.«

»Lippling, ich besorge dir neues, Ehrenwort – nächste Woche muß ich nach London, mir den Schopf waschen lassen, dann bringe ich eine Flasche mit, Ehrenwort.«

»Und ich hoffe sehr, daß du Tschuahn mitnimmst und ihn dort läßt«, knurrte Onkel Matthew. »Ich will ihn nämlich nicht länger im Haus haben, verstehst du. Ich habe dich gewarnt, Hopse.«

Onkel Matthew hatte von morgens bis abends mit seiner Heimwehr zu tun. Er war munter und aufgeweckt und ungewöhnlich sanftmütig, denn es schien, als würde er in allernächster Zeit wieder einmal seiner Lieblingsbeschäftigung nachgehen können, Deutsche niederzumachen. Deshalb bemerkte er Juan nur dann und wann. In früheren Zeiten hätte ihn Onkel Matthew im Handumdrehen hinausgeworfen, jetzt aber zählte Juan schon fast einen Monat zu den Bewohnern von Alconleigh. Dennoch, langsam wurde deutlich, daß mein Onkel nicht die Absicht hatte, sich mit seiner Anwesenheit abzufinden, und die Sache mit Juan spitzte sich immer mehr zu. Noch nie hatte ich einen Mann in einem so erbärmlichen Zustand gesehen wie diesen Spanier. Traurig schlich er herum, den ganzen Tag über zur Untätigkeit verurteilt, unfähig, mit irgend jemandem ein Wort zu wechseln, während bei Tisch der Abscheu auf seinem Gesicht dem von Davey in nichts nachstand. Er hatte nicht einmal Lust, auf seiner Gitarre zu spielen.

»Davey, du mußt mit ihm sprechen«, sagte Tante Sadie.

Meine Mutter war nach London gefahren, um sich ihr Haar färben zu lassen, und in ihrer Abwesenheit war ein Familienrat einberufen worden, um einen Entschluß über Juans Schicksal zu fassen.

»Wir können ihn ja nicht einfach hinauswerfen und verhungern lassen, wenn die Hopse behauptet, er habe ihr das Leben gerettet, und außerdem hat man ja auch menschliche Regungen.«

»Nicht für Dagos«, brummte Onkel Matthew und knirschte mit seinem Gebiß.

»Aber wir könnten ihm eine Arbeit besorgen, nur müssen wir dazu erst einmal herausfinden, was für einen Beruf er hat. Also Davey, du bist doch sprachbegabt, und klug bist du auch; wenn du einen Blick in das Spanisch-Wörterbuch in der Bibliothek geworfen hast, dann könntest du ihn doch bestimmt fragen, was er vor dem Krieg getan hat. Versuch es doch mal, Davey!«

»Ja, Liebling, versuche es!« meinte auch Tante Emily. »Der arme Kerl macht einen so bejammernswerten Eindruck, ich glaube, er hätte liebend gern irgendeine Arbeit.«

Onkel Matthew schnaubte.

»Gib lieber mir das Spanisch-Wörterbuch«, knurrte er, »das Wort für ›raus‹ habe ich schnell gefunden.«

»Ich will es versuchen«, erklärte Davey, »aber ich fürchte, ich weiß die Antwort schon. G wie Gigolo.«

»Oder irgend etwas genauso Nutzloses, zum Beispiel M wie Matador oder H wie Hidalgo«, sagte Louisa.

»Ja, und was dann?«

»Dann A wie Ab durch die Mitte«, sagte Onkel Matthew, »soll die Hopse sich um ihn kümmern, aber nicht in meiner Nähe, bitteschön. Den beiden muß einfach klar gemacht werden, daß ich diesen Gulli hier nicht länger herumlungern sehen will.«

Wenn Davey sich etwas vornimmt, macht er es gründlich. So zog er sich denn für mehrere Stunden mit dem Spanisch-Wörterbuch zurück und notierte sich viele, viele Wörter und Wendungen auf einem Blatt Papier. Dann bat er Juan in Onkel Matthews Geschäftszimmer und schloß die Tür.

Es dauerte nicht lange, und sie kamen wieder heraus, beide mit einem glücklichen Lächeln auf dem Gesicht.

»Du hast ihn doch hoffentlich an die Luft gesetzt?« meinte Onkel Matthew argwöhnisch.

»Nein, keineswegs, ich habe ihn nicht an die Luft gesetzt«, sagte Davey, »im Gegenteil, ich habe ihn eingestellt. Meine Lieben, ihr kommt nicht darauf, es ist zu schön, um wahr zu sein, Juan ist Koch, vor dem Bürgerkrieg war er, soweit ich verstanden habe, Koch bei irgendeinem Kardinal. Ich hoffe, es ist dir recht, Sadie. Mir kommt es vor wie *die* Rettung – spanisches Essen, so köstlich, so gar nicht stopfend, so bekömmlich, so reich an herrlichem Knoblauch. Ach, welche Freude, Schluß mit den Giftburgern – wie bald können wir Mrs. Beecher loswerden.«

Daveys Begeisterung erwies sich als vollkommen berechtigt, und Juan in der Küche war der denkbar größte Erfolg. Er erwies sich nicht bloß als erstklassiger Koch, er besaß auch ein außergewöhnliches Organisationstalent, und wurde, wie ich vermute, schon bald zum König des örtlichen Schwarzmarktes. Jetzt war keine Rede mehr davon, ein paar Leckerbissen aus diesem und jenem zu improvisieren; bei jeder Mahlzeit kamen nun Geflügel, Fleisch und Schalentiere in Hülle und Fülle zum Vorschein, das Gemüse war von erlesenen Saucen umflossen, und die Grundlage für das Dessert bildete offenbar echte Eiscreme.

»Juan ist wunderbar«, erklärte Tante Sadie auf ihre unbestimmte Art, »er macht wirklich etwas aus den Zuteilungen. Wenn ich an Mrs. Beecher zurückdenke – Davey, das war wirklich eine gute Idee.« Eines Tages meinte sie: »Ich hoffe nicht, daß das Essen jetzt zu reichhaltig für dich ist, Davey?«

»Aber nein«, entgegnete Davey. »Reichhaltiges Essen macht mir nie etwas aus, es ist das armselige Essen, das einem so ungeheuer zu schaffen macht.«

Außerdem war Juan von morgens bis abends mit Einpökeln und Einkochen und Einlegen beschäftigt, bis der Vorratsschrank, den er, abgesehen von ein paar Suppendosen, leer vorgefunden hatte, aussah wie ein Lebensmittelladen vor dem Krieg. Davey nannte ihn Aladins Höhle oder kurz und bündig Aladin und hielt sich oft lange darin auf, um sich am Anblick all der guten Dinge zu weiden. Wohlschmeckende Vitamine für viele lange Monate standen da säuberlich aufgereiht, ein Schutzwall zwischen ihm und dem Hungertod, der unter dem Regiment von Mrs. Beecher stets hinter der nächsten Ecke zu lauern schien.

Juan selbst hatte sich sehr verändert, er war nicht mehr der schmutzige, erbärmliche Flüchtling, der so mißmutig herumgesessen hatte. Er war sauber, trug eine weiße Jacke und eine weiße Mütze, schien geradezu körperlich gewachsen und wartete schon bald mit großer Autorität seines Amtes. Sogar Onkel Matthew äußerte seine Anerkennung.

»Wenn ich die Hopse wäre«, sagte er, »würde ich ihn heiraten.«

»Wie ich die Hopse kenne«, meinte Davey, »wird sie das ohne Zweifel tun.«

Anfang November mußte ich für einen Tag nach London, um etwas für Alfred zu erledigen, der jetzt im Mittleren Osten war, und um meinen Arzt aufzusuchen. Ich fuhr mit dem Acht-Uhr-Zug, und da ich seit einigen Wochen nichts von Linda gehört hatte, nahm ich ein Taxi und fuhr gleich in den Cheyne Walk. In der Nacht hatte es einen schweren Luftangriff gegeben, und ich kam durch Straßen, die mit glitzernden Glassplittern übersät waren. Viele Brände schwelten ·immer noch, Feuerwehren, Krankenwagen und Rettungsleute waren überall unterwegs hin und her, manche Straßen waren blockiert, und wir mußten mehrmals lange Umwege fahren. Große Aufregung lag in der Luft. Menschengruppen hatten sich vor den Geschäften und Häusern gebildet, und es sah so aus, als wollten sie Schulzeugnisse miteinander vergleichen; mein Taxifahrer redete über seine Schulter hinweg ununterbrochen auf mich ein. Er war die ganze Nacht auf den Beinen gewesen, so erzählte er, und hatte den Rettungsmannschaften geholfen. Er schilderte, was er gefunden hatte.

»Es war eine schwammige, rote Masse«, erklärte er in makabrem Ton, »voller Federn.«

»Federn?« fragte ich entsetzt.

»Ja. Ein Federbett, verstehen Sie? Es atmete noch, also fahre ich es zum Krankenhaus, aber die sagen mir, bei ihnen sei ich falsch, bringen Sie es zur Leichenhalle. Da habe ich es in einen Sack gesteckt und zur Leichenhalle gebracht.«

»Wie furchtbar«, sagte ich.

»Oh, ich habe noch ganz andere Sachen gesehen.«

Am Cheyne Walk öffnete mir Lindas nette Haushälterin, Mrs. Hunt, die Tür.

»Es geht ihr gar nicht gut, Ma'am, können Sie sie nicht mit aufs Land nehmen? Es ist nicht richtig, daß sie hier bleibt, in ihrem Zustand. Ich mag es gar nicht mit ansehen.«

Linda war im Bad, ihr war übel. Als sie herauskam, sagte sie:

»Denk bloß nicht, der Luftangriff hätte mich umgeworfen. Luftangriffe gefallen mir. Ich bin schwanger, daran liegt es.«

»Liebling, ich dachte, du könntest kein zweites Kind bekommen.«

»Ach, Ärzte! Nichts wissen sie, diese Dummköpfe! Natürlich kann ich, und ich sehne mich einfach danach, dieses Baby wird ganz anders als Moira, du wirst sehen.«

»Ich bekomme auch eins.«

»Nein – wie herrlich – wann?«

»Ungefähr Ende Mai.«

»Oh, genau wie ich.«

»Und Louisa im März.«

»Waren wir nicht tüchtig?«

»Hör mal, Linda, warum kommst du nicht mit mir nach Alconleigh? Was hat es für einen Sinn, hier auszuharren? Für dich und für das Baby kann das nicht gut sein.«

»Es gefällt mir«, sagte Linda. »Hier bin ich zu Hause, und ich bin gern hier. Und außerdem könnte jemand hier auftauchen, bloß für ein paar Stunden, weißt du, der mich besuchen möchte, und hier kann er mich finden.«

»Du wirst umkommen«, sagte ich, »dann kann er dich nicht mehr finden.«

»Liebe Fanny, sei nicht albern. Hier in London wohnen sieben Millionen Menschen, glaubst du wirklich, daß sie jede Nacht alle getötet werden? Bei Luftangriffen wird niemand getötet, es gibt immer eine Menge Lärm und eine Menge Durcheinander, aber Menschen kommen dabei anscheinend kaum ums Leben.«

»Kaum ... kaum ...«, sagte ich. »Na dann, toi, toi, toi! Es ist doch nicht nur die Lebensgefahr, es bekommt dir auch nicht. Du siehst schlecht aus, Linda.«

»Wenn ich mich zurechtgemacht habe, ist es nicht so schlimm. Mir ist so furchtbar übel, das ist das Schlimme, aber es hat nichts mit den Angriffen zu tun, und diese Phase ist auch bald überstanden, dann geht es wieder besser.«

»Überlege es dir«, sagte ich, »es ist sehr nett in Alconleigh, ausgezeichnetes Essen ...«

»Ja, das habe ich gehört. Merlin hat mich besucht, und seine Geschichten von karamelierten Karotten in Sahne ließen mir das Wasser im Mund zusammenlaufen. Er sagte, er sei drauf und dran gewesen, alle Moral in den Wind zu schlagen und diesen Juan zu bestechen, damit er nach Merlinford kommt, aber ihm sei noch rechtzeitig eingefallen, daß er dann auch die Hopse übernehmen müsse, da hat er es lieber bleiben lassen.«

»Ich muß gehen«, sagte ich zögernd. »Ich möchte dich nicht allein zurücklassen, Liebling, komm doch mit!«

»Vielleicht später, mal sehen.«

Ich ging hinunter in die Küche, wo ich Mrs. Hunt fand. Ich gab ihr etwas Geld für alle Fälle und die Telephonnummer von Alconleigh und bat sie anzurufen, wenn sie glaubte, ich könne irgendwie helfen.

»Sie läßt sich nicht umstimmen«, sagte ich. »Ich habe alles versucht, aber es nützt nichts, sie ist störrisch wie ein Maultier.«

»Ich weiß, Ma'am. Sie geht nicht mal aus dem Haus, um ein bißchen Luft zu schnappen, sitzt Tag für Tag am Telephon und spielt Karten mit sich selbst. Ist auch wirklich nicht richtig, daß sie hier so ganz allein schläft, wenn Sie mich fragen, aber sie läßt sich nicht zur Vernunft bringen. Letzte Nacht, Ma'am, uuih! es war schrecklich, das Gedröhne die ganze Nacht, und diese miese Abwehr hat nicht einen runtergeholt, egal, was sie in den Zeitungen schreiben. Wenn Sie mich fragen, die haben Frauen an den Geschützen, und wenn's so ist, kein Wunder ... Frauen!« Eine Woche später rief mich Mrs. Hunt in Alconleigh an. Lindas Haus hatte einen Volltreffer bekommen, und sie suchten noch in den Trümmern nach ihr.

Tante Sadie war frühmorgens mit dem Bus nach Cheltenham gefahren, um Einkäufe zu machen, Onkel Matthew war nirgendwo zu finden, deshalb nahmen Davey und ich einfach seinen Wagen, der mit Heimwehr-Benzin vollgetankt war, und rasten nach London.

Das kleine Haus war völlig zerstört, aber Linda und ihre Bulldogge waren unverletzt geblieben, man hatte sie gerade geborgen und im Haus eines Nachbarn zu Bett gebracht. Linda war ganz aufgeregt und außer sich und redete ununterbrochen.

»Siehst du«, sagte sie. »Was habe ich dir gesagt, Fanny? Luftangriffe bringen niemanden um. Da sind wir und haben keine Schramme abbekommen. Mein Bett ist einfach durch den Fußboden gesegelt, Plonplon und ich segelten mit, äußerst bequem.«

Bald kam ein Arzt und gab ihr ein Beruhigungsmittel. Er sagte, sie würde wahrscheinlich einschlafen, und wenn sie dann wieder aufgewacht sei, könnten wir sie nach Alconleigh fahren. Ich telephonierte mit Tante Sadie und bat sie, ein Zimmer herzurichten.

Während des restlichen Tages versuchte Davey, von Lindas Sachen zu retten, was zu retten war. Haus und Mobiliar, der schöne Renoir und alles in ihrem Schlafzimmer war völlig zertrümmert, aber aus den zersplitterten, verkeilten Überresten ihrer Schränke konnte er ein paar Kleinigkeiten bergen, und im Keller fand er völlig unversehrt die beiden Schrankkoffer voller Kleider, die Fabrice ihr aus Paris nachgeschickt hatte. Als Davey wieder auftauchte, sah er aus wie ein Müller, von Kopf bis Fuß mit weißem Staub bedeckt. Mrs. Hunt lud uns in ihr Haus ein und machte uns etwas zu essen.

»Ich nehme an, Linda wird eine Fehlgeburt haben«, sagte ich zu Davey, »es wäre sogar das beste, was geschehen könnte. Es ist für sie sehr gefährlich, dieses Kind zu bekommen – mein Arzt ist entsetzt.«

Doch sie hatte keine Fehlgeburt und erklärte sogar, der ganze Vorfall sei ihr sehr gut bekommen, mit der

Übelkeit habe es jetzt ein Ende. Wieder erhob sie Einwände dagegen, London zu verlassen, aber diesmal klang sie nicht sehr überzeugt. Ich erklärte ihr, wenn jemand nach ihr suchte und die Ruine ihres Hauses am Cheyne Walk fand, dann würde er sich gewiß sofort mit Alconleigh in Verbindung setzen. Das sah sie ein und erklärte sich schließlich bereit, mit uns zu kommen.

21

Mit gewohnter Strenge senkte sich nun der Winter über die Cotswolds. Die schneidende Luft war erfrischend wie kaltes Wasser – äußerst angenehm, wenn man nur zu einem kurzen, flotten Spaziergang oder Ausritt draußen ist und nachher in ein warmes Haus zurückkehren kann. Aber die Zentralheizung in Alconleigh hatte schon immer zu wünschen übriggelassen, und inzwischen hatten sich die alten Rohrleitungen wohl vollends mit Kesselstein verstopft – jedenfalls wurden sie nur noch lauwarm. Zwar spürte man, wenn man aus der eisigen Kälte von draußen in die Halle kam, einen Augenblick lang etwas wie Wärme; aber dieser Eindruck verflüchtigte sich bald, und während der Puls langsam zurückging, beschlich den Körper eine grausame Erstarrung. Den Männern auf dem Gut, das heißt, den Alten, die nicht bei der Armee waren, blieb keine Zeit, um Holz für die Kamine zu hacken; unter der Führung von Onkel Matthew waren sie von morgens bis abends damit beschäftigt, zu exerzieren, Barrikaden und Blockhäuser zu errichten und alle erdenklichen Vorbereitungen zu treffen, um es den Deutschen so schwer wie möglich zu machen, bevor sie selbst als Kanonenfutter endeten.

»Ich rechne damit«, verkündete Onkel Matthew stolz, »daß wir sie zwei – möglicherweise drei – Stunden lang aufhalten können, bevor wir alle niedergemacht werden. Gar nicht schlecht für eine so kleine Stellung.«

Wir schickten unsere Kinder zum Holzsammeln. Davey entwickelte sich zu einem fleißigen und überraschend tüchtigen Holzhacker (er hatte es abgelehnt, in die Heimwehr einzutreten, und erklärt, er habe ohne Uniform stets besser gekämpft), aber aus irgendeinem Grund brachten sie immer nur gerade genug zusammen, um das Feuer im Kinderzimmer und das im braunen Wohnzimmer zu unterhalten, wenn es nach dem Tee angezündet wurde; aber da das Holz ziemlich feucht war, wurde es hier erst richtig warm, wenn die Zeit kam, sich loszureißen und die eiskalten Treppen hinauf ins Bett zu tappen. Nach dem Dinner wurden die Sessel auf beiden Seiten des Kamins immer von Davey und meiner Mutter mit Beschlag belegt. Davey meinte entschuldigend, letztlich wäre es für alle viel unangenehmer, wenn er sich eine seiner Erkältungen zuzöge; die Hopse ließ sich einfach hineinplumpsen. Wir anderen saßen in einem Halbkreis jenseits aller wirklichen Wärme und blickten sehnsüchtig in das gelbliche Geflacker, das oft zu einem trüben Rauchen zusammensank. Linda trug einen mit Hermelin gefütterten Abendmantel aus Polarfuchs, der ihr bis auf die Füße reichte. In ihn hüllte sie sich zum Dinner und litt weniger als wir anderen. Tagsüber trug sie entweder ihren Zobelmantel und schwarze, mit farblich abgestimmtem Zobelpelz gefütterte Wildlederstiefel, oder sie lag, in eine riesige, mit weißem Samt gefütterte Nerzdecke gewickelt, auf dem Sofa.

»Ich habe immer gelacht, wenn Fabrice sagte, er kaufe mir alle diese Sachen, weil sie mir im Krieg nützlich sein würden, denn dann würde es schrecklich kalt werden, sagte er immer, und jetzt sehe ich, wie recht er hatte.«

Lindas Besitztümer erfüllten die anderen Frauen im Haus mit einer Art zorniger Bewunderung.

»Ich finde das wirklich unfair«, sagte Louisa eines Nachmittags zu mir, während wir unsere beiden Jüngsten in ihren Kinderwagen draußen herumschoben. Beide trugen wir steife schottische Tweedkostüme, die sich mit den leicht fallenden, anschmiegsamen französischen Kleidern nicht messen konnten, außerdem Wollstrümpfe, derbe Schuhe und selbstgestrickte Pullover in sorgfältig ausgewählten Farben, die auf Jacke und Rock zwar »abgestimmt« waren, aber doch nicht zu ihnen »paßten«. »Linda läuft weg, erlebt diese herrliche Zeit in Paris und kommt überladen mit teuren Pelzen zurück, während du und ich – was haben wir davon, daß wir ein Leben lang denselben langweiligen, alten Ehemännern treu sind? Schurwolle dreiviertel lang.«

»Alfred ist kein langweiliger, alter Ehemann«, sagte ich als loyale Ehefrau. Aber ich wußte natürlich, was sie meinte.

Tante Sadie fand Lindas Kleider über die Maßen hübsch.

»Wie geschmackvoll, Liebling«, sagte sie, wenn wieder einmal ein neues, hinreißendes Stück zum Vorschein kam. »Ist das auch aus Paris? Wirklich wunderbar, was man dort bekommen kann, und sogar fast umsonst, wenn man es geschickt anstellt.«

Woraufhin meine Mutter jedem, den sie mit ihren Blicken erreichen konnte, auch Linda selbst, heftig zuzwinkerte. In solchen Augenblicken wurde Lindas Gesicht zu Stein. Sie konnte meine Mutter nicht ausstehen; sie spürte, daß sie sich vor der Begegnung mit Fabrice auf dem gleichen Weg wie meine Mutter be-

funden hatte, und war entsetzt darüber, was sie am
Ende dieses Weges erblickte. Meine Mutter hatte sich
Linda in einer Haltung zu nähern versucht, die im
Grunde besagte: »Machen wir uns nichts vor, meine
Liebe, wir sind zwei gefallene Frauen.« Aber damit
hatte sie überhaupt keinen Erfolg. Linda verhielt sich
nicht nur kühl und reserviert, sondern direkt grob zu
der armen Hopse, die nicht verstehen konnte, womit
sie Linda beleidigt hatte, und deshalb anfangs sehr verletzt war. Dann begann sie, auf ihre Würde zu pochen,
und erklärte, es sei eine Frechheit von Linda, sich so
aufzuführen; sie sei doch auch bloß ein besseres Flittchen, und deshalb sei es sogar äußerst heuchlerisch
und scheinheilig von ihr. Ich versuchte ihr Lindas
schwärmerische Haltung zu Fabrice und zu den Monaten, die sie mit ihm gelebt hatte, zu erklären, aber die
Gefühle der Hopse waren mit der Zeit zu sehr abge-
stumpft, sie konnte oder sie wollte es nicht verstehen.

»Sie hat mit Sauveterre zusammengelebt, stimmt's?«
fragte mich meine Mutter, kurz nachdem Linda in
Alconleigh eingetroffen war.

»Woher weißt du das?«

»An der Riviera wußte es jeder. Über Sauveterre
wußte man irgendwie immer Bescheid. Es war eine
ziemliche Sensation, weil es vorher so aussah, als hätte
er sich für immer mit dieser öden Lamballe eingelassen; aber dann mußte sie wegen geschäftlicher Dinge
nach England, und die schlaue Linda schnappte sich
ihn. Wirklich, ein guter Fang, Lippling, aber ich begreife nicht, warum sie die Nase deshalb so hoch trägt.
Sadie weiß nichts, das habe ich schon gemerkt, und
natürlich würden mich keine zehn Pferde dazu bringen, es ihr zu verraten, so bin ich ja nun nicht, aber ich

finde, wenn wir alle zusammen sind, könnte Linda ein kleines bißchen netter zu mir sein.«

Die Radletts glaubten immer noch, Linda sei die treue Gemahlin von Christian, der sich jetzt in Kairo aufhielt, und natürlich war ihnen nie der Gedanke gekommen, das Kind könnte nicht von ihm stammen. Sie hatten ihr einigermaßen verziehen, daß sie Tony verlassen hatte, und hielten sich deshalb für außerordentlich tolerant. Von Zeit zu Zeit fragten sie Linda, was Christian denn so mache – nicht, weil es sie interessiert hätte, sondern damit Linda sich nicht ausgeschlossen fühlte, wenn Louisa und ich über unsere Ehemänner sprachen. Linda war dann genötigt, ein paar kleine Neuigkeiten aus imaginären Briefen von Christian zu erfinden.

»Sein Brigadekommandeur gefällt ihm nicht besonders«, oder:

»Er schreibt, Kairo sei sehr lustig, aber es könne einem dort auch zuviel werden.«

In Wirklichkeit bekam Linda nie einen Brief. Seit langem hatte sie zu ihren englischen Freunden keine Verbindung mehr, sie waren jetzt an alle Enden der Welt versprengt, und auch wenn sie Linda vielleicht nicht vergessen hatten, so gehörte sie doch nicht mehr zu ihrem Leben. Aber Linda wartete natürlich nur auf eines, auf einen Brief oder auch bloß eine Zeile von Fabrice. Kurz nach Weihnachten kam der Brief. Zugestellt wurde er in einem mit maschinenschriftlicher Adresse versehenen Umschlag von Carlton Gardens, der mit einer De-Gaulle-Briefmarke frankiert war. Linda erbleichte, als sie ihn auf dem Tisch in der Halle liegen sah. Sie nahm ihn und stürzte hinauf in ihr Zimmer.

Nach einer Stunde kam sie zu mir.

»Ach, Liebling«, sagte sie, die Augen voller Tränen. »Die ganze Zeit habe ich es versucht, aber ich kann kein einziges Wort lesen. Was für eine Quälerei! Willst du ihn dir einmal ansehen?«

Sie gab mir ein Blatt aus dem dünnsten Papier, das ich je gesehen habe; darauf waren anscheinend mit einer rostigen Feder allerlei vollkommen unentzifferbare Hieroglyphen gekritzelt. Auch ich konnte kein einziges Wort erkennen, mit einer Handschrift schien das nichts zu tun zu haben, die Zeichen sahen gar nicht aus wie Buchstaben.

»Ach, Fanny, was soll ich bloß machen«, fragte Linda.

»Komm, wir fragen Davey«, schlug ich vor.

Sie zögerte einen Augenblick, aber so persönlich die Botschaft auch sein mochte, es war besser, in Davey einen Mitwisser zu haben, als sie gar nicht zu erhalten, und so stimmte sie schließlich zu.

Davey erklärte, sie habe recht daran getan, ihn zu fragen.

»In französischer Handschrift bin ich sehr gut.«

»Aber du lachst auch nicht?« fragte Linda wie ein Kind, mit atemloser Spannung.

»Nein, Linda, ich finde es nicht mehr zum Lachen«, entgegnete Davey und betrachtete mit liebevoller Besorgnis ihr Gesicht, das in letzter Zeit ziemlich abgespannt wirkte. Aber als er das Blatt eine Zeitlang studiert hatte, mußte auch er gestehen, daß er mit seiner Weisheit am Ende war.

»Ich habe schon viele schwierige französische Handschriften in meinem Leben gesehen«, meinte er, »aber diese übertrifft alles.«

Schließlich mußte Linda aufgeben. Wie einen Talisman trug sie das Blatt Papier in ihrer Tasche mit sich herum, aber sie erfuhr nie, was Fabrice ihr geschrieben hatte. Es war äußerst quälend. Sie schrieb ihm an die Adresse von Carlton Gardens, aber dieser Brief kam mit der Bemerkung zurück, er könne leider nicht zugestellt werden.

»Macht nichts«, sagte sie. »Eines Tages wird wieder das Telephon läuten, und er ist da.«

Louisa und ich waren von morgens bis abends beschäftigt. Wir hatten jetzt ein Kindermädchen (meines) für acht Kinder. Zum Glück waren sie jedoch nicht die ganze Zeit zu Hause. Die beiden ältesten von Louisa besuchten eine Privatschule, und zwei von ihr und zwei von mir nahmen am Unterricht in einem Nonnenkloster teil, das Lord Merlin dank einer glücklichen Fügung des Schicksals in Merlinford für uns gefunden hatte. Louisa beschaffte ein bißchen Benzin, und jeden Tag fuhr einer von uns, sie, ich oder Davey, die Kinder im Wagen von Tante Sadie dorthin. Man kann sich vorstellen, was Onkel Matthew von diesem Arrangement hielt. Er knirschte mit den Zähnen, blitzte mit den Augen in die Runde und sprach von den lieben Nonnen als »diesen verdammten Fallschirmjägern«. Er war vollkommen davon überzeugt, daß sie jeden Augenblick, in dem sie keine Maschinengewehrstellungen für andere Nonnen anlegten, die bald wie Vögel aus dem Himmel fallen würden, damit zubrachten, die Seelen seiner Enkel und Großnichten zu verführen.

»Die bekommen einen Preis für jeden, den sie fangen, wißt ihr – und daß sie Männer sind, ist ja klar, man braucht sich nur ihre Stiefel anzusehen.«

Jeden Sonntag paßte er wie ein Luchs auf, ob die

Kinder Kniebeugen, das Kreuzzeichen oder andere papistische Narreteien vollführten oder auch nur ein übermäßiges Interesse am Gottesdienst zeigten, aber auch wenn sich keines dieser Symptome erspähen ließ, beruhigte ihn das nicht.

»Die Katholiken sind so verdammt raffiniert.«

Daß Lord Merlin einem solchen Institut auf seinem Grund und Boden Unterschlupf bot, hielt er für äußerst umstürzlerisch, aber es war genau das, was man von einem Mann zu erwarten hatte, der einem Deutsche ins Haus schleppte und ausländische Musik bewunderte. »Una voce poco fà« hatte Onkel Matthew längst vergessen und spielte jetzt von morgens bis abends eine Platte mit dem Titel »Türkische Patrouille« – das Stück begann *piano*, wurde dann *forte* und endete *pianissimo*.

»Seht ihr«, erklärte er zuweilen, »sie kommen aus einem Wald heraus, und dann hört man, wie sie in den Wald zurückgehen. Keine Ahnung, warum es Türkisch heißt, unvorstellbar, daß Türken so ein Stück spielen, außerdem gibt es in der Türkei überhaupt keine Wälder. Es ist bloß ein Name, mehr nicht.«

Ich nehme an, es erinnerte ihn an seine Heimwehr, die auch immer in Wälder hineinmarschierte und dann wieder daraus hervorkam, und dabei tarnten sich die armen Kerle oft mit Zweigen wie einst, als Birnams Wald zum Dunsinan emporstieg.

So hatten wir alle Hände voll zu tun mit Flicken und Stopfen und Waschen und erledigten eher die Arbeit für das Kindermädchen, als daß wir uns um die Kinder gekümmert hätten. Ich habe zu viele Kinder ohne Kindermädchen aufwachsen sehen, als daß ich dies noch für wünschenswert halten könnte. Die Frauen einiger fortschrittlicher Dozenten in Oxford machten es aus prinzipiellen Erwägungen oft so; aber im Laufe der Zeit vertrottelten sie dabei, während ihre Kinder völlig verwahrlost aussahen und sich wie die Barbaren aufführten.

Aber wir mußten uns nicht nur um die Kleidung der Kinder, die schon da waren, kümmern, sondern auch um die der Babys, die wir erwarteten, auch wenn sie vieles von ihren Brüdern und Schwestern erben würden. Linda, die natürlich keinen Vorrat an Babykleidung besaß, tat nichts von alledem. Mit Kissen und Decken aus den unbenutzten Schlafzimmern richtete sie sich in einem der Lattenregale im Wäscheschrank der Hons eine Art Koje her; dort lag sie, in ihre Nerzdecke gehüllt, Plon-plon neben sich, den ganzen Tag und las Märchen. Wie früher war der Wäscheschrank der Hons der wärmste, der einzige wirklich warme Ort im Haus. So oft ich konnte, nahm ich meine Näharbeit mit hinauf und setzte mich zu ihr, und dann legte sie das blaue oder grüne Märchenbuch, Andersen oder Grimm, beiseite und erzählte mir ausführlich von Fabrice und dem glücklichen Leben, das sie in Paris mit ihm geführt hatte. Manchmal gesellte sich auch Louisa zu uns, dann brach Linda ab, und wir unterhielten uns über John Fort William und die Kinder. Aber Louisa war immer rastlos und rührig, zum Plaudern nicht besonders aufgelegt, außerdem brachte es sie in Rage, zuzusehen, wie Linda Tag für Tag völlig untätig blieb.

»Was soll das Kind denn eigentlich anziehen, das arme Ding«, sagte sie oft wütend zu mir, »und wer wird sich darum kümmern, Fanny? Schon jetzt ist sonnenklar, daß es an dir und mir hängenbleibt, dabei haben wir doch wirklich genug zu tun. Und noch etwas: Linda liegt da in ihrem Zobel oder was es ist – aber sie hat überhaupt kein Geld, sie ist mittellos – ich glaube nicht, daß sie daran auch nur einen Gedanken verschwendet. Und was wird Christian sagen, wenn er von dem Kind hört? Juristisch gesehen, ist es ja seines – er wird einen Prozeß anstrengen müssen, um es für unehelich zu erklären, und was gibt das dann für einen Skandal. Anscheinend hat Linda über das alles noch nie nachgedacht. Sie müßte außer sich sein vor Sorge, statt dessen gebärdet sie sich wie eine Millionärsgattin zu Friedenszeiten. Ich kann das einfach nicht mitansehen.«

Dennoch, Louisa hatte ein gutes Herz. Am Ende war sie es, die nach London fuhr und eine Babyausstattung besorgte. Linda verkaufte Tonys Verlobungsring zu einem erschreckend niedrigen Preis, um sie zu bezahlen.

»Denkst du eigentlich nie an deine Ehemänner?« fragte ich sie eines Tages, nachdem sie stundenlang über Fabrice gesprochen hatte.

»Doch, komischerweise denke ich ziemlich oft an Tony. Christian war nur ein Zwischenspiel, für mein Leben zählt er kaum, denn unsere Ehe dauerte ja doch nur sehr kurz, und dann wurde sie von dem, was danach kam, vollkommen in den Schatten gestellt. Ich weiß nicht, es fällt mir schwer, mich daran zu erinnern, aber ich glaube, stark waren meine Gefühle für ihn nur ein paar Wochen lang, gleich zu Anfang. Er hat einen vornehmen Charakter, ein Mann, den man achten kann, ich werfe mir nicht vor, daß ich ihn geheiratet habe, aber er hat kein Talent für die Liebe.

Mit Tony jedoch war ich so lange verheiratet, mehr als ein Viertel meines Lebens, wenn man es recht bedenkt. Er hat mich gewiß geprägt. Und ich erkenne jetzt, daß nicht er schuld daran war, daß es schiefgelaufen ist, der arme Tony, ich glaube nicht, daß es mit einem anderen (es sei denn, ich wäre Fabrice schon damals begegnet) gut gegangen wäre, denn ich war in jener Zeit sehr boshaft. Worauf es wirklich ankommt, wenn es in einer Ehe gut gehen soll, ohne viel Liebe, ist eine sehr, sehr große Freundlichkeit – *gentillesse* – und vollendete Umgangsformen. Zu Tony war ich nie *gentille*, oft war ich fast unhöflich, und sehr bald nach unseren Flitterwochen wurde ich geradezu unausstehlich. Ich schäme mich, wenn ich jetzt daran denke. Aber der arme, alte Tony war so gutmütig, schnappte nie zurück, fand sich jahrelang mit allem ab, und dann spazierte er einfach zu Pixie hinüber. Ich kann ihm keinen Vorwurf machen. Von Anfang bis Ende war es mein Fehler.«

»Na ja, freundlich war er doch eigentlich gar nicht, Liebling. Ich finde, du solltest dir keine allzu großen Vorwürfe machen, denk daran, wie er sich jetzt verhält.«

»Ach, er hat den schwächsten Charakter auf der ganzen Welt, Pixie und seine Eltern haben ihn dazu gebracht. Wenn er noch mit mir verheiratet wäre, würde er jetzt Offizier im Gardekorps sein, das wette ich.«

An eines dachte Linda nie, dessen bin ich mir sicher, an die Zukunft. Eines Tages würde das Telephon klingeln, und es würde Fabrice sein – weiter dachte sie nicht. Ob er sie heiraten würde, was aus dem Kind werden sollte, solche Fragen machten ihr nicht nur keine Sorgen, sie kamen ihr anscheinend niemals in den Sinn. Mit ihren Gedanken lebte sie ganz in der Vergangenheit.

»Es ist ziemlich traurig«, sagte sie eines Tages, »einer verlorenen Generation anzugehören, wie wir es tun. Ich bin überzeugt, in der Geschichtsschreibung werden die beiden Kriege später als einer gelten, wir geraten dazwischen und werden aufgerieben, und man wird vergessen, daß es uns jemals gegeben hat. Es ist, als ob wir nie gelebt hätten, ich finde, das ist wirklich ein Jammer.«

»Vielleicht werden wir zu einer literarischen Kuriosität«, meinte Davey. Zitternd vor Kälte kroch er manchmal zu uns in den Wäscheschrank der Hons, um sich ein wenig aufzuwärmen, bevor er sich wieder an seinen Schreibtisch begab. »Die Leute werden sich aus lauter falschen Gründen dafür interessieren und Frisiertischutensilien von Lalique sammeln oder mit Chagrinleder bezogene Dosen oder Cocktailschränke, die mit Spiegeln ausgekleidet sind, und sie werden sich sehr darüber amüsieren. Oh, gut«, sagte er, während er aus dem Fenster spähte, »Juan, dieser Prachtkerl, bringt wieder einen Fasan.«

(Juan besaß ein unschätzbares Talent, im Umgang mit der Steinschleuder war er Experte. In seiner Freizeit – woher er diese Freizeit nahm, war ein Rätsel, aber er hatte sie – stapfte er mit dieser Waffe ständig im Wald oder unten am Fluß herum. Da er ein unfehlbarer Schütze war und sich durch keinerlei Jagdverbote gehemmt fühlte – es war Juan völlig gleichgültig, daß es für Fasane und Hasen eine Schonzeit gab und daß der Schwan dem König gehörte –, zeitigten diese Streifzüge im Hinblick auf Speisekammer und Suppentopf immer ausgezeichnete Ergebnisse. Wenn Davey es sich wirklich gut schmecken lassen wollte, dann sprach er, halb zu sich selbst, eine Art Tischgebet, das folgendermaßen begann: »Gedenket unserer Mrs. Beecher und ihrer Tomatensuppe aus der Büchse.«

Dem unglücklichen Craven bereiteten Juans Umtriebe verständlicherweise die größten Qualen, in seinen Augen waren sie kaum besser als Wilderei. Aber der arme Mann stand ganz unter der Fuchtel von Onkel Matthew, und wenn er nicht Wache schob oder Baumstämme zur Straße schaffte, um dort Panzersperren zu errichten, dann war er bei der Parade. Der Glanz von Onkel Matthews Paraden war im Grafschaftsbezirk sprichwörtlich. Als Ausländer war Juan von diesen Aktivitäten zum Glück ausgeschlossen und konnte seine ganze Zeit darauf verwenden, uns das Leben angenehm zu machen, was ihm auch hervorragend gelang.)

»Ich will keine literarische Kuriosität sein«, sagte Linda. »Ich will einer bedeutenden Generation angehört haben. 1911 geboren zu sein, ist einfach gräßlich.«

»Mach dir nichts draus, Linda, aus dir wird mal eine wunderbare alte Dame.«

»Und aus dir ein wunderbarer alter Herr«, meinte Linda.

»Oh, aus mir? Ich fürchte, ich werde nicht alt«, erwiderte Davey in einem Ton, aus dem höchste Zufriedenheit sprach.

Er hatte tatsächlich etwas Zeitloses an sich, als könnte er nie altern. Obwohl er gut zwanzig Jahre älter war als wir und nur fünf Jahre jünger als Tante Emily, hatte es immer den Anschein, als stünde er unserer Generation viel näher als der ihren, und er hatte sich überhaupt nicht verändert seit jenem Tag, als er am Kamin in der Halle gestanden und weder wie ein Captain noch wie ein Ehemann ausgesehen hatte.

»Kommt, ihr Lieben, Tee, und zufällig weiß ich, daß Juan eine Torte gebacken hat, also gehen wir lieber, bevor die Hopse alles verputzt hat.«

Davey trug während der Mahlzeiten eine heftige Fehde mit der Hopse aus. Ihre Manieren bei Tisch waren nie die besten gewesen, aber einige ihrer Angewohnheiten, zum Beispiel, Marmelade mit einem Löffel zu essen, den sie dann wieder in das Marmeladenglas zurückstellte, oder ihre Zigarette in der Zuckerschale auszudrücken, brachten den armen Davey, der die Lebensmittelknappheit nie vergaß, so in Rage, daß er sie in scharfem Ton anfuhr, wie eine Gouvernante ein außer Rand und Band geratenes Kind.

Er hätte sich die Mühe ersparen können. Die Hopse nahm einfach nicht zur Kenntnis, was er sagte, und verdarb weiterhin Lebensmittel mit der größten Unbekümmertheit.

»Lippling«, sagte sie nur, »was macht es schon, mein goldiger Hu-arn hat noch viel, viel mehr in seinem Ärmelchen, das verspreche ich dir.«

Zu dieser Zeit nahm die Angst vor einer Invasion geradezu panische Züge an. Die Ankunft der Deutschen, versehen mit allem, was Fallschirmjäger brauchen, um sich als Priester, Ballettänzer oder sonstwie zu tarnen, wurde täglich erwartet. Irgendein unfreundlicher Zeitgenosse setzte in Umlauf, sie würden so aussehen wie Mrs. Davis in der Uniform des Women's Voluntary Service. Diese Frau hatte ein solches Talent, überall gleichzeitig zu sein, daß es schon jetzt den Anschein hatte, als würden sich ein Dutzend Mrs. Davis mit ihren Fallschirmen im Land herumtreiben. Onkel Matthew nahm die Invasionsgefahr außerordentlich ernst, und eines Tages versammelte er uns alle im Geschäftszimmer und erklärte in allen Einzelheiten, was er von jedem von uns erwartete.

»Ihr Frauen müßt mit den Kindern während der Kämpfe in den Keller«, sagte er, »ein ausgezeichneter Wasserhahn ist vorhanden, und ich habe euch mit Rinderpökelfleisch für eine Woche verproviantiert. Jawohl, vielleicht müßt ihr mehrere Tage dort ausharren, laßt euch das gesagt sein.«

»Nanny wird das nicht gefallen«, begann Louisa, wurde aber durch einen wütenden Blick zum Schweigen gebracht.

»Da wir gerade beim Thema Nanny sind«, fuhr Onkel Matthew fort, »ich warne euch, es kommt überhaupt nicht in Frage, daß ihr mit euren Kinderwagen die Straßen verstopft, verstanden, eine Evakuierung gibt es unter gar keinen Umständen. Nun gibt es da noch eine sehr wichtige Aufgabe, und die möchte ich dir, Davey, anvertrauen. Ich weiß, alter Junge, es macht dir nichts aus, wenn ich sage, daß du als Schütze nicht viel taugst – du weißt ja, mit Munition sind wir knapp, und was wir haben, darf unter keinen Umständen vergeudet werden – jede Kugel muß sitzen. Deshalb werde ich dir kein Gewehr geben, jedenfalls nicht zu Anfang. Aber ich habe eine Zündschnur und eine Ladung Dynamit beschafft (ich zeige sie dir nachher), und ich will, daß du für mich die Vorratskammer hochgehen läßt.«

»Aladin in die Luft sprengen?« Davey erbleichte. »Matthew, du mußt verrückt sein.«

»Ich würde es Tschuahn machen lassen, ich mag den alten Tschuahn inzwischen ja ganz gern, aber so recht traue ich dem Burschen doch nicht. Einmal Ausländer, immer Ausländer, wenn ihr mich fragt. Jetzt muß ich euch erklären, warum ich dies für einen ganz entscheidenden Teil unserer Operation halte. Wenn Josh und Craven und ich und alle anderen gefallen sind, könnt ihr Zivilisten nur noch auf eine einzige Art und Weise helfen, indem ihr nämlich dem deutschen Heer zur Last fallt. Ihr müßt es ihnen überlassen, euch zu ernähren – keine Angst, sie werden es tun, die wollen keinen Typhus hinter ihren Linien –, aber ihr müßt es ihnen so schwer wie möglich machen. Mit dieser Vorratskammer, ich habe sie mir eben noch mal angesehen, wärt ihr wochenlang versorgt, ach was, das ganze Dorf könnte sich daraus versorgen. Und das wäre ganz falsch. Ihnen die Lebensmittelversorgung überlassen und ihren Nachschub vermasseln, das wollen wir, so schaden wir ihnen am meisten. Mehr könnt ihr nicht tun, bloß lästig sein, deshalb muß die Vorratskammer weg, und Davey muß sie sprengen.«

Davey öffnete den Mund, um noch etwas einzuwenden, aber Onkel Matthew war in einer äußerst grimmigen Laune, und Davey überlegte es sich anders.

»Sehr gut, lieber Matthew«, erklärte er traurig, »du mußt mir nur zeigen, wie ich es machen soll.«

Aber sobald Onkel Matthew uns den Rücken gekehrt hatte, brach Davey in lautes Gejammer aus.

»Nein, wirklich, daß Matthew Aladin unbedingt sprengen will, ist wirklich nicht richtig. Ihm ist es gleichgültig; er ist dann tot, aber er könnte ein bißchen mehr an uns denken.«

»Ich dachte, du würdest dann die schwarze und die weiße Pille nehmen«, sagte Linda.

»Emily gefällt die Idee nicht, und ich hatte mich entschlossen, sie nur zu nehmen, wenn ich verhaftet würde. Aber jetzt bin ich wieder unschlüssig. Matthew sagt, die deutsche Armee muß uns verpflegen, aber er weiß genausogut wie ich, wenn sie uns verpflegen, was noch sehr fraglich ist, dann mit Stärkemehl und sonst gar nichts – wie bei Mrs. Beecher, nur schlimmer, und ich kann Stärkemehl vor allem in den Wintermonaten einfach nicht verdauen. Es ist ein Jammer. Der schreckliche Matthew handelt so unüberlegt!«

»Aber Davey«, sagte Linda, »was ist denn mit uns? Wir sitzen doch im selben Boot und beklagen uns nicht.«

»Nanny wird sich beklagen«, meinte Louisa naserümpfend und gab damit deutlich zu verstehen: »Ich werde mich ihr anschließen.«

»Nanny! Sie lebt in ihrer eigenen Welt«, erklärte Linda. »Aber wir sollten wissen, wofür wir kämpfen, und, was mich angeht, so glaube ich, daß Pa völlig recht hat. Und wenn *ich* das schon meine, in meinem Zustand …«

»Oh, um dich wird man sich kümmern«, sagte Davey verbittert, »um schwangere Frauen kümmern sie sich immer. Sie werden dir Vitamine und alles mögliche aus Amerika schicken, du wirst sehen. Aber kein Mensch wird sich um mich scheren, dabei bin ich so empfindlich, vom deutschen Heer kann ich mich einfach nicht verpflegen lassen, nie und nimmer werde ich ihnen begreiflich machen können, wie es da drinnen bei mir aussieht. Ich kenne die Deutschen.«

»Früher hast du immer gesagt, niemand habe besser verstanden, wie es bei dir da drinnen aussieht, als Dr. Meyerstein.«

»Benutz doch mal deinen Verstand, Linda. Werden sie denn ausgerechnet Dr. Meyerstein über Alconleigh abspringen lassen. Du weißt ganz genau, daß er seit Jahren in einem Lager ist. Nein, ich muß mich auf einen schleichenden Tod gefaßt machen – keine besonders erfreuliche Aussicht, muß ich sagen.«

Linda nahm daraufhin Onkel Matthew beiseite und ließ sich von ihm zeigen, wie man Aladin sprengen konnte.

»Daveys Geist ist nicht besonders willig«, meinte sie, »und sein Fleisch ist entschieden schwach.«

Hernach kam es für kurze Zeit zu einer Entfremdung zwischen Linda und Davey, jeder fand, der andere habe sich völlig unvernünftig verhalten. Aber das dauerte nicht lange. Sie hatten einander viel zu gern (ich bin sogar überzeugt, daß Davey Linda mehr liebte als alles andere auf der Welt), und wie Tante Sadie zuweilen sagte: »Wer weiß, vielleicht ergibt sich gar nicht die Notwendigkeit, diese scheußlichen Entschlüsse zu fassen.«

So ging der Winter langsam vorüber. Der Frühling kam, wie immer in Alconleigh, mit außerordentlicher Schönheit, mit einer Farbenpracht und Lebensfülle, die man nach den langen, grauen Wintermonaten gar nicht mehr erwartete. Alle Tiere bekamen Nachwuchs, überall sah man junge Lebewesen, und auch wir warteten voller Sehnsucht und Ungeduld auf die Geburt unserer Kinder. Die Tage und Stunden schleppten sich dahin, und Linda fing wieder an, »viel besser« zu sagen, wenn man sie fragte, wie spät es sei.

»Wie spät ist es, Liebling?«
»Rate.«
»Halb eins?«
»Viel besser! Viertel vor eins.«

Wir drei schwangeren Frauen hatten allesamt gewaltige Bäuche bekommen, unter tiefen Seufzern schleppten wir uns wie riesige Fruchtbarkeitsgöttinnen durch das Haus und spürten die Wärme der ersten schönen Tage mit gesteigertem Mißbehagen.

Jetzt konnte Linda ihre schönen Pariser Kleider nicht mehr anziehen, genau wie Louisa und ich lief sie in einem Umstandskleid aus Baumwolle und in Sandalen umher. Sie verließ den Wäscheschrank der Hons und verbrachte bei schönem Wetter ganze Tage am Waldrand sitzend, während Plon-plon, der sich zu einem begeisterten, wenn auch erfolglosen Kaninchenjäger entwickelt hatte, keuchend kreuz und quer durch den grünen Dunst des Unterholzes tobte.

»Wenn mir etwas zustößt, Liebling, dann kümmere du dich um Plon-plon«, sagte sie. »Er war die ganze Zeit ein solcher Trost für mich.«

Aber das war nur so dahingesagt, als wüßte sie, daß sie in Wirklichkeit ewig leben würde, und nie erwähnte sie Fabrice oder das Kind, was sie gewiß getan hätte, wenn sie irgendwelche Vorahnungen gehabt hätte.

Louisas Baby, Angus, wurde Anfang April geboren. Es war ihr sechstes Kind, der dritte Junge, und wir beneideten sie aus tiefstem Herzen darum, daß sie es hinter sich hatte.

Am 28. Mai kamen unsere beiden Kinder zur Welt – beides Jungen. Die Ärzte, die Linda gesagt hatten, sie dürfe nie mehr ein Kind bekommen, waren, wie sich zeigte, doch keine Dummköpfe gewesen. Es brachte sie um. Sie starb, wie ich glaube, vollkommen glücklich und hatte nicht viel zu leiden, aber für uns in Alconleigh, für ihren Vater und ihre Mutter, ihre Brüder und Schwestern, für Davey und Lord Merlin erlosch ein

Licht, eine Quelle der Freude, die durch nichts zu ersetzen war.

Ungefähr zur gleichen Zeit, als Linda starb, wurde Fabrice von der Gestapo verhaftet und wenig später erschossen. Er war ein Held der Résistance, und um seinen Namen rankt sich in Frankreich heute eine Legende.

Mit Zustimmung Christians, seines rechtmäßigen Vaters, habe ich den kleinen Fabrice adoptiert. Er hat schwarze Augen in der gleichen Form wie Lindas blaue und ist ein sehr schönes, sehr bezauberndes Kind. Ich liebe ihn genauso wie meine eigenen Kinder, und vielleicht sogar mehr.

Die Hopse besuchte mich, als ich noch in der Oxforder Privatklinik lag, in der mein Kind zur Welt gekommen und Linda gestorben war.

»Arme Linda«, meinte sie gerührt, »das arme kleine Ding. Aber Fanny, meinst du nicht, daß es vielleicht doch ganz gut so ist? Das Leben, das Frauen wie Linda und ich führen, ist nicht besonders lustig, wenn man älter zu werden beginnt.«

Ich wollte die Gefühle meiner Mutter nicht mit dem Einwand verletzen, Linda habe nicht zu dieser Art von Frauen gehört.

»Aber ich glaube, mit Fabrice wäre sie glücklich geworden«, sagte ich nur. »Er war die große Liebe in ihrem Leben, weißt du.«

»Ach Lippling«, sagte meine Mutter. »Das denkt man immer. Jedes, jedes Mal.«

DOSSIER

David Pryce-Jones

Die Mitfords. Ein Familienroman aus der englischen Aristokratie

Wenn man um 1925 gefragt hätte, wer denn die Mitfords seien, so wäre die Antwort wohl ein verständnisloser Blick gewesen. Die *wer*? Nur jemand, der sich gut in der britischen Oberschicht auskannte, hätte sagen können: eine alte Familie mit einem makellos langweiligen Stammbaum. Nichtsdestoweniger war ein Mitford weltläufiger Diplomat geworden, Botschafter an den Höfen von St. Petersburg und Tokio, ein Freund Garibaldis, Richard Wagners und Edwards VII. Er starb 1916 und war für seine Dienste längst mit dem Titel eines Lord Redesdale belohnt worden. Nur jemand, der in Oxfordshire wohnte, hätte womöglich darüber hinaus zu berichten gewußt, daß der Sohn des verstorbenen Botschafters, auch er ein Lord Redesdale, ganz in der Nähe auf dem Lande lebte und eine Frau und einen ganzen Schwarm Kinder hatte. Genau gesagt, sieben: Nancy, Pamela, Tom, Diana, Unity, Jessica, Debo – damals im Alter zwischen einundzwanzig und vier Jahren. Na und? England war voll von solchen Familien, die geschäftig in den Hinterwäldern dahinlebten, ohne viel zu tun.

Wenn man dann zu ihnen eingeladen worden wäre, hätte man wohl kaum geahnt, daß hier Legenden im Entstehen begriffen waren, auch wenn man vermutlich über die Vorgänge im Hause hätte staunen müssen. Es existierte da ein gewisser kollektiver Charakter, wie immer in großen Familien. Das lag vielleicht am Ton – die Mädchen bedienten sich einer gemeinsamen Redeweise: ein lautes, undeutlich-gedehntes Sprechen, das bis zum Aufkreischen ging. Auch am Humor, der sich darin äußerte, daß sie sich mit Spitznamen

traktierten und sich Bruchstücke einer Kindersprache, eines
Geheimcodes zuwarfen; so entstand unter ihnen eine Solida-
rität, die für alle anderen eine Herausforderung bedeutete.
Als Kinder eines Lords stand ihnen der Ehrentitel *Honour-
able* zu, abgekürzt *Hon*. Die jüngeren Schwestern schlossen
sich zu einer Gesellschaft von *Hons* zusammen, die sich
gegen Außenstehende richtete, gegen die Anti-*Hons* – wenn
nicht snobistisch, so war es doch schick.

Auf den ersten Blick hätte Lord Redesdale im Kreis seiner
Töchter als Außenstehender gelten können. Als Exempel
seiner Gattung und seiner Zeit war er jeder Zoll ein Lord:
groß, von distinguiertem Aussehen, wenig mitteilsam, doch
mit einer verbissenen Energie ausgestattet. In Wirklichkeit
war der Umgangston in der Familie weitgehend ein Kom-
mentar über ihn und seine Manierismen, über jene Förm-
lichkeit, die bereits so altmodisch geworden war, daß sie
wie gespielt erschien. Als Persönlichkeit war er sicherlich
beschränkt, ja spießbürgerlich. Er habe *Wolfsblut* von Jack
London gelesen, so erzählte er gerne, und es habe ihm so gefallen, daß es ihm sinnlos erschiene, noch ein weiteres Buch
zu lesen. Ein und dasselbe Lieblingsstück von Puccini
wurde immer wieder auf dem Grammophon gespielt. Ganz
im Gegensatz zu seinem weltoffenen Vater hatte er eingefleischte Vorurteile gegen Ausländer, vor allem die Buren
und die Deutschen, gegen die er mit großer Tapferkeit in
Südafrika und im Ersten Weltkrieg gekämpft hatte. Katholiken, Juden, Schwarze, die romanischen Völker – für ihn Nig-
ger und *Dagos* (Welsche) – brachten ihn zur Raserei. Mit der
Bezeichnung »Gulli« bedachte er gerne die Leute, die er
nicht besonders schätzte, und manchmal sagte er ihnen das
direkt ins Gesicht; oder es hieß: »Der stinkt zur Hölle!« Doch
er wirkte dabei eher unterhaltsam als wirklich beunruhi-
gend; wie mancher andere Autokrat ließ er sich leicht provozieren und gab dann eine ziemlich komische Figur ab.

Auf ihre Art war auch Lady Redesdale gutaussehend,

doch es charakterisierte sie eine verwirrende Gelassenheit. Ihr Vater war ein exzentrischer *High Tory* gewesen, ein Mitglied des Parlaments mit einem absoluten Glauben an die britische Marine; ihre Mutter war jung gestorben, und sie selbst hat anscheinend, was die Liebe und ihre Möglichkeiten angeht, die Ansichten eines Waisenkindes gehabt. Verdrängung und Verschrobenheit liefen bei ihr zusammen: Geistige Gesundheit ließ sich durch einen guten Körper erreichen, eine Eingebung, die ihr allein zuteil geworden war und die von der richtigen Ernährung abhing – selbstgebackenes Brot aus Weizen, den sie selbst gemahlen hatte, weder Schweinefleisch noch Schellfisch, und vor allem keine pasteurisierte Milch. Impfungen waren verboten. Je größer ihre Familie wurde, desto weniger meinte sie sich um sie kümmern zu müssen; sie wiederholte nur ihren hilflosen Refrain: »Was für alberne Kinder ihr doch seid!«

Wenn etwas dem Ideal der Redesdales nahekam, so war es wohl: in Ruhe gelassen zu werden. Im Bewußtsein solcher Leute ging das Land mit Sicherheit vor die Hunde. Lord Redesdale sprach das gelegentlich auch aus, etwa in einer seltsamen Rede vor dem Oberhaus, wo er es fertigbrachte, das Erblichkeitsprinzip mit dem Christentum zu vermengen. Zorniger Pessimismus veranlaßte ihn, sein riesiges ererbtes pseudo-gotisches Herrenhaus zu verkaufen, in etwas Bewohnbareres zu ziehen und sich dann schließlich 1925 für sein Anwesen in Swinbrook selbst ein Haus zu entwerfen.

Und eine große Sache ist auch das geworden, errichtet im örtlichen Graustein, was gut zu den alten Cottages und der mittelalterlichen Kirche in dem Ort, dessen Squire er war, paßt. Swinbrook liegt in den Cotswolds, jener sanft bewegten Landschaft mit Tälern und Höhen zwischen Oxford und Shakespeares Stratford-on-Avon – hier ist England so, wie es sich in seinem historischen Bild darstellt, wo Generationen mit derselben Regelmäßigkeit aufeinanderfolgen wie die Jahreszeiten. Hier wollte Lord Redesdale reiten und jagen und seine Kinder so großziehen, wie er selbst erzogen worden war: standesgemäß. Doch trotz der achtzehn Schlafzimmer war Swinbrook für die Kinder eine Kaserne. Eine Festung nennt Jessica das Haus. Diana schreibt über ihren Vater und sein Bauwerk: »Ich glaube, er merkte, daß wir unser neues Haus wahrlich haßten; wir gaben uns auch keine Mühe, das zu verbergen.« Keines ihrer Mißgeschicke hätte sich ereignet, klagte Lady Redesdale später, wenn sie nicht nach Swinbrook gezogen wären. In Wahrheit wünschte sie sich, die Zeiten hätten sich überhaupt niemals geändert.

Lord Redesdale tat viel, um seine Zukunftsängste Wirklichkeit werden zu lassen, denn er hatte die Angewohnheit, die Taube in der Hand fliegen zu lassen und dem Spatz auf dem Dach nachzujagen. Er hätte nicht auf seine finanziellen Eingebungen setzen dürfen. Ein selbsternannter Marquis aus Chile überredete ihn zum Beispiel, in eine neue Art von Grammophon zu investieren, eine Katastrophe, die mit einem Prozeß endete, als Lord Redesdale den Titel seines Partners anzweifelte. Er erwarb auch eine halbverlassene Goldmine in Kanada, die komischerweise Hakenkreuz-Mine hieß, und verschwand dort im Sommer zum Schürfen, während seine Frau in einer Blockhütte kochte. Es war eher ein anstrengender Urlaub als eine Methode, ein Vermögen zurückzugewinnen. Obwohl Lord Redesdale immer wieder brummelte, daß er noch im Armenhaus enden werde, war er viel zu sehr Amateur und Gentleman, um für irgendein Gegenmittel zu sorgen. Nach dem Umzug nach Swinbrook kaufte er, zur Beschwichtigung, in London ein riesiges Haus, komplett mit Ballsaal, im modisch-vornehmen Kensington (genau gesagt, Rutland Gate 26: heute eins einer ganzen Reihe von herrschaftlichen Häusern, die einem arabischen Multimillionär gehören). Für jene, die in der Ökonomie den Schlüssel zu allen menschlichen Verhältnissen sehen, waren die Redesdales vollkommene Vertreter einer Klasse, die auf der falschen Seite der historischen Dialektik abrutschte.

Kindermädchen, Köchinnen, Hausmädchen, Diener, Aufseher, Erzieherinnen – die Kinder wuchsen umstellt auf. Nur Tom wurde der für Jungen traditionelle Weg hinaus zugestanden, zuerst nach Eton ins Internat, dann als Student nach Oxford (bei seiner Ankunft wurde er von seinem Tutor nach seinem Studienwunsch gefragt, worauf er antwortete: »Ausschweifungen«). Äußerst gut aussehend, leistete er ein Übersoll in der Verführung von Männern und Frauen. Er spielte gut Klavier und entschied sich am Ende für den Beruf des Rechtsanwalts. Die Schwestern blieben zu Hause eingesperrt, sie hockten beisammen wie in einem Harem und lieferten sich Stoff für ihre Phantasien, besonders über die reichen und prächtigen Liebhaber, die sie eines Tages in die Freiheit entführen würden. Irgendwie überwachte Lady Redesdale den Unterricht oben im Klassenzimmer, während die Erzieherinnen kamen und gingen: Es waren, laut Jessica, insgesamt dreizehn, die von ihnen gequält und verrückt gemacht worden seien. Monotonie, Frustration, Fluchtträume, Sehnsüchte nach Traumprinzen.

Die Kindheitsriten begannen, aufs Leben selbst durchzuschlagen. Die Eltern, *Muv* und *Farve* für die Kinder, wurden als »the Poor Old Female« und »The Poor Old Male« bezeichnet, kurz als *TPOF* und *TPOM*, sogar als »The Old Sub-Human«. So warf Unity einmal Farve einen besonders bösen Blick zu, bis er schrie: »Hör auf, mich anzusehen, verdammt noch mal!« Im Kinderzimmer hieß es dann: »Armer *Farve*, er ist wie ein Löwe, er kann dem Blick des Menschenauges einfach nicht standhalten.« Pamela wollte gern ein Pferd sein, und das übte sie stundenlang, wobei sie realistisch stampfend umherlief, den Kopf zurückwarf und wieherte. Bei einem anderen Spiel ahmten sie eine Henne nach, die gerade ein Ei legte. Der imaginäre Mr. Right war ja ganz schön, aber Debo stellte ihn sich lieber als Herzog vor, als Duke of Right. Sie dachten sich Reime und Verse aus. »Langsam im Lift zu Tode gequetscht«, lautete eine Zeitungsschlagzeile mit dem Untertitel: »Langer Todeskampf eines Mannes im Liftschacht.« Jeder Tochter, die beim Aufsagen dieser Zeilen erwischt wurde, sperrte *Farve*, durch die Wiederholung über alle Maßen gereizt, das Taschengeld. Dann war da noch die Geschichte von dem Medizinstudenten, der angeblich seiner Freundin einen erfrorenen Arm ins Schlafzimmer gehängt hatte; sie hatte ihn gefaßt und darüber ihren Verstand verloren; man fand sie im Bett, wie sie an dem Arm knabberte. »Was für alberne Kinder ihr doch seid!« Als Unity einmal auf dem Dach stand und mit Selbstmord drohte, bemerkte *Muv*: »Oje, hoffentlich tut sie sich nicht weh.« Die *Hons* lebten auf bei solchem Schabernack. Während des Generalstreiks von 1926 verkleidete sich Nancy als Landstreicher und jagte allen einen Schrecken ein. (Ein oder zwei Jahre später sollten die »Bright Young Things« dieses Verhalten noch weitertreiben; sie verkleideten sich als Arbeiter, taten so, als wollten sie Piccadilly aufreißen, und brachten damit den Verkehr in der Stadt zum Stillstand.)

Ferien und Feiertage verbrachte man zusammen mit Vettern und Cousinen, von denen die Churchills den größten Reiz ausübten. *Farve* war ein Vetter ersten Grades von Clementine Hozier, die 1908 Winston Churchill geheiratet hatte. Zwischen den Kriegen war Churchill Schatzkanzler in der Regierung Baldwin gewesen, aber 1930 schien seine politische Zukunft äußerst ungewiß. Manchen war er zu reaktionär, anderen zu progressiv, und zu den letzteren gehörten auch die Redesdales. Für sie war er unzuverlässig und ein Blender; und als er dann auch noch vor Hitler zu warnen begann, hielten sie ihn für eine öffentliche Gefahr. Churchill schrieb unterdessen seine Bücher und genoß das Familienleben in Chartwell, seinem Haus in Kent. Seine Kinder waren in dem Alter, in dem sie mit den Mitfords spielen konnten. Wieder private Spiele. Unter dem Vorwand, Gänse zu beschützen, paßten die größeren Kinder zum Beispiel auf, daß die Kleinen keine Gänseleberpastete aßen – falls doch: in den Schrank mit ihnen und abgeschlossen. Churchill fand

Gefallen an ihrem guten Aussehen und ihrem Schwung; er liebte diesen Stil; er erfand auch Spitznamen und nannte zum Beispiel Diana Mitford *Dynamite.* »Wie geht es deinen köstlichen Schwestern, Tom?« hörte ihn 1937 Henry Channon fragen, ein anderer konservativer Abgeordneter, der das in seinem Tagebuch notierte, als die Schwestern mit ihren Kapriolen längst öffentlich bekannt waren.

Nancy brach den Bann, oder, um genau zu sein, sie paßte ihn ihren Bedürfnissen an. Jessica war die Beobachterin. »Selbst ich erinnere mich vage der düsteren Wolke, die über dem Hause hing, der Mahlzeiten, die Tag für Tag in schmerzlichem Schweigen eingenommen wurden, als Nancy sich im Alter von zwanzig Jahren die Haare kurz schneiden ließ. Nancy, wie sie Lippenstift benutzt; Nancy, wie sie die neuerdings moderne Ukulele spielt; Nancy, wie sie Hosen trägt; Nancy, wie sie eine Zigarette raucht... Monatelang hatte Nancy hilflos kichernd vor dem Kamin im Salon gesessen, und ihre sonderbaren dreieckigen Augen leuchteten vor Belustigung, während ihre dünne Feder über die Linien eines Kinderschulheftes flog... nicht nur die kaum maskierten Tanten, Onkel und Freunde der Familie bevölkern die Seiten von *Highland Fling,* sondern da ist auch, übergroß und treffend, ›General Murgatroyd‹ genannt, *Farve.*«

Wieder einmal war die Feder mächtiger als das Schwert. *Highland Fling* von 1931 und der Nachfolger *Christmas Pudding,* ein Jahr später, mögen keine sehr guten Romane sein, doch sie sind leichte und unterhaltsame Satiren über jene Welt, die Nancy kannte. Auf einen Streich waren *Muv und Farve* zu harmlos spaßigen Figuren geworden. Je stärker *Farve* aufbrauste, um so tiefer tauchte er in Nancys fiktive Sphäre ein – als ob er der wundervollen, neu für ihn geschaffenen Rolle auch gerecht werden wollte. »Sie verdammter junger Hund!« brüllte er einen jungen Mann an, der die Ansicht vertreten hatte, es sei an der Zeit, den Ersten Krieg zu den Akten zu legen. Unisono sangen die sechs

Töchter Zeilen eines Liedes aus dem Krieg: »Wir wollen dich nicht verlieren, doch glaub uns, du mußt zieh'n.« Und der junge Mann zog ab; *Farve* aber wurde durch solches Lächerlichmachen gezähmt. An diesem Punkt beginnt die Kluft zwischen den Generationen, oder, wie es in manchen nachdenklichen Kommentaren jener Zeit hieß, das Problem der Jugend. Was war dafür verantwortlich zu machen – altmodische Eltern oder der Zeitgeist?

Nancy schrieb sich in London an der Kunstakademie ein. In einem umfassenden Sinn nahm sie damit den ihr zustehenden Platz als »Bright Young Thing« ein: unter ihresgleichen, den Kindern der Oberschicht, die aufgrund ihrer Begabung und ihrer Privilegien entschlossen waren, sich nach eigenem Gutdünken zu amüsieren und amüsant zu sein. Nicht, daß Nancy wirklich rebellierte: Sie dehnte ihre Swinbrook-Werte einfach auf die große Welt aus. Evelyn Waugh hatte bereits *Decline and Fall* veröffentlicht, ein kleines Meisterwerk jugendlicher Anarchie, und Nancys eigener Ton des fröhlichen Spotts verdankte ihm viel. Die beiden freundeten sich sofort an und ließen sich voneinander inspirieren. Waugh sollte in Zukunft Nancys Manuskripte lesen und Vorschläge machen, und bis zu seinem Tode stand er mit ihr in brieflichem Kontakt.

1933 heiratete Nancy Peter Rodd, als Prod bekannt (Sohn eines Lords und damit *Hon* wie sie). Er erfüllte nie ganz die Erwartungen, die jedermann in ihn setzte, doch er diente als Modell für Basil Seal, den Gauner-Helden in mehreren Waugh-Romanen. Ein weiterer spezieller Freund war Robert Byron, dessen Reisebeschreibungen von Griechenland, Persien, Rußland und Tibet bekannter zu sein verdienten, als sie es heute sind. Als leidenschaftlicher Hitler-Gegner und Churchill-Anhänger kam er im Krieg ums Leben. Christopher Sykes, auch er Schriftsteller und, wie es sich ergab, der zukünftige Biograph Evelyn Waughs; Cecil Beaton (der Fotograf); John Betjeman (der spätere Hofpoet); Harold Acton, der nach Peking ging und Bücher über die

Medici und die Bourbonen geschrieben hat; Brian Howard, der es weder als Schriftsteller noch als Homosexueller je ganz zum Skandalerfolg brachte: Hier war eine Gruppe von Leuten, die ihre Talente ganz selbstverständlich zur Schau trugen. »Was für Leute!« sagte *Muv* bloß. Mochten sie als Dilettanten erscheinen, sie erwiesen sich als zäh, ehrgeizig und professionell, und sie haben bis in die Gegenwart das Credo des L'art pour l'art am Leben gehalten.

»Diana war gelangweilt und rebellisch, ganz klar, und sie folgte Nancys Spuren«, setzt Jessica die Geschichte in *Hons and Rebels* fort, dem Bericht über ihre Herkunft. Diana bestätigt das in ihren eigenen Memoiren, *A Life of Contrasts,* und spricht von der »schrecklichen, tödlichen Essenz der Langeweile«, die sie heimsuchte. Von allen Schwestern besaß vielleicht Diana am meisten von einer klassischen Schönheit. Ihr Aussehen machte sie zu einer »Society Beauty«, dem Exemplar einer eigenen gesellschaftlichen Gattung, die – gewöhnlich im Profil – für die Hochglanzmagazine jener Zeit fotografiert wurde, etwa für den *Tatler*; heute wäre sie vielleicht Fotomodell. Sie war achtzehn, als sie sich mit Brian Guinness verlobte, dem Erben des berühmten Brauerei-Vermögens, der ein Mann mit literarischen Neigungen war, was ihn zu einem »Bright Young Thing« qualifizierte (heute ist er Lord Moyne). Die elterliche Abneigung auf beiden Seiten wurde überwunden. Die Hochzeit in St. Margaret's, der vornehmen Kirche gleich neben der Westminster Abbey, war ein Höhepunkt der Londoner Saison von 1929. Beim nachfolgenden Empfang, so hat es Diana aufgezeichnet, hörte sie Robert Byron seine Reisepläne erläutern und rief dann, ganz im Geist der Zwanziger, aus: »Wollen wir uns nicht *alle bald* in Kappadokien treffen!«

Die neuvermählten Guinnesses wohnten in Biddesden, einem schönen Haus aus dem 18. Jahrhundert, von Swinbrook leicht mit dem Auto zu erreichen. John Betjeman fing

in einem Zweizeiler etwas von der Atmosphäre ihrer luxuriösen Bohème-Existenz ein.

> I too could be arty, I too could get on
> with the Guinnesses, Gertler, Sickert and John.
> (Auch ich könnte künstlern, auch ich könnte dann
> mit den Guinnesses, Gertler, Sickert und John.)

(Mark Gertler, Walter Sickert und Augustus John waren die
drei berühmten englischen Maler der Zeit.) Doch im Sommer 1932 wurde in Biddesden ein Maskenball gefeiert.
Unter den Gästen befand sich auch Sir Oswald Mosley, und
er tanzte an dem Abend sehr häufig mit Diana, seiner Gast-
geberin. Bei diesem Anblick legte sich ein Schatten über die
Gesellschaft. Natürlich waren vor allem persönliche Gefühle
berührt, doch die Anwesenheit Mosleys und sein Erfolg lieferten das Zeichen dafür, daß die Harlekinade der »Bright
Young Things« vorüber war und die englische Weimar-
Epoche, wie man sie nennen könnte, zu Ende ging.

Oswald Mosley besaß einen Instinkt fürs Dramatische; bei
öffentlichen Ereignissen erkannte er sofort das Auge des
Sturms und befand sich gern in diesem Mittelpunkt. 1898
geboren, Erbe eines Titels mit Geld und Land, hatte er mit
Tapferkeit im Ersten Weltkrieg gekämpft und war danach
als Konservativer ins Parlament eingezogen. Dann heiratete
er Lady Cynthia Curzon, Tochter von Lord Curzon, dem
früheren Vizekönig von Indien und Außenminister: die Per-
sonifizierung der Werte des Empire. So viele Leute versi-
cherten Mosley, er habe eine brillante Zukunft vor sich, daß
er es anscheinend gar nicht abwarten konnte, sie zu beginnen. Ungeduldig verließ er die Konservative Partei, passierte die Liberale Partei und landete in der Labour Party,
die ihm im Jahr 1929 ein Amt in der Regierung von Ramsey
MacDonald gab. In jenem Jahr brachen auf der ganzen Welt
die Aktienmärkte zusammen; die Große Depression war da
und damit die Massenarbeitslosigkeit. Mosley plädierte für

Hilfsmaßnahmen in Form öffentlicher Arbeitsbeschaffungs-programme, aber man hörte nicht auf ihn, und so trat er aus Groll von seinem Amt zurück. Bis zu seinem Tod blieb er bei der Überzeugung, er habe recht gehabt und hätte das Land aus dem wirtschaftlichen Sumpf herausziehen können. Seine Karriere hatte bereits gezeigt, welch geringen Wert er der Demokratie und ihren Strukturen beimaß, und seine Verachtung für die Parlamentarier sollte er nie aufgeben. Entschlossen, seinen Weg zu machen, gründete er 1931 seine eigene Partei, die er *New Party* nannte, nur um in den allge-meinen Wahlen desselben Jahres eine demütigende Nieder-lage zu erleben.

Im Januar 1932 besuchte er Mussolini in Rom, der ihm den Rat gab, sich zum Faschisten zu erklären. Das tat Mos-ley auch, nach dem Vorbild der Schwarzhemden, die ihn stark beeindruckt hatten. Als Mosley sich beim Maskenball von Biddesden in Diana verliebte, hatte er längst alles vor-bereitet, die britische Version des Faschismus zu lancieren. »Natürlich verliebte ich mich in ihn«, schrieb Diana in ihren Memoiren, »und ich beschloß, mein Los mit ihm zu teilen.« Im Oktober hielt die *British Union of Fascists,* kurz BUF, ihre ersten Massenversammlungen ab.

Der britische Faschismus war vom Anfang bis zum Ende abhängig von der Persönlichkeit Mosleys, der sich selbst zum *Leader* ernannt hatte: in der Tat ein Einmann-Orchester. Welche Wirkung Mosleys Privatleben auf die von ihm ver-tretene Sache hatte, läßt sich kaum mit Gewißheit sagen; jedenfalls starb Lady Cynthia im Mai 1933 unerwartet an Bauchfellentzündung. Einen Monat später ließen sich die Guinnesses scheiden, und Diana zog in ein Haus am Eaton Square mitten im schicken Belgravia.

Dort traf sie sich mit Mosley, schrieb Diana, »oder in sei-ner Wohnung in der Ebury Street, und meine Freunde gewöhnten sich an meine unhöfliche Art, in der letzten Mi-nute meine Pläne zu ändern«. Im Lauf der nächsten Jahre, so fügt sie hinzu, besuchte sie auch Dutzende von Faschistenversammlungen, sowohl in Sälen wie im Freien. Die Redesdales waren entsetzt; in ihrem Universum gab es keinen Platz für solche Entwicklungen. Eine Weile versuchten sie, Diana innerhalb der Familie zu ächten, weil sie an die jüngeren Schwestern und besonders an Unity dachten.

Als inzwischen Achtzehnjährige verfügte Unity bereits über ein beträchtliches Repertoire von Aktivitäten, mit denen sie ihre Schwestern übertroffen hatte. Wo diese sich noch im Rahmen von Launen und Possen bewegt hatten, war sie zum offenen Trotz vorgestoßen. Man spürt an ihr jene totale Verachtung für Konventionen, die Fanatismus hervorbringt. Der Gedanke an Kompromisse entzündete in ihr einen Extremismus, mit dem sie anderen zeigen wollte, zu welchen Dingen sie fähig war. In ihrer Strategie, die Welt herauszufordern, um von ihr bestraft zu werden, lag etwas Verzogenes und Kindisches, aber auch eine irritierende Tendenz zur Selbstvernichtung – wenn Jessica von ihr wieder einmal über alle Maßen gereizt worden war, rief sie Unity zu, sie solle doch abhauen und sich das Leben nehmen, und damit rührte sie unbewußt an die tiefere Quelle von Unitys Handlungen. Nachdem sie, nicht mehr zu bändigen, endlich von Swinbrook fortgeschickt, dann aus der einen, danach auch aus der nächsten Schule hinausgeworfen worden war, hatte Unity zwar ihre Freiheit, hing aber in der Luft. Der ganze Komplex Diana-Scheidung-Mosley-Faschismus nahm sie nun auf der Stelle gefangen. Mosleys politische Aussichten, dachte man, könnten womöglich durch die Verbindung mit den Mitfords Schaden nehmen, da sie so bald nach dem Tode von Lady Cynthia zustande kam, die bei den BUF-Mitgliedern sehr populär gewesen war. Romanze Streng Geheim, Verschwörung, hohe Politik. Ohne Wissen ihrer Eltern schlich Unity sich zum Eaton Square, und dort warteten der *Leader*, die Zukunft und der Marsch der Geschichte auf sie. Aufregend: Der *Leader* gestattete ihr den Beitritt zur Partei. Aufregend: Er schenkte ihr einen Gummiknüppel und ein

Faschistenabzeichen, das sie tragen konnte, wenn *Muv* und *Farve* nicht hinsahen.

Wie Diana nahm auch Unity an faschistischen Aufmärschen und Demonstrationen teil, oft im East End, jener Londoner Slum-Gegend, wo Mosley sich durch seine Angriffe auf die Juden Unterstützung erhoffte. Unity kaufte sich eine Uniform; sie verkaufte BUF-Zeitungen; sie akzeptierte alles, was Mosley sagte. Mit einer schockierten Freundin ging sie ins Selfridge's, das große Kaufhaus in der Oxford Street, und ließ eine Tonaufnahme von sich machen mit dem Slogan, den die BUF bei ihren Straßenangriffen auf die Juden schrie: »The Yids, the yids, we gotta get rid of the Yids.« Der Faschismus, rein und unverdünnt, war in eine Persönlichkeit wie die ihre eingedrungen wie in ein Vakuum.

Im August 1933 nahm eine BUF-Delegation am Nürnberger Nazi-Parteitag teil, dem ersten seit Hitlers Machtergreifung, und Diana und Unity waren dabei. Zur Delegation gehörte auch Mosleys Stellvertreter William Joyce, der ein so entschiedener Nazi war, daß er, als der Krieg erklärt war, seinen Wohnsitz nach Berlin verlegte, wo er jede Nacht im Radio eine englische Ansprache hielt, mit einer eigenartig näselnden Stimme, die ihn als Lord Haw-Haw berühmtberüchtigt machte. Unity wurde mitsamt der Delegation photographiert, als sie in der Besucherloge die Arme zum Hitlergruß erhoben hatten. In ihrem Buch hält Diana fest, daß sie und Unity die Karten zum Parteitag von Putzi Hanfstaengl bekamen, den sie im Braunen Haus in München besucht hatten. Diana sprach für sich und für Unity, als sie schrieb: »Die gigantischen Paraden liefen ohne Stockung ab. Ein Gefühl erregten Triumphes lag in der Luft, und als Hitler erschien, ging es wie ein elektrischer Schlag durch die Menge.« Und Unity sollte dem *Evening Standard* bei ihrer Rückkehr nach London in einem Interview sagen: »Gleich als ich ihn sah, wußte ich, daß ich niemanden lieber kennenlernen würde.«

Innerhalb von achtzehn Monaten konnte sie ihren Willen durchsetzen. In ihrer Art war dies eine phänomenale Leistung. Unter dem Vorwand, Deutsch lernen zu wollen, überredete sie ihre Eltern, sie nach München zu schicken. Was für Sorgen muß *Farve* sich über Unitys Zukunft gemacht haben, daß er seine Abneigung gegen alles Deutsche überwand! Sie wurde in ein Pensionat für junge Engländerinnen gesteckt, das die ältliche Baronin Laroche leitete. Dort erfuhr sie bald, daß Hitler einen Stammtisch in der Osteria Bavaria unterhielt, einem bekannten Restaurant in Schwabing; dort saß er gern mit seinen alten Kameraden, besonders Streicher, Goebbels, Speer, dem Fotografen Heinrich Hoffmann, Dr. Otto Dietrich, der für die Presse und die Öffentlichkeitsarbeit zuständig war, aber auch mit seinen persönlichen Adjutanten.

Tag für Tag saß Unity nun in diesem Restaurant. Ihr nordisches Aussehen, davon war sie überzeugt, würde die Aufmerksamkeit auf sie lenken. Die Mitfords, so sagte sie gerne, waren »reinrassige Arier«. Manchmal trieb es sie allein an diesen Ort, aber oft wurde sie auch von einer anderen Engländerin begleitet, die an der Universität studierte (und die schließlich einen deutschen Medizinstudenten heiraten sollte, der später Arzt in der SS wurde). Natürlich wurde Unity bemerkt, überprüft und belohnt. Im Tagebuch ihrer Freundin steht unter dem 7. Februar die Eintragung: »Am Sonnabend ließ Hitler Unity zu sich bitten, und sie speiste an seinem Tisch zu Mittag – sie war zu Tode aufgeregt, natürlich.«

Diese Damenversion einer amourösen Annäherung hatte geklappt. Diana hatte zwar ihren *Leader*, doch Unity hatte die Aufmerksamkeit eines viel Größeren errungen, des deutschen Führers persönlich. Auf dem Höhepunkt der Entwicklung lud sie Diana nach München zu einer Begegnung mit Hitler ein. Diana kam, wie es sich gehörte. Und im April kam auch Mosley, ein Mosley, der inzwischen total auf die Linie Hitlers eingeschwenkt war. Mosley, Diana, Unity und

Winifred Wagner lunchten zusammen mit Hitler in seiner Wohnung in der Prinzregentenstraße.

Julius Streicher, Gauleiter von Franken und Herausgeber des *Stürmer* mit seiner Mischung aus Pornographie und Antisemitismus, scheint Unitys Propagandawert sehr schnell begriffen zu haben. Laut Jessica erklärten Diana und Unity in Swinbrook in reinster Mitford-Manier, Streicher sei »ein Kätzchen«. Jedenfalls sorgte Streicher dafür, daß Unity bei der riesigen Sonnwendfeier im Sommer 1935 auf dem Hesselberg, wo Volkstum und Nazismus gemeinsam gefeiert wurden, eine Rede halten konnte. Eine Viertelmillion hörte dort über die Lautsprecher Unitys Solidaritätserklärung für Hitler-Deutschland. Sie gab der Nazipresse Interviews im Namen Mosleys und der BUF. Mit Diana und Leni Riefenstahl war sie Ehrengast bei einer weiteren Streicher-Veranstaltung, einem Kongreß für ausländische Nazi-Organisationen in Erlangen.

Doch erst ein Brief, den sie Ende Juli 1935 im *Stürmer* veröffentlichte, war so bizarr und gewalttätig im Ton, daß er ein Aufsehen erregte, das später niemals mehr ganz verblassen sollte. In diesem Brief drückte sie ihre Bewunderung für die Zeitung und ihre wilden Kampagnen gegen die Juden aus; sie wünschte sich ein solches Blatt für England und schloß mit den Worten: »Jeder soll wissen, daß ich eine Judenhasserin bin.« Schändlichkeit und Erfolg waren endlich ein und dasselbe geworden. Sie hatte herausgefunden, daß sie niederträchtig und schockierend sein konnte, ohne dafür bestraft zu werden. Nach diesem Brief berichteten die Zeitungen über jeden Schritt von »Unity, der Judenhasserin«: über ihren Besuch der Bayreuther Festspiele mit Hitler, über ihre Anwesenheit bei allen folgenden Parteitagen in Nürnberg und ihren Besuch der Olympischen Spiele von 1936. Unweigerlich wurde Unity auch als »Hitlers englische Freundin« bezeichnet. Ein paar Zeitschriften in England und Amerika spekulierten, anscheinend gut unterrichtet, über eine Heirat Unity-Hitler, bis schließlich Lord Redesdale eine

Erklärung abgab, daß es keine derartigen Pläne gebe. Die *Hon* als Mrs. Adolf Hitler – das war nun doch jenseits der Swinbrook-Phantasien.

Hitler seinerseits fühlte sich durch Unitys Schwärmerei geschmeichelt. Das Mädchen zu seinen Füßen war attraktiv, sie war Engländerin, und ihr Vater war ein Lord. In seiner Gesellschaft war Unity wohlerzogen, doch lebhaft; sie amüsierte ihn mit ihren Erzählungen aus England, über das er fast gar nichts wußte. Zusammen sahen sie den *Tatler* durch, und aus den Gesellschaftsnachrichten stellten sie Listen jener Leute zusammen, die im Fall eines Nazisieges in Europa zu Anhängern werden könnten, und von solchen, die unerbittliche Feinde waren, Churchill-Anhänger, die es zu liquidieren galt.

Die Publizität um Unity war für Hitler vorteilhaft. Einmal schien ihre Anwesenheit in seinem Kreis ihn etwas menschlicher zu machen – es war zum Beispiel unvorstellbar, daß Stalin einem jungen Mädchen aus dem Ausland den Zutritt zum Kreml gewährte. Und dann konnte Hitler sie zu seinen Zwecken einsetzen, was er auch sehr geschickt tat; durch sie ließ er Klatsch und Gerüchte ausstreuen, mit und ohne wahren Kern. Jeder, der Unity kennenlernte, brannte darauf, alles über Hitler zu erfahren, so wie er wirklich war, und sie antwortete, ganz in ihrer eigenen Swinbrook-Sprache, daß er ein Schatz sei, daß er solch süße Augen habe, solch einen süßen Regenmantel trage, daß er nur an Frieden denke, das britische Empire bewundere und darauf hoffe, die britische Marine und die deutsche Armee zu wunderbaren nordischen Streitkräften zu vereinen, daß er so viel von Architektur verstehe. Und wer konnte schon besser im Bilde sein als sie?

Die britischen Konsuln in München hielten es, einer nach dem anderen, für ihre Pflicht, sie aufzusuchen und ihre Unterredungen ins Londoner Außenministerium zu berichten. Sicher schlich sich ein skeptischer Ton in viele dieser Berichte ein – Unity ging so weit, einem erstaunten Konsul vorzuschlagen, daß Hitler zum Gott erklärt werden müsse. Aber schließlich war sie es, die weitererzählte, was Hitler gerade über Mussolini geäußert hatte oder über seine Gäste, den Herzog und die Herzogin von Windsor. Es war zumindest eine raffinierte Art, Informationen in die Welt zu setzen, die die offiziellen Verlautbarungen etwas verwischen, aber auch ergänzen konnten. Das war nützlich genug.

Und es entging auch nicht Hitlers Aufmerksamkeit, daß Unity Zugang zu ihrem Vetter Winston Churchill hatte. Zur Zeit des Anschlusses eilte sie zum Beispiel im Gefolge der deutschen Truppen nach Wien, um Hitler im Hotel Imperial zu treffen, wo er abgestiegen war, zweifellos um den Wienern zu zeigen, in welchem Stil er zurückkehrte. In einem Interview mit einer englischen Zeitung sagte Unity: »Er war müde, doch schien er von allem sehr gerührt. Meiner Meinung nach war es wunderbar.« Sie schrieb unverzüglich an Churchill, um ihm klarzumachen, daß sein Widerstand gegen den Anschluß falsch sei, weil die Wiener Hitler mit einhelliger Begeisterung empfangen hätten. Churchill nahm das zur Kenntnis und leitete ihren Brief zur Stellungnahme weiter an den österreichischen Botschafter in London. Der Botschafter, soeben von den Nazis entlassen, widerlegte Unity, und Churchill änderte seine Meinung in keiner Hinsicht.

Es mag die Churchill-Verbindung gewesen sein, die zu Hitlers Überschätzung der Redesdales und ihres Einflusses führte. *Muv* und *Farve* wurden von Unity angefleht, München zu besuchen; sie wolle sie dem Führer vorstellen. Sie kamen, sahen und wurden besiegt. In der Prinzregentenstraße tranken sie Tee mit Hitler, und *Muv* erläuterte, wie sie ihren Weizen mahlte und ihr Brot buk, was Hitler anscheinend entzückte. Ein offizieller Mercedes wurde ihnen zur Verfügung gestellt; sie wurden hofiert und genossen es dankbar. Sie kehrten als Ehrengäste des Nürnberger Parteitags zurück. Lord Redesdale hielt von nun an Reden im

Oberhaus über solch allgemeine Themen wie Hitlers Friedensliebe und den sozialen Fortschritt im Dritten Reich. Die Konversion des fremdenfeindlichen und antideutschen *Farve* scheint die absonderlichste Rache zu sein, die Unity an ihm nahm. Vielleicht hatte sie recht gehabt, und *Farve* konnte wirklich durch das menschliche Auge unterworfen werden.

Jessica war zweieinhalb Jahre jünger als Unity. Obwohl sie anscheinend oft vollkommen entgegengesetzter Meinung waren, gaben sie doch im Grunde einem gemeinsamen Temperament Ausdruck. Wären sie in umgekehrter Reihenfolge zur Welt gekommen, sie hätten, so könnte man sich vorstellen, ihre Rollen getauscht. Auch Jessica reagierte auf Swinbrook mit eskapistischen Sehnsüchten, und seit ihrem zwölften Lebensjahr unterhielt sie auf der Bank ein, wie sie es nannte, Weglaufkonto. Als Unity sie zur Faschistin machen wollte, antwortete sie: »Wenn du Faschistin sein willst, so werde ich Kommunistin: also!« Daraufhin wurde das Kinderzimmer in Swinbrook in der Mitte geteilt: auf der einen Seite Hakenkreuze und Fotos von Mosley, auf der anderen Seite Literatur der Kommunistischen Partei und eine kleine Lenin-Büste. Hier entstand ein Abbild des ideologischen Kampfes, der damals in der Welt geführt wurde. »Manchmal verbarrikadierten wir uns mit Stühlen und führten regelrechte Feldschlachten auf; wir bewarfen uns mit Büchern, bis das Kindermädchen kam und uns aufforderte, den Lärm zu unterlassen.« Ein junger Oxfordstudent (und späterer britischer Botschafter) erinnert sich an einen Besuch in Swinbrook, wo er von den zum Kampf gerüsteten Schwestern gefragt wurde, ob er Kommunist oder Faschist sei. Als er antwortete, er sei Demokrat, kam es wie aus einem Mund: »Noch ganz schön blöd!«

Unter Jessicas Literatur befand sich ein Exemplar von *Out of Bounds*. Dies war nun wirklich eine kleine Zeitschrift, ein Neuntagewunder des Jahres 1934, die fast im Einmannbetrieb herausgegeben wurde von einem Schuljungen, Esmond Romilly, der damit andere Schuljungen aktivieren wollte, angesichts der Fragen der Stunde, Klassensystem und Aufstieg des Faschismus. Esmond Romillys Mutter war die Schwester Clementine Churchills, und so wurde er sofort von den Zeitungen als »Winstons Roter Neffe« bezeichnet. Für *Farve* war dieser Vetter der Mitfords offensichtlich ein Gulli, für Jessica war er ein leuchtender Rebell. 1936 waren sie beide, Jessica und Esmond, achtzehn Jahre alt, aber er war bereits in Spanien gewesen, als leidenschaftlicher Franco-Gegner in den ersten Schlachten des Bürgerkriegs. Jessica gelang es, ihm bei einer Wochenendparty vorgestellt zu werden; es war Liebe auf den ersten Blick, worauf die beiden durchbrannten, natürlich nach Spanien, ohne ein Wort zu *Muv* und *Farve*. Parallel zu Unity hatte sich Jessica einen Helden erwählt, der Phantasie in Wirklichkeit verwandeln konnte.

Bestürzt wandten sich die Redesdales an Anthony Eden, den damaligen Außenminister, der dem britischen Konsul in Bilbao ein Telegramm schickte: »Finden Sie Jessica Mitford und überreden Sie sie zur Rückkehr.« Zur rechten Zeit brachte ein britischer Zerstörer Jessica und Esmond Romilly von Spanien nach Südfrankreich, wo Nancy und Prod sie in einer etwas sarkastischen Stimmung erwarteten. Jessica heiratete Esmond, der *Boadilla* zu schreiben begann, ein Buch über Spanien, das sich wegen der Begeisterung, die darin zum Ausdruck kommt, immer noch lesen läßt. Wie Unity schrieb auch er einen Brief an Winston Churchill, um seinen Standpunkt zu verteidigen: ebenso erfolglos. Bald machten sich Jessica und Esmond auf, um ihr Glück in Amerika zu suchen.

Mit der einen oder anderen Schwester am Werk, kamen die Konsularbeamten in einem halben Dutzend von Ländern nicht zur Ruhe. Ebenso die englischen Zeitungen. In einem gewissen Sinn waren die Familienpossen für das Massenpublikum eine Art Seifenoper aus der Oberschicht. Zwischen den Kriegen war die Massenpresse wie besessen von Vorgängen in der Aristokratie; und wenn diese Aristokratie über die Stränge schlug: um so schärfer. Die Kommentatoren schienen die Privilegien ebenso zu bewundern wie deren Mißbrauch. Wütende Leser schrieben an die Zeitungen und beklagten sich, daß normale Menschen, die sich wie die Mitfords aufführten, nie die bis in alle Einzelheiten gehende Aufmerksamkeit der Journalisten auf sich lenken würden. Ein Streit wie der über die Henne und das Ei: Was kam zuerst, die Mitfords oder ihre Publicity? »Immer wenn ich die Worte ›Tochter eines Peers‹ in einer Schlagzeile sehe«, sagte *Muv* verdrießlich, »dann weiß ich, es ist wieder etwas über euch Kinder.« Aber egal: Sie schnitt sich jeden einzelnen Artikel, jedes Foto aus und klebte sie liebevoll in ihre Alben.

> »Peer-Tochter, die Juden haßt.«
> »Unity fotografiert mit 50-£-Kamera von Hitler.«
> »Englisches Mädchen bei Heidnischem Fest.«
> »*Hon* Unity Mitford im Hyde Park gejagt.«
> »Peer immer noch gegen Jessicas Romanze.«
> »Jessica sagt ›Nein‹ zu Bitten der Schwester.«

Und die *New York Times* schrieb am 28. November 1938: »Mosley heiratet eine Mitford in Hitlers Anwesenheit, heißt es in London.« Die Meldung war ein alter Hut, als sie gedruckt wurde, denn Diana und Mosley hatten schon zwei Jahre zuvor geheiratet, am 6. Oktober 1936, und sie hatten die Angelegenheit genauso geheimgehalten wie Jessicas Flucht. Die Hochzeit fand in Goebbels' Haus in Berlin statt, in der Hermann-Göring-Straße, und der anschließende Empfang in seinem anderen Haus in Schwanenwerder. »Hitlers Geschenk war eine Fotografie im Silberrahmen, mit A. H. und dem deutschen Adler«, berichtete Diana in ihren Memoiren, während Goebbels dem Paar eine zwanzigbändige Goethe-Ausgabe zum Geschenk machte. Bis zum heutigen Tage ist Lady Mosley ihren Erinnerungen an die Naziführer treu geblieben.

Die Berichterstattung jener Zeit muß den Briten deutlich gemacht haben, in welchem Ausmaß Mosley sich zu einem vollkommenen Nazi entwickelt hatte – die Anwesenheit Hitlers als Trauzeuge konnte das Lehrer-Schüler-Verhältnis nur noch besiegeln. Mosley ahmte Hitlers demagogische Reden nach. Er ahmte die Parteiorganisation und die Taktik der Nazis nach. Er unterstützte jeden Aspekt der Hitlerschen Politik. Sein nicht nachlassender Angriff auf die Juden beschränkte sich nicht mehr nur auf Worte – in der Woche seiner Hochzeit führte er die BUF im Londoner East End zur »Schlacht in der Cable Street«, wie sie genannt wurde, eine gewalttätige Auseinandersetzung mit Juden, wie sie das Land nie zuvor erlebt hatte. Bis zu seinem Todestag hat Mosley kein Bedauern darüber geäußert; er hielt an der Hitlerschen Lüge fest, daß die Juden auf den Krieg hingearbeitet hätten. Wie Naziführer anderswo, zum Beispiel Codreanu in Rumänien, Quisling in Norwegen und Doriot in Frankreich, setzte er seine Zukunft auf Hitlers Sieg. Ein erfolgreicher Hitler hätte wohl Mosley in der hakenkreuzgeschmückten Downing Street als Reichskommissar eingesetzt. »Ein ganzer Kerl«, hat er laut Lady Mosley ihren Mann im Gespräch mit ihr genannt, während einer von Hitlers Adjutanten sich erinnert, der habe kurz und bündig erklärt, Mosley sei »kein Volkstribun«.

Nach ihrer Heirat lebten die Mosleys in England. Auch Unity sah Hitler jetzt seltener; sie mußte ihm in der Osteria auflauern oder einfach hoffen, an einer Straßenecke von ihm bemerkt zu werden. Der Sturz Putzi Hanfstaengls warf seinen Schatten auch auf sie. Putzi war einer der ersten gewesen, die Hitler unterstützt hatten. Nach dem fehlgeschlagenen Putsch von 1923 hatte Hitler im Hause Putzis und seiner Schwester Erna Zuflucht gefunden, und dieser Tatsache verdankte Putzi seine spätere Stellung in Hitlers Kreis. Als Kosmopolit – er war halber Amerikaner –, der musikalisch begabt war, unterschied er sich von den anderen Leuten dort, die er gerne als »Chauffeureska« bezeichnete. Unity gegenüber war er freundlich, wenn auch besitzergreifend. »Putzi wird handgreiflich«, beschwerte sie sich, was heißen sollte, daß er ihr das Knie tätschelte.

Im Februar 1937 wurde Putzi ohne Vorwarnung verhaftet und in ein Flugzeug gebracht, dessen Mannschaft den Auftrag hatte, ihn über Spanien hinauszuwerfen; dort sollte dann bekanntgegeben werden, daß er in geheimer Mission umgekommen sei. Er aber überredete den Piloten, ihn nach Zürich zu fliegen, von wo er sich nach England absetzte. Ein wütender Hitler leugnete die Existenz irgendeines Mordplans. Bis zum Ende behauptete Putzi jedoch, daß Unity ihn wegen seiner Witzeleien denunziert habe. Noch im Juni 1939 und in einem letzten Versuch, die Sache ins reine zu bringen, bat Erna Unity, Hitler persönlich einen Brief zu überbringen, in dem sie um Gnade für Putzi bat. Unity tat das auch, und diese Begegnung mit Hitler sollte sich als eine ihrer letzten erweisen. Er las den Brief und verbot Unity jeden weiteren Kontakt mit Erna.

Trotz aller anderen Dinge, die Hitler im Sommer vor dem Krieg im Kopf hatte, fand er Zeit, Unity eine Wohnung in München zu offerieren. In Begleitung einer deutschen Freundin, die achtzehn Jahre alt, gescheit und Tochter eines extrem reichen Industriellen war, sah sich Unity vier Wohnungen an, eine Auswahl, die Hitlers Büro ihr besorgt hatte. In einer Wohnung in der Agnesstraße befanden sich noch die verängstigten jüdischen Besitzer. Vor den Augen des älteren Ehepaares, das zugunsten Unitys vor die Tür gesetzt werden sollte, maßen die beiden Mädchen die Wohnung aus und machten Pläne für die Ausstattung. Als Unitys Freundin sich fünfunddreißig Jahre später der Szene entsann, konnte sie sich dieses Verhalten nicht mehr erklären. War diese Gefühllosigkeit nicht einfach ein Teil des moralischen Versagens und des Wahnsinns in jener Zeit?

Ein Sekretär, der von der deutschen Botschaft in London zurückkehrte, arrangierte den Transport einiger Möbel Unitys unter diplomatischem Schutz, und so nahm sie auch dabei wieder Privilegien in Anspruch. Jedenfalls hatte sie sich im Juni 1939 in der Agnesstraße eingerichtet: Hakenkreuzflaggen schmückten die Wand hinter ihrem Bett. Die Wohnzimmermöbel waren ein Geschenk Hitlers. Hitlers Motive sind schwer zu verstehen. Vielleicht war seine Fürsorge nur ein Vorspiel, um sie loszuwerden. Vielleicht dachte er an ein Täuschungsmanöver. Stünde der Krieg mit England wirklich unmittelbar bevor, würde er doch gewiß nicht seine Freundin, seinen weiblichen Schützling in dieser grausamen Art und Weise hintergehen und sie zum Verrat treiben – mußte der britische Konsul nicht in diesem Sinn nach London berichten? Sie besaß einen Revolver und hatte immer gesagt, daß sie sich im Falle eines Krieges erschießen werde. Man hatte das für einen Teil ihrer albernen Selbstinszenierung gehalten, doch wer sie gut kannte, war davon überzeugt, daß sie es auch meinte: Sie selbst wenigstens nahm sich ernst.

Als am 3. September der Krieg erklärt wurde, gerieten ihre Phantasien an einen kritischen Punkt. Entweder mußte sie ihrem Land und ihren Eltern abschwören oder aber Hitler und dem Nazismus. Wie sie es sah, gab es keine Wahl ohne Verrat. Eine Stunde, nachdem die Kriegserklärung übers Radio gemeldet worden war, fuhr sie in den Englischen Garten, setzte sich auf eine grüne Bank und schoß sich mit dem Revolver in die Schläfe. Bewußtlos, aber nicht lebensgefährlich verletzt, brachte man sie in die Universitätsklinik in der Nußbaumstraße. Die Kugel ließ sich nicht entfernen. Erst am 8. November fand Hitler Zeit für einen Besuch bei ihr; dabei fragte er, was sie zu tun wünsche. Nach Hause fahren, war ihre Antwort. So fuhr sie, als sie transportfähig war, am 23. Dezember in einem Sonderzug nach Bern, wurde dort der Obhut ihrer Mutter und ihrer Schwester Debo übergeben und erreichte am 4. Januar 1940 England. Ihre Möbel wurden ausgelagert (und überstanden den Krieg), und ihre Ausgaben für die ärztliche Behandlung – aber auch für ein Paar Schuhe – wurden von Hitler beglichen; es war das mindeste, was er tun konnte.

»Unitys Vater gesteht Irrtum.« Schlagzeilen dieser Art überschwemmten jetzt die Presse. Die Redesdales mußten noch eine weitere Pille schlucken, als die Mosleys im Mai 1940 verhaftet wurden und ins Gefängnis kamen. Frankreich stand kurz vor der Niederlage, und während Hitler womöglich für die Invasion Englands mobil machte, konnte sich keine Regierung den Luxus einer Untersuchung leisten, welcher Seite Mosley und die BUF sich nun wirklich verpflichtet fühlten. Churchill war gerade Premierminister geworden, und es wird ein Dilemma für ihn gewesen sein, daß er Verwandte ohne Prozeß ins Gefängnis stecken lassen mußte – insbesondere eine Verwandte, in der er die schöne *Dynamite* gesehen hatte und die einmal sein Gast in Chartwell gewesen war. Später im Krieg sollte Tom in Downing Street speisen und für Diana bitten; wie im klassischen Drama waren abstrakte Überzeugungen und Prinzipien zu Menschen geworden. Die Mosleys wurden gegen Ende 1943 freigelassen.

Tom kam in den letzten Kriegswochen bei einem Flugzeugunglück ums Leben. Esmond Romilly ging als Freiwilliger zur *Canadian Air Force*, und sein Bomber blieb irgendwo über Deutschland verschollen. Jessica blieb in Amerika, und ihre Abenteuer mit den Kommunisten fanden ihren Niederschlag in dem Buch *A Fine Old Conflict*. Unity, die ihre Zurechnungsfähigkeit nie ganz wiedererlangt hatte, starb 1948 an den Nebenwirkungen ihrer Verletzung. Pamela heiratete einen bedeutenden Wissenschaftler, der dazu Amateurjockey war, und Debo heiratete den Mann, der Herzog von Devonshire wurde – wenigstens einige Wünsche fanden so ihre Erfüllung. Was die Eltern angeht: *Muv* blieb Anhängerin Hitlers durch dick und dünn und sprach von Churchill immer nur als dem »niederträchtigen Mann«. *Farve* konnte es nicht mehr aushalten. Nach vierzigjähriger Ehe trennten sich die Redesdales und starben unversöhnt.

Damit hätte die Familiensaga ein Ende finden können, ein eher pathetisches und tragisches als erfolgreiches Ende, wenn nicht Nancy die Geschichte noch romantisiert hätte. Sie brauchte den Glauben an die fiktiven Bilder des Glanzes. Sie hatte sich von Prod scheiden lassen. Verliebt in Gaston Palewski, einen engen Mitarbeiter de Gaulles, zog sie am Ende des Krieges nach Paris, heiratete aber nicht; sie lebte allein, nicht allzu glücklich, und machte aus sich selbst – in bester Mitford-Manier – nicht ohne Mühe eine Gaullistin. Ihre Einbildungskraft wurde nicht durch wirkliche Ereignisse angeregt, sondern durch deren bloße Anklänge. Die Schwestern lieferten ihr das Rohmaterial für ihre beiden Nachkriegsbestseller, die Romane *The Pursuit of Love* und *Love in a Cold Climate.*

In diesen Romanen lud Nancy die Leser in ein witziges, strahlendes Märchenland ein, das von Geschöpfen bevölkert wird, die zwar ausgebrochen sein mögen, aber nur, um so die Erfüllung ihrer Sehnsucht zu finden. Sie schuf diese Illusion, indem sie einfach die Mosleys mit ihrer Politik, das Desaster Unitys und den Schiffbruch ihrer Eltern aussparte. Der ironische Ton und das rosige Licht trivialisierten das Geschehen sicherlich, dienten aber der Legende.

Alle Menschen träumen von Versöhnung und Happy-End, und damit war Nancys Popularität als Schriftstellerin gesichert. Ihr ist es zu verdanken, daß die Mitfords zu einer Art Symbol allgemeiner Wunscherfüllung wurden; wie Sterne, die aus eigener Kraft, nach eigenem Gesetz kreisen, konnten sie tun, was sie wollten, und kamen doch ungeschoren davon. Allgemeine Wahrheiten konnten für sie anscheinend außer Kraft gesetzt werden. Andere Berichte über die Familie, einschließlich der von Diana und Jessica, dienten nur zur Bekräftigung der Legende, doch die zusammengetragenen Fakten und Informationen entlarven sie am Ende. Denn dies waren keine Berühmtheiten in einem Niemandsland, sondern Menschen in einem sehr speziellen sozialen Umfeld.

Es war viel leichter gewesen, die Werte des Redesdales über Bord zu werfen, als etwas an deren Stelle zu setzen. Die Alternativen lebten unter einem Dach: Kommunist, Nazi, Künstler, Privatmann, privilegierter Aristokrat – ein Mikrokosmos, wenn man so will, der Nation und der möglichen Entscheidungen in einer Zeit der beispiellosen Zweifel und der moralischen Krise. Der Konflikt zwischen verschiedenen Entscheidungsmöglichkeiten besteht heute so wie damals, und deshalb haben die Mitfords im nachhinein immer noch etwas Exemplarisches an sich. Nach den Sechzigern und den Siebzigern ist es zumindest deutlicher geworden, daß Versöhnung und Happy-End der Literatur angehören und nicht dem wirklichen Leben. Und daran läßt sich etwas ganz Einfaches ablesen: daß nämlich Handlungen Konsequenzen nach sich ziehen. Es war einmal eine Zeit, da war diese Binsenwahrheit jedem reichen, jedem armen Kind bekannt; doch heute muß jeder Mensch erst durch eine Warngeschichte wie diese darüber belehrt werden.

Aus dem Englischen von Bernd Sarnland

Do You Know U?

Die Empörung, mit der Onkel Matthew im 5. Kapitel dieses Romans über die arme Fanny herzieht, weil sie von »Schreibpapier«, »Spiegeln«, »Kaminsimsen«, »Handtaschen« und »Parfüm« spricht und *lunch* sagt statt *luncheon*, mag dem Leser der deutschen Übersetzung wenig motiviert erscheinen. Sie speist sich aus des Onkels ausgeprägtem Sinn für gewisse feine Unterschiede zwischen zwei englischen Sprachen, dem Idiom der englischen Upper Class und dem Sprachgebrauch der übrigen britischen Nation. Man hat diese Differenz auf die Formel U / *non-U* gebracht (wobei U für Upper Class steht), und die linguistischen Fachleute haben diesem Problem ihre Aufmerksamkeit nicht versagt. In einem Brief vom 1. Mai 1954 an Heywood Hill berichtet Nancy Mitford:

»*Mein sonderbarer Freund, Prof. [Alan S. C.] Ross hat einen wirklich süßen Aufsatz für die Société Néo-philologique de Helsinki geschrieben, in Finnland gedruckt, aber in Englisch geschrieben, über den Sprachgebrauch der Oberklasse in England. Sein Titel:* Linguistic Class Indicators in Present Day English *[Sprachliche Klassen-Merkmale im heutigen Englisch]. Darin stehen Sätze wie dieser:* ›Die ideale U-Adresse... lautet P, Q, R, wobei P ein Ortsname ist, Q eine nähere Bestimmung (Manor, Court, House etc.) und R der Name einer Grafschaft [zum Beispiel Shinwell Hall, Salop]. Heute jedoch können nur wenige Adelige diesen Standard halten und leben oft in Häusern mit non-U-Namen wie Fairmeads *oder* El Nido.‹ (Ob sich die Finnen hierauf einen Reim machen können?) Jedenfalls ist es die Sache für den Weihnachtsmarkt, illustriert von O. Lancaster und unter dem Titel* Are You U? *Ich habe dem Prof diesen Vorschlag gemacht (der natürlich der Meinung sein kann, so etwas sei völlig unter seiner*

Würde), aber ich habe ihn gebeten, wenn ihn die Idee reizt, soll er Dir ein Exemplar schicken, Du könntest ihm vielleicht einen Tip im Hinblick auf einen Verleger geben. Es ist von vorne bis hinten wahnsinnig komisch, weil es in einem völlig ernsthaften wissenschaftlichen Stil geschrieben ist. Ich freue mich, sagen, zu können daß Englische Liebschaften *eine seiner Quellen ist ...«* [*]

Angeregt durch die Studie von Prof. Ross, schrieb Nancy Mitford dann einen Essay mit dem Titel *The English Aristocracy*, der im September 1955 in der Zeitschrift *Encounter* erschien, und 1956 gab sie ein kleines Buch mit dem Titel *Noblesse Oblige* heraus, in dem der Aufsatz von Prof. Ross und ihr eigener zusammen mit Beiträgen von Evelyn Waugh, Peter Fleming, Christopher Sykes und Sir John Betjeman abgedruckt wurden. Auf diese außerordentlich aufschlußreiche Aufsatzsammlung stützt sich das folgende kleine Diktionär in drei Sprachen.

u	*Non-U*	*Deutsch*
bike	cycle	Fahrrad
chimney piece	mantelpiece	Kaminsims
false teeth	dentures	künstliches Gebiß
jam	preserve	Marmelade
jerry *oder* pot	article	Nachttopf
lavatory-paper	toilet-paper	Toilettenpapier
looking-glass	mirror	Spiegel
mad	mental	verrückt
master, mistress	teacher	Lehrer (-in)
pudding	sweet	Süßspeise
rich	wealthy	reich, wohlhabend
riding	horse-riding	Reiten
scent	perfume	Parfüm

---

[*] Zit. n. Harold Acton, *Nancy Mitford. A Memoir*, London: Hamish Hamilton 1975, S. 98.

u	Non-U	Deutsch
Scotch	Scottish	schottisch
sick	ill	übel (Mir ist übel)
spectacles	glasses	Brille
stays	corsets	Korsett
table-napkin	serviette	Serviette
telegram	wire	Telegramm
vegetables	greens	Gemüse
wireless	radio	Rundfunkgerät
writing-paper	note-paper	Briefpapier

SELINA HASTINGS

über das Erscheinen der ersten Ausgabe
*von »The Pursuit of Love«**

Nancy schrieb den Roman von Anfang bis Ende in drei Monaten; noch nie hatte sie mit solcher Leichtigkeit ein Buch geschrieben, und nie wieder sollte es ihr so leichtfallen. Es war, als ob ihr der Umstand, daß sie sich verliebt hatte, schöpferische Kräfte verliehen hätte, von denen sie vorher kaum etwas ahnte. Evelyn [Waugh] las das Manuskript, und Evelyn war es auch, der den Titel vorschlug. Hamish Hamilton hielt mit seiner Begeisterung nicht hinter dem Berg (»es fiel das Wort glänzend«). Er erkannte von Anfang an, daß es ein Erfolg werden würde, und bat nur um ein paar kleine redaktionelle Änderungen: »S. 252 – zu Dünkirchen: Ich weiß genau, was Linda meint, und ich nehme an, sie würde es wahrscheinlich auch so gesagt haben, aber es kommt mir so vor, als sollte Miss Mitford Zeile 6 im Ton ein wenig dämpfen. Es gibt einfach zu viele Leute, für die es dort nicht himmlisch war.« Sein Vertrauen in Nancy wurde reichlich belohnt. Die Kritik lobte das Buch in den höchsten Tönen: »Äußerst unterhaltsam von der ersten bis zur letzten Seite«, »Mehr Wahrheit, mehr Aufrichtigkeit und mehr Lachen als sonst in der Romanproduktion eines ganzen Jahres« – die Leute kauften das Buch, sie lasen es, und manchmal schien es, als ob sie von nichts anderem mehr sprächen. In den ersten zwölf Monaten nach dem Erscheinen wurden 200 000 Exemplare verkauft. Hamilton hatte gesagt, Nancy würde am Ende vielleicht £ 750 verdienen, aber schon bin-

* Selina Hastings, *Nancy Mitford. A Biography*, London: Hamish Hamilton 1985, S. 168 f.

nen drei Wochen hatte sie mehr (£ 798) eingenommen, und innerhalb von sechs Monaten über £ 7000. Von überallher kamen die Glückwünsche. »Kluge, kluge Nancy«, schrieb John Betjeman, »ich bin stolz darauf, mit Ihnen bekannt zu sein.« Onkel Matthew, dessen Meinung Nancy mit einiger Beklommenheit entgegensah, »saß da, in das Buch vertieft, & knurrte verschiedene Korrekturen: ›Die Viehpeitsche habe ich gar nicht aus Kanada, irgendein Kerl aus Australien hat sie mir geschenkt‹ & so weiter. Es hat ihn sehr amüsiert, aber am Ende hat er geweint.«

[...]

Doch am wichtigsten war, wie derjenige über das Buch dachte, der es gestiftet hatte: Der Colonel war von seinem Portrait als Duc de Sauveterre sehr angetan, sah sich allerdings zu dem Hinweis genötigt, im wirklichen Leben seien französische Herzöge ganz anders; »er machte mich dann mit einem bekannt & wirklich, er hätte dem alten Hartington kaum ähnlicher & Fabrice kaum unähnlicher sein können. Aber – es ist ja ein Roman.« Auch Nancys Widmung »Für Gaston Palewski« hatte ihm geschmeichelt (»Avec la dédicace, je dois entrer dans la gloire«). Aber dann, im letzten Moment, als das Buch schon im Druck war, verlor er die Nerven, aus lauter Angst, die kommunistische Opposition könnte in seiner Verbindung mit la sœur d'Unity Mitford, l'amie de Hitler, einen Skandal wittern. Es kam zu einem aufgeregten Telegrammwechsel zwischen Nancy und ihrem Verleger »WIDMUNG STREICHEN ERSETZEN DURCH LORD BERNERS«, »GASTON LASSEN ZUSATZ STREICHEN WEITERDRUCKEN« – bis sich der Colonel schließlich beruhigte und die Widmung, so wie sie war, genehmigte.

»Hochkomisch, hochleidenschaftlich und überaus unterhaltend«

Süddeutsche Zeitung

Karen Duve
Dies ist kein Liebeslied
Roman
276 Seiten
Gebunden m. Schutzumschlag
€ 19,90 (D) · sFr 36,– · € 20,50 (A)
ISBN 3-8218-0683-4

Komisch und kompromißlos erzählt Karen Duve
die Geschichte einer jungen Frau, die liebt, aber
nicht wiedergeliebt wird, die glaubt, daß sie so,
wie sie ist, nicht bleiben kann, die fast alles riskiert
und fast nichts gewinnt ...

»Man beißt beim Lesen ... die Zähne zusammen,
bis das Lachen sie einem wieder auseinanderreißt –
ein absonderlich schönes und unbeschreiblich
lustiges Buch.« **Brigitte**

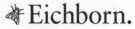 Eichborn.

Kaiserstraße 66
60329 Frankfurt
Telefon: 069 / 25 60 03-0
Fax: 069 / 25 60 03-30
www.eichborn.de

Wir schicken Ihnen gern ein Verlagsverzeichnis.